Alter Orient und Altes Testament
Veröffentlichungen zur Kultur und Geschichte
des Alten Orients und des Alten Testaments

Band 21/1
Kjell Aartun
Die Partikeln des Ugaritischen
1. Teil

Alter Orient und Altes Testament

Veröffentlichungen zur Kultur und Geschichte des Alten Orients
und des Alten Testaments

Herausgeber

Kurt Bergerhof · Manfried Dietrich · Oswald Loretz

1974

Verlag Butzon & Bercker Kevelaer

Neukirchener Verlag Neukirchen-Vluyn

Die Partikeln des Ugaritischen

1. Teil

Adverbien.
Verneinungspartikeln,
Bekräftigungspartikeln,
Hervorhebungspartikeln

von
Kjell Aartun

1974

Verlag Butzon & Bercker Kevelaer

Neukirchener Verlag Neukirchen-Vluyn

Herstellung: Breklumer Druckerei Manfred Siegel
Printed in Germany
ISBN 3-7887-0426-8 Neukirchener Verlag
ISBN 3-7666-8855-3 Verlag Butzon & Bercker

Meiner lieben Frau

OLENA AARTUN

in Dankbarkeit gewidmet

VORWORT

Vorliegendes Buch bildet den ersten Teil einer – in zwei Teilen zu veröffentlichenden – Untersuchung der Partikeln des Ugaritischen. Dieser erste Teil wird die Behandlung der Adverbien, der Negationen, der Bekräftigungspartikeln sowie der Hervorhebungspartikeln enthalten. Für den zweiten Teil ist die Darstellung der Präpositionen und der Konjunktionen bestimmt.

Das in Betracht gezogene Sprachmaterial ist ausschließlich den schon publizierten Texten entnommen. Dieses wird in der üblich verwendeten Transskription dargeboten. Dasselbe gilt auch für die oft aus den verwandten Sprachen zum Vergleich herangezogenen Parallelen.

Die Bezeichnung der Texte folgt dem Verzeichnis C.H. Gordons nur mit Ausnahme von einigen wenigen schon bekanntgegebenen Textbelegen, die in Gordons Textausgaben nicht aufgenommen wurden.

Was die Bibliographie betrifft, beansprucht diese keinerlei Vollständigkeit. Jedoch wurde Wert darauf gelegt, daß keine wichtigen Arbeiten über die Partikeln im Ugaritischen außer Acht gelassen wurden.

Es ist mir eine angenehme Pflicht, an dieser Stelle der *Alexander von Humboldt-Stiftung* für ihre großzügigen ökonomischen Unterstützungen während der Ausarbeitung des ganzen Werkes zu danken.

Den wärmsten Dank sage ich ferner dem Direktor des Orient-Instituts, Abteilung Altorientalische Philologie, der Freien Universität Berlin, Herrn Professor *Dr. Einar von Schuler*, der mir während meines dortigen fast dreijährigen Aufenthalts manchen wertvollen Dienst erwiesen hat, und der sich sehr gütig der Aufgabe unterzog, das fertige Manuskript sprachlich- und sachlich-kritisch durchzulesen.

Herrn Professor *Dr. Rudolf Macuch* danke ich für viele wertvolle Beratungen, insbesondere Fragen sachlicher und methodischer Art betreffend.

Den Herren Professoren *Dr. M. Dietrich* und *Dr. O. Loretz*, Münster, danke ich schließlich dafür, daß sie die Arbeit in ihre Reihe "Alter Orient und Altes Testament" aufgenommen haben.

Berlin/Stavanger im Spätsommer 1972

Kjell Aartun

INHALTSVERZEICHNIS

Vorwort VII

Inhaltsverzeichnis IX

Vorbemerkung XI

I. Adverbien 1

1. Von Deuteelementen abgeleitete Adverbien 1

a) Adverbien des Ortes 1
b) Adverbien der Zeit 5
c) Adverbien der Art und Weise bzw. des Grundes 7

2. Von Begriffswurzeln abgeleitete Adverbien 11

a) Adverbien des Ortes 11
b) Adverbien der Zeit 13
c) Adverbien der Art und Weise 14

II. Verneinungspartikeln 19

1. Von Deuteelementen abgeleitete Formen 19

a) Formen zur Verneinung des ganzen Satzes 19
b) Formen zur Verneinung des einzelnen Wortes bzw. des ganzes Satzes. 22

2. Von Begriffswurzeln abgeleitete Formen 26

III. Bekräftigungspartikeln 29

1. Formen zur Bekräftigung des ganzen Satzes 29

2. Formen zur Bekräftigung des einzelnen Wortes bzw. des ganzen Satzes . 33

IV. Hervorhebungspartikeln 38

1. Von Deuteelementen abgeleitete Formen 38

a) Formen zur Hervorhebung des einzelnen Wortes 38
b) Formen zur Hervorhebung des einzelnen Wortes bzw. des ganzen Satzes 67
c) Formen zur Hervorhebung des ganzen Satzes 72

2. Von Begriffswurzeln abgeleitete Formen 77

Indizes 79

A Wortregister 79

Ugaritisch 79
Altkana'anäisch (EA) 100
Hebräisch 100
Gezer-Inschrift 103
Mišnā-Hebräisch 103
Moabitisch 103
"Jaudisch" 103
Phönizisch 103
Punisch 104
Aramäisch 104
Arabisch 106
Altsüdarabisch 107
Neusüdarabisch 108
Äthiopisch (Gĕ'ĕz) 108
Amharisch 109
Tigrē 109
Tigriña 109
Harari 110
Akkadisch 110
Ägyptisch 111
Koptisch 111

Verzeichnis der angeführten Literatur 112

Abkürzungen 120

VORBEMERKUNG

Bei der Behandlung werden die Partikeln im Hinblick auf deren Herkunft und Gebrauch dargestellt. Der Hauptzweck der etymologischen Entsprechungen, die eventuell zum Vergleich herangezogen werden, ist darzutun, ob die betreffende Formbildung (Wurzel) auch in den übrigen semitischen Hauptidiomen vorkommt oder Sondergut des Ugaritischen ist.

In der Anführung der Belegstellen wird, falls anders nicht bemerkt, soweit möglich, namentlich aus frequentativen Gründen, Vollständigkeit angestrebt.

Soweit bei der Anführung von Sprachbelegen Ergänzungen eingefügt werden, sind diese durch Parallelstellen oder durch den Wortanfang bzw. durch das Wortende gesichert. Diese Ergänzungen werden folgerichtig durch Klammern gekennzeichnet. Punkte bedeuten, daß nicht erschließbare bzw. unklare Textstellen vorliegen.

I. ADVERBIEN

Die Partikeln, die unter Ausschluß von den Negationen, den Bekräftigungspartikeln und den Hervorhebungspartikeln, die als besondere Formgruppen behandelt werden sollen (siehe unten), zu den Adverbien gerechnet werden, stellen im Ugaritischen wie sonst im Semitischen eine ziemlich umfassende, aber auch sehr variierte Gruppe dar. Wie üblich im Semitischen sind unter diesen im besonderen Sinn als Adverbien zu fassenden Wörtern zunächst morphologisch zwei Hauptarten von Formen zu unterscheiden, solche, die von Deuteelementen abgeleitet, und solche, die von Begriffswurzeln deriviert sind. Der Bedeutung nach lassen sich aber die Ausdrücke je der genannten Bildungstypen, ebenso wie gemeinsemitisch, naturgemäß in drei Kategorien einteilen, namentlich in solche zur Bezeichnung des Ortes, der Zeit, und der Art und Weise bzw. des Grundes, d.h. der Qualität u.dgl. Im folgenden werden nun die in Frage kommenden Typen, und zwar in Bezug auf deren Ursprung und Gebrauch in den vorliegenden Texten, nach der angegebenen morphologischen und funktionellen Gruppierung behandelt.

1. Von Deuteelementen abgeleitete Adverbien

a) *Adverbien des Ortes*

Von dieser Kategorie finden sich schon zahlreiche Bildungen von ungleichen Stämmen. Funktionell unterscheiden sich die respektiven Vertreter, wie gewöhnlich im Semitischen, genauer als Frage- und Demonstrativformen.

α) Frageformen

Vorhanden sind von dieser Art 1) vom Stamm *'y(y)*: *i* < **'ay*[1] ; *iy* = *i* + *-y* (hervorhebende Partikel (siehe unten)); *ay* = *ayy* (Stamm) + *-V* (ursprünglicher bzw. sekundärer Natur) "wo?" Vgl. hierzu aus den verwandten Sprachen vom selben Stamm z.B. hebräisch *'ē* < **'ay* neben *'ayyē* = *'ayy* (Stamm) + *-ē* < **-a-y(V)* (Morphem/Hervorhebungspartikel (vgl. unten)); jüdisch-aramäisch *'ay* bzw. *'ē* < **'ay*; akkadisch *ai* = *'ay*[2] "wo)"[3].

---

[1] Zur folgerechten Monophthongisierung der Diphthonge im Ugaritischen siehe Gordon, *Textbook*, S. 31 (§ 5.18).

[2] Siehe Bauer-Leander, *Hist. Gram.* I, S. 204; Dalman, *Gram.*, S. 90f.; von Soden, *GAG*, S. 14 (§ 11); Bergsträsser, *Einführung*, S. 5.

[3] Siehe Koehler, *Lex.*, S. 34, 36; Dalman, *Gram.*, S. 219; von Soden, *AHw*, S. 23; *CAD*, "A" 1, S. 220.

Im verfügbaren Material werden sämtliche der belegten Frageformen vom Stamm *'y(y)* des Ugaritischen ausschließlich in der Dichtung verwendet. Hinsichtlich der Kombination und des Syntagmatypus treten auch die gleichen ausnahmslos am Anfang von Nominalsätzen auf. Die Art der Aussagen, in denen sie vorkommen, ist aber z.T. unterschiedlich.

So wird die einfache Form *i*, in gleicher Weise wie auch oft z.B. die entsprechende hebräische Kurzform *'ē* usw. (vgl. oben), nur in direkten Fragen angewandt: 67:IV:6 *i ap b'[l]* "wo (ist) denn (wörtlich: auch)[1] Ba'[l]? "; ferner ibid.: 7 *i hd* "wo (ist) Hd?" Vgl. hierzu zu hebräisch *'ē* Gn 4:9; Dt 32:37 u.ö.[2]

Dieselbe Anwendung wie *i* zeigt nun auch die besondere durch *-y* erweiterte Form *iy* des Ugaritischen, wie 49:IV:28-29 *iy aliyn b'l* (:28) *iy zbl b'l arṣ* (:29) "wo (ist) Aliyn Ba'l? Wo (ist) der Fürst, der Herr der Erde? "; so auch ibid.: 39-40.

In indirekten Fragen erscheint dagegen, ebenso wie auch z.T. der analoge hebräische Formtypus *'ayyē* (vgl. oben), die Parallelform *ay*. Letzterer Ausdruck wird jedoch ugaritisch in dem vorläufig sicher zu belegenden Fall offenbar elliptisch gebraucht: 52:6 *lḥm blḥm ay wšty bḥmr yn ay* "esset Brot, wo (dieses zu finden ist o.ä.), und trinket Wein, wo (dieser zu finden ist o.ä.)!" Zum Gebrauch vgl. zu hebräisch *'ayyē* Hi 15:23[3]. Vgl. vielleicht auch 2Aqht:VI:3.

Weiter kommt vor 2) vom Stamm *'n(n)*: *an* "wo?" Vgl. etymologisch z.B. hebräisch *'ān* (*'ānā*, *'ānæ*) "wo? wohin?"; jüdisch-aramäisch *'ān* "wo?"; arabisch *'annā* "wo? wohin? "[4] usw.

Auch die Form *an* des Ugaritischen wird, gleich wie durchgehend hebräisch *'ān* usw. (vgl. oben), vorläufig allein in direkten Fragen gebraucht. Bezüglich der Verbindung steht diese, genau wie sämtliche der obigen Formen vom Stamm *'y(y)*, auch nur am Anfang von Nominalsätzen. Belege des Gebrauchs dieser Form kommen zunächst aus der Dichtung: 49:IV:46-47 *an lan yšpš* (:46) *an lan*[5] (:47) "wo? wohin? o Špš, wo? wohin? (wörtlich: wo? in bezug auf wo? o Špš, wo? in bezug auf wo?)"[6] Zum Syntagma vgl. ähnlich 1K 2:36 u.ö. *'ānæ wā'ānā* (vgl. auch de Moor, *AOAT* 16, S. 224 mit Verweis auf Montgomery und Harris, *RSMT*, S. 88); ferner aus der Prosa: 608:12-13 *lan* (:12) [*ḫ*]*mt* (:13) "wohin [das Gi]ft?" Vgl. auch ibid.: 8,:10, :20[7].

---

1 Siehe unten.

2 Zur hier vertretenen Deutung siehe schon Driver, *Myths*, S. 107, 133; Jirku, *Mythen*, S. 60 und andere. Zu anderer Auffassung vgl. Gordon, *Ug.lit.*, S. 41; *Ug. and Min.*, S. 78; *Textbook*, S. 348 ("O!") (analogielos im Ugaritischen). Zu *i* Krt:201 siehe unten.

3 Zu den bisherigen abweichenden, kontextlich und sprachvergleichend aber in keinem Fall aufrechtzuerhaltenden, Auffassungen vgl. z.B. Ginsberg, *JRAS* 62, S. 64; Aistleitner, *Texte*, S. 58; *Wb*, S. 15; Driver, *Myths*, S. 121, 137; Jirku, *Mythen*, S. 81; Gordon, *Ug.lit.*, S. 58; *Ug. and Min.*, S. 94; Largement, *La naissance*, S. 21, 29f. Vgl. dagegen unter anderen Gesenius-Buhl, *Hw*, S. 29 (zu *'ayyē*). Zu elliptischen Ausdrücken im Semitischen siehe besonders Brockelmann, *Grundriß* II an mehreren Stellen (vgl. besonders die auf S. 675 aufgerechneten Verweise).

4 Siehe Brockelmann, *Grundriß* I, S. 328; Wright I, S. 285 B-C; Gesenius-Buhl, *Hw*, S. 52; Dalman, *Gram.*, S. 218; *Hw*, S. 24.

5 Zur Verbindung: *l* (Präposition) + *an* vgl. aramäisch *lĕ'ān* (*lĕhān*) (Dalman, *Gram.*, S. 218); vgl. auch unten zu *l* (Präposition).

6 Vgl. Virolleaud, *Syria* XII (1931) an mehreren Stellen; Driver, *Myths*, S. 113; Jirku, *Mythen*, S. 72; de Moor, *AOAT* 16, S. 223f., 308; und andere; dagegen z.B. Gordon, *Ug.lit.*, S. 46; *Ug. and Min.*, S. 85; vgl. ferner id., *Textbook*, S. 361f.; Rabin (bei Driver, *Myths*, S. 113 Anmerkung 4).

7 Vgl. Virolleaud, *Ugaritica* V, S. 576f.; Gordon, *Supplement*, S. 553.

β) Demonstrativformen

Die Mannigfaltigkeit der Vertreter ist hier weit größer. Mannigfacher sind auch die syntagmatischen bzw. syntaktischen Kombinationen der Formen.

Vertreten sind schon von dieser Art 1) vom Stamm *hl*: *hlm* = *hl* (Stamm(bildung)) + *-m* Derivationsmorphem/hervorhebende Partikel (siehe unten)); *hlny* = *hl* (Stamm) + *-ny* (Derivationsmorphem) "hier". Zum Ursprung und der Struktur dieser Formen vgl. im besonderen arabisch *halumma* = *hal-um-ma* "wohlan! komm her!"; hebräisch *hălŏ̄m* < **hal-um-mV*; phönizisch *hlm*[1] "hier(her)" sowie ägyptische Adverbien auf *-ny*[2].

Zur Anwendung kommt von diesen vom Stamm *hl* abgeleiteten Formen des Ugaritischen im vorhandenen Material das erstgenannte Gebilde *hlm* nur einmal dichterisch. An der betreffenden Stelle steht der Ausdruck (von einer Präposition regiert) am Ende eines Verbalsatzes, nämlich 1Aqht:214 *bat bhlm* "sie (d.h. Pǵt, die Tochter des Dnil) ist hierher (wörtlich: in hier) gekommen"[3]. Vgl. ähnlich z.B. 2S 7:18 u.ö. zu hebräisch *hălŏ̄m*.

Häufig bezeugt ist dagegen die Nebenbildung *hlny*. Kombinatorisch leitet diese immer Nominalsätze ein. Auch sind die Belege hier in der Gesamtheit der Prosa zu entnehmen, wie 117:9-10 *hlny ʻmn[y]* (:9) *kll šlm* (:10) "hier bei un[s] (ist) alles wohlauf (wörtlich: hier bei un[s] (ist) das Wohlergehen vollkommen)"; vgl. 1013:8; ferner 118:18 *hlny argmn* "hier (ist) der Tribut"; 1013:12-14 *hlny ʻmn* (:12) *mlk b ṯy ndr* (:13) *iṯt* (:14) "ich bin hier bei dem König (d.h. dem Hethiterkönig) mit dem gelobten Geschenk"[4]. Vgl. ferner die zerstörte Stelle 101:3. Zum Gebrauch letzterer Form vgl. auch besonders unten zu den analogen Bildungstypen *hnny* und *ṯmny*.

Von derselben Art sind zu belegen 2) vom Stamm *hn(n)*: *hn*; *hnny* = *hn* (Stamm) + *-ny* (Derivationsmorphem) "hier". Hierzu vgl. besonders etymologisch und strukturell die verwandten Ausdrücke hebräisch *hĕnnā* "hier(her)"; arabsich *hunā* "hier"[5], aber auch ägyptische Adverbien auf *-ny* (vgl. oben).

Von den letztgenannten Bildungen vom Stamm *hn(n)* tritt auch die Form *hn* in dem bisher veröffentlichten Material lediglich dichterisch, und zwar nur in einem stark beschädigten Text auf. Wie es scheint, hat auch dieselbe in allen belegten Fällen kombinatorisch ihren Platz am Beginn von Nominalsätzen: 124:2-3 *hn bnk hn* [ ] (:2) *bn bn aṯrk hn* [ ] (:3) "hier (ist) dein Sohn, hier . . . . , hier . . . .". Zum Gebrauch vgl. auch ähnlich zu hebräisch *hĕnnā* (vgl. oben) Jer 51:64 u.ö. Vgl. ferner den Gegensatz *ṯm* "dort" 124:4, :6, :8, :9 (Nominalsätze) (siehe unten)[6].

Ebenso steht folgerichtig am Anfang von Nominalsätzen die Parallelform *hnny*. Hier liegen aber in den zugänglichen Texten wieder allein Prosabelege vor, wie 95:10-12 *hnny ʻmny* (:10) *kll mid* (:11) *šlm* (:12) "hier bei uns (ist) alles in bester Ordnung (wörtlich: hier bei uns (ist) das Wohlergehen sehr vollkommen)"; so auch 2059:6-7 *hnny ʻmn* (:6) *šlm* (:7) "hier bei mir (ist alles) wohlauf"; ebenso 2061:6. Zum Gebrauch von *hnny* vgl. sonst oben zu *hlny* und unten zu *ṯmny*.

---

[1] Zum Typus vgl. von Soden, *GAG*, S. 162f.; vgl. auch Brockelmann, *Grundriß* I, S. 323.

[2] Siehe Brockelmann, *Grundriß* I, S. 323; Wright I, S. 288; Gesenius-Buhl, *Hw*, S. 183; Leslau, *Orientalia* 37,3 (1968), S. 353; Gordon, *Textbook*, S. 102f.

[3] Vgl. Virolleaud, *Danel*, S. 181; Gordon, *Ug. lit.*, S. 100; *Ug. and Min.*, S. 139; *Textbook*, S. 390; Aistleitner, *Wb*, S. 89 und andere; dagegen z.B. Driver, *Myths*, S. 66 (Textkorrektur); ebenso Jirku, *Mythen*, S. 136.

[4] Siehe näher de Moor, *JNES* XXIV (1965), S. 357f.

[5] Siehe Brockelmann, *Grundriß* I, S. 323; Wright I, S. 288 A; Gesenius-Buhl, *Hw*, S. 185.

[6] Zu anderen angeblichen Fällen von *hn* = "hier" vgl. Driver, *Myths*, S. 137; Aistleitner, *Wb*, S. 91. Dazu siehe aber näher unten zu *hn* = "siehe!"

Weiter kommt vor 3) vom Stamm *p*: *p* “hier”. Zur Etymologie vgl. zunächst hebräisch *pō*; punisch *pho*; neusüdarabisch *bo/bu/bû* (, die allesamt aus altsemitisch **pā* entstanden sind) “hier”; vgl. auch EA 104: 53 *pu-u*[1].

Bisher begegnet die Form *p* des Ugaritischen nur einmal im Innern eines Nominalsatzes in der Prosa: 54:11-12 *w yd* (:11) *ilm p kmtm* (:12) “und die Hand der Götter (lastet) hier wie der Tod”[2]. Zur Anwendung vgl. beispielsweise zu hebräisch *pō* (vgl. oben) Dt 5:3 u.ö.

Endlich erscheinen von dieser Art 4) vom Stamm *ṯm(m)*: *ṯm*; *ṯmn* = *ṯm* (Stammbildung) + *-n* (hervorhebende Partikel (siehe unten)); *ṯmt* = *ṯm* (Stammbildung) + *-t* (hervorhebende Partikel (siehe unten)); *ṯmny* = *ṯm* (Stamm) + *-ny* (Derivationsmorphem) “dort”. Vgl. zur Herkunft und Morphologie insbesondere die analogen Gebilde desselben Grundstammes wie arabisch *ṯamma*, *ṯamma-ta*[3]; kanaʿanäisch *šm* < **ṯm*: hebräisch *šām*, *šāmmā*, moabitisch und phönizisch *šm*; aramäisch *tm* < **ṯm*: biblisch-aramäisch *tammā*, ägyptisch-aramäisch *tmh*, jüdisch-aramäisch *tam*, *tammān* = *tammā-n*, mandäisch *tam*, christlich-palästinensisch *tammā-n*, ostsyrisch *tammā-n*/westsyrisch *tammō-n*[4]; altsüdarabisch *ṯm-t* “dort” sowie Adverbien auf *-ny* im Ägyptischen (siehe oben)[5].

Nicht nur in bezug auf die syntagmatische Stellung, sondern auch was die Syntax anbetrifft, folgen die Formen vom Stamm *ṯm(m)* des Ugaritischen in ihrem Gebrauch oft verschiedenen Mustern.

In ungleichen Textarten angewandt, erscheint so die einfache Form *ṯm* gleichermaßen in Verbal- und Nominalsätzen. Die Stellung derselben ist dabei immer am Satzanfang.

Belege für den Gebrauch der einfachen Form *ṯm* in Verbalsätzen sind aus der Dichtung: 52:66 *ṯm tgrgr labnm wlʿṣm* “dort sollt ihr euch zwischen Steinen und Bäumen tummeln o.ä.”[6]; Krt: 199-200 *ṯm* (:199) *ydr krt* (:200) “dort gelobte Krt”. Vielleicht auch 6:13 (Herdner, *Corpus*, S. 57; de Moor, *UF* 3, S. 349). Aus der Prosa ist anzuführen: 2063:15-16 *wṯm* (:15) *ydbḥ* (:16) “und dort opfert er”. Zur Anwendung vgl. z.B. zur hebräischen Form *šām* (vgl. oben) Nu 9:17; Dt 10:6; usw.

In Nominalsätzen taucht die einfache Bildung *ṯm* nur in der Dichtung auf: 68:4 *ṯm ḥrbm* “dort (sind) zwei Schwerter”; 124:4-5 *ṯm* (:4) *ṯkm bm ṯkm aḫm* (:5) “dort (sind) Schulter an Schulter die Brüder”; ibid.: 6 *ṯ!m yṯbš* “dort (ist) Yṯbš”; ibid.:8 *ṯm ṯmq* “dort (ist) Ṯmq”; ibid.: 9 *ṯm yḫpn* “dort (ist) Yḫpn”[7]. Vgl. ebenso zu hebräisch *šām* (vgl. oben) z.B. Ez 32:22; Ps 104:25; usw.

Die erweiterte Form *ṯmn* kommt vorläufig allein in der Prosa, und zwar nur in Nominalsätzen, vor. Syntagmatisch vorangestellt steht die Form: 2171:3-4 [*ṯ*]*mn ʿmk* (:3) [*m*]*nm šlm* (:4) “(ist) [d]ort bei dir [jeder]mann wohlauf?”; vgl. unten zu *ṯmny*; dagegen nachgestellt (zusammengesetzter Nominalsatz): 2065:19-20 *w uḫy* (:19) [*y*]*ʿmsn ṯmn* (:20) “und möge mein Bruder mir dort geben (wörtlich: und möge mein Bruder mich

---

[1] Siehe Brockelmann, *Grundriß* I, S. 323; Friedrich, *Gram.*, S. 114; Leslau, *Orientalia* 37,3 (1968), S. 361; Böhl, *LSS* 5,2 (1909), S. 71 (§34a); Knudtzon, EA II, S. 1493.

[2] Vgl. Gordon, *Ug.lit.*, S. 117; *Textbook*, S. 465; Aistleitner, *Wb*, S. 251 und andere; dagegen z.B. Dhorme, *Syria* XIV (1933), S. 235f.

[3] Vgl. auch analog arabisch *ṯumma* neben *ṯumma-ta* “(unmittelbar) darauf, danach” (siehe die Lexika).

[4] Siehe z.B. Nöldeke, *Syr. Gram.*, S. 31 (§44).

[5] Siehe Brockelmann, *Grundriß* I, S. 323; Wright I, S. 286 A; Wehr, *Wb*, S. 94; Gesenius-Buhl, *Hw*, S. 839, 930; Friedrich, *Gram.*, S. 114; Dalman, *Gram.*, S. 218; Drower-Macuch, *Dictionary*, S. 479; Brockelmann, *Lex. syr.*, S. 827; Schulthess, *Gram.*, S. 56; Beeston, *Grammar*, S. 52.

[6] Zum wörtlichen Sinn des Syntagma siehe unten zu *l* (Präposition).

[7] Vgl. Virolleaud, *Syria* XXII (1941), S. 18f.; vgl. auch Aistleitner, *Texte*, S. 85; Gordon, *Ug. and Min.*, S. 141.

dort beladen (mit dem, was ich wünsche))"[1]. Vgl. hierzu unter anderen Schulthess, *Gram.*, S. 104 zu aramäisch *tammān*.

Einmal nachgestellt, aber als Teil eines Verbalsatzes begegnet die erweiterte Form *ṯmt*. Der bislang einzige Beleg kommt auch hier aus der Prosa: 54:15-18 *m'nk* (:15) *w mnm* (:16) *rgm d tšm'* (:17) *ṯmt* (:18) "deine Antwort (erbitte ich), und jedes Wort, das du dort vernimmst"[2]. Vgl. Beeston, *Grammar*, S. 52 zu altsüdarabisch *ṯmt* (vgl. oben).

Vorangestellt in echten Nominalsätzen findet sich hingegen die Sonderform *ṯmny*. Sämtliche Satzgebilde, die ebenfalls der Prosa zu entnehmen sind, sind Fragesätze (Tatsachenfragen) nach dem Muster: Adverbium (*ṯmny*) + der Präposition *'m* und Regiertem + dem Syntagma *mnm šlm*: 95:14-16 *ṯmny* (:14) *'m adtny* (:15) *mnm šlm* (:16) "(ist) dort bei unserer Herrin jedermann wohlauf? (wörtlich: welches Wohlergehen (gibt es) dort bei unserer Herrin?)"; 117:11-12 *ṯmny 'm u[my]* (:11) *mnm šlm* (:12) "(ist) dort bei [meiner Mut]ter jedermann wohlauf?"; vgl. 1013:9-10; 2009:7-8; 2061:7-8 *ṯmny '[m] bny* (:7) *mnm [šl]m* (:8) "(ist) dort b[ei] meinem Sohn jedermann [wohl]auf?"; 2059:7-8 *ṯmny* (:7) *'mk mnm [š]lm* (:8) "(ist) dort bei dir jedermann [wohl]auf?"[3] Zum ähnlichen formelhaften Gebrauch von den analogen Formtypen *hlny* und *hnny* siehe oben.

b) *Adverbien der Zeit*

Auch hier sind im Ugaritischen, ebenso wie in den verwandten Sprachen, Bildungen von mehreren Stämmen vorhanden. Zum Unterschied von den Ortsadverbien (siehe oben) sind aber ugaritisch unter diesen Ausdrücken nur Demonstrativa nachweisbar.

Von diesem Typus kommt nun vor 1) vom Stamm *h/t*: *ht* (ursprünglich als ein zusammengesetztes Demonstrativpronomen zu betrachten) = *h* (Stammbildung) + *t* (Stammbildung) "nun" (< "diese (Zeit)")[4]. Betreffs der Etymologie vgl. vor allem arabisch *hā-tī, hā-tā* neben *hā-ḏi-hī, hā-ḏī*) "diese" (f.sg.)[5].

In betreff des Gebrauchs findet sich die ugaritische Form *ht* nur einmal dichterisch (mit präfigiertem *l* = Präposition (siehe unten)) vor. Kombinatorisch steht das Wort im Innern eines Verbalsatzes: 1Aqht:167-168 *'wr yštk b'l lht* (:167) *w'lmh* (:168) "blind soll dich Ba'l machen von nun an bis in (alle) Ewigkeit (wörtlich: in bezug auf nun (< diese (Zeit)) und in (alle) Ewigkeit)". Zur entsprechenden Kombination vgl. schon oben zu den lokalen Demonstrativa.

Ferner erscheinen von dieser Art 2) vom Stamm *'d* < **'ḏ*: *id* < **iḏ*; *idk* = *id* (Stammbildung) + *-k* (hervorhebende Partikel (siehe unten)) "dann". Vgl. hierzu von derselben Wurzel arabisch *'iḏ* "siehe da, da", *ʾiḏa-n* (Stammwort + hervorhebendem *-n* (siehe unten)) "dann, dann also" u.ä. (zu arabisch *'iḏḏāka* siehe die folgende Anmerkung); vgl. auch hebräisch *'āz* < **'aḏ* "damals, dann"[6].

---

1 Siehe auch Virolleaud, *PU* V, S. 93; Gordon, *Textbook*, S. 457.
2 Vgl. Dhorme, *Syria* XIV (1933), S. 236; Gordon, *Ug. lit.*, S. 117; Aistleitner, *Wb*, S. 337.
3 Vgl. Virolleaud, *Syria* XIX (1938), S. 343f.; ibid. XXI (1940), S. 251f.; *PU* V, S. 17, 82; Gordon, *Textbook*, S. 503; Aistleitner, *Wb*, S. 337.
4 Zur Entwicklung der Form vgl. z.B. hebräisch *zæ* "hier, jetzt" < "diesen ((Zeit)punkt)" (Bauer-Leander, *Hist. Gram.* I, S. 633).
5 Wright I, S. 268 B; Barth, *Pronominalbildung*, S. 111.
6 Vgl. Wright I, S. 283 Df.; Reckendorf, *Synt. Verh.*, S. 745; Gesenius-Buhl, *Hw*, S. 20. Die übliche Verbindung von ugaritisch *idk* mit arabisch *'iḏḏāka* (z.B. Gordon, *Manual*, S. 233; *Textbook*, S. 351; Aistleitner, *Wb*, S. 7 und andere) ist vornehmlich aus morphologischen Gründen kaum möglich. Letztere Form *'iḏḏāka* vertritt eine semitisch vollkommen atypische – nach allem echt arabische – Bildung, die aus der gemeinsemitischen Partikel *'iḏ* + dem arabisch belegten – im Ugaritischen (sowie Kana'anäischen) nicht vorkommen-

Von den letzteren Typen ist auch die Kurzform *id* des Ugaritischen nur vereinzelt zu belegen, und zwar an einer Prosastelle (in einem kultischen Text). Es erscheint die Form zu Beginn eines verbalen Syntagma: 611:1 *id ydbḥ mlk* "dann opfert der König"[1]. Vgl. analog zu hebräisch *'āz* Gn 24:41; Ps 2:5; usw. sowie Reckendorf, *Synt. Verh.*, S. 479 zu arabisch *'iḏ*.

Um so häufiger, wenn auch nur dichterisch, tritt in den vorhandenen Texten die erweiterte Form *idk* des Ugaritischen auf. Der Satztypus ist auch hier verbal. Strukturell sind die Syntagmen konsequent nach den folgenden (Parallel)mustern gebildet: *idk* + der Bekräftigungspartikel *l* + Verbum finitum der 3. Person Singular/Plural (des Begriffs *ytn*) bzw. der Bekräftigungspartikel *al* + Verbum finitum der 2. Person Singular/Plural (des Begriffs *ytn*) + Nomen (*pnm*) + Präposition (*'m*) mit Regiertem bzw. Richtungsakkusativ.

Belege des Gebrauchs von *idk* mit folgendem *l* + Verbum finitum der 3. Person Singular/Plural usw. sind: 49:I:4-5 [*id*]*k lttn pnm 'm* (:4) [*i*]*l* (:5) "[da]nn, fürwahr, begab sie sich (wörtlich: wandte sie das Antlitz) zu [I]l"; ebenso 51:IV:20-21; 2Aqht:VI:46-47; 'nt:V:13-14; ferner 49:IV:31-32 *idk lttn pnm* (:31) *'m nrt ilm špš* (:32) "dann, fürwahr, begab sie sich zur Leuchte der Götter, Špš"; 51:V:84-85 *idk lttn pnm* (:84) *'m b'l* (:85) "dann, fürwahr, begab sie sich zu Ba'l"; ebenso 'nt:IV:81; 3Aqht rev. 20-21 *idk lttn* [*pnm*] (:20) [*'m*]*aqht ǵzr* (:21), "dann, fürwahr, begab sie sich [zu] Aqht, dem Helden"; 'nt pl. IX:III:21-22 *idk lyt*[*n pnm 'm lṭpn*] (:21) *il dpid* (:22) "dann, fürwahr, beg[ab er sich zu dem Freundlichen], Il, dem Mitleidigen"; 76:II: 8-9 *idk lytn pnm* (:8) *tk aḫ šmk* (:9) "dann, fürwahr, begab er sich auf die Wiese (wörtlich: in die Mitte der Wiese) Šmk"; 67:I:9-10 *idk* (:9) *lytn pnm 'm b'l* (:10) "dann, fürwahr, begaben sie sich zu Ba'l"; 67:II:13-14 *idk* (:13) *lytn pn*[*m*] *'m bn ilm mt* (:14) "dann, fürwahr, begaben sie sich zum Sohn des Il, Mt"; ebenso mit vorangestelltem Objekt (*pnm*): Krt:301-303 *idk pnm* (:301) *lytn 'mm pbl* (:302) *mlk* (:303) "dann, fürwahr, begaben sie sich zum König Pbl"; 607:63 *idk pnm lytn tk aršḫ rbt* "dann, fürwahr, begab er sich nach Aršḫ dem großen". Zur Konstruktion vgl. besonders den geläufigen arabischen Sprachtypus mit *'iḏa-n*(!) + *la-* + Verbum (finitum), wie z.B. Qur. 23:93(91) u.ö. (Reckendorf, *Synt. Verh.*, S. 746).

Belege von *idk* mit folgendem *al* + Verbum finitum der 2. Person Singular/Plural usw. sind: 51:VIII:1-2 *idk al ttn pnm* (:1) *'m ǵr trǵzz* (:2) "dann, fürwahr, sollt ihr (d.h. die Götter Gpn und Ugr) euch zum Berge Trǵzz begeben"; 51:VIII:10-11 *idk al ttn* (:10) *pnm tk qrth* (:11) "dann, fürwahr, sollt ihr euch in seine Stadt (wörtlich: in die Mitte seiner Stadt) begeben"; 'nt:VI:12-13 *idk al ttn* (:12) *pnm tk ḥqkpt* (:13) "dann, fürwahr, sollt ihr euch ins Innere von Ḥqkpt begeben"; vgl. auch 137:13-14; ebenso mit syntagmatischer Verschiebung des Objektes[2] (*pnm*): 67:V:11-13 *idk* (:11) *pnk al ttn tk ǵr* (:12) *knkny* (:13) "dann, fürwahr, sollst du dich nach dem Berg (wörtlich: in die Mitte des Berges) Knkny begeben". Zur Kombination vgl. näher unten zu *al* (Negation bzw. Bekräftigungspartikel)[3].

Zu dieser Kategorie gehören endlich auch 3) die aus mehreren Stammbildungen zusammengesetzten Formen: *bkm* = *b* (Präposition) + *kn* (Adverb) + *-m* (Hervorhebungspartikel (siehe unten)); *bkt* = *b* + *kn* + *-t* (Hervorhebungspartikel (siehe unten))[4] "dann, darauf". Zur Etymologie vgl. besonders hebräisch und aramäisch (christlich-palästinensisch) *bĕḵēn* < *bĕ* + *kēn* "dann, darauf" u.ä.[5].

---

den – Pronomen *ḏāka* < *ḏā* + *-ka* entstanden ist. Vgl. auch noch die positiv daneben vorkommende unverbundene arabische Kombination *'iḏ ḏāka* (siehe die Grammatiken und Lexika). Nach Goetze, *Studia Orientalia Ioanni Pedersen*, S. 115-123 habe *idk* einen negativen Sinn (sprachlich sowie kontextlich unhaltbar).

1 Vgl. Virolleaud, *Ugaritica* V, S. 586; Gordon, *Supplement*, S. 550.

2 Vgl. auch oben.

3 Vgl. auch schon z.B. Gordon, *Textbook*, S. 357; Driver, *Myths*, S. 136 und andere.

4 D.h. regressive, totale Assimilation von *n* in Kontaktstellung; siehe näher Gordon, *Textbook*, S. 34. Vgl. auch schon Aartun, *BiO* XXIV, 5-6 (1967), S. 288f.

5 Siehe Gesenius-Buhl, *Hw*, S. 351; Schulthess, *Gram.*, S. 56.

Die beiden letzterwähnten Ausdrücke des Ugaritischen werden auch, wie die meisten übrigen dieser Gruppe, nur in der gehobenen Rede gebraucht. Genau wie die eben behandelten gleichbedeutenden Partikeln *id, idk* (siehe oben) treten sie immer an der Spitze von Verbalsätzen auf.

Belege des Gebrauchs von *bkm* sind: 51:VII:42 *bkm yṯb b'l lbhth* "dann/darauf kehrte Ba'l in seinen Palast zurück"; 125:112 *bkm t'rb ['l abh]* "dann/darauf trat sie (Ṯtmnt, die Tochter des Krt) ein [zu ihrem Vater]"; 1Aqht:57-59 *bkm tmdln 'r* (:57) *bkm tṣmd pḥl bkm* (:58) *tšu abh tštnn lbmt 'r* (:59) "dann sattelt sie (Pǵt, die Tochter des Dnil) das Eselsfüllen; dann schirrt sie den Esel an; dann hebt sie ihren Vater auf (und) setzt ihn auf den Rücken des Eselsfüllens"; 'nt pl. X:V:7 *bkm y'n* "dann antwortete er (d.h. der Gott Ba'l)"; ebenso ibid.: 20; ferner 608:41 (mit folgendem *y'ny*)[1]. Vgl. ferner im besondern Koh 8:10; Esth 4:16 zu hebräisch *bĕḵēn*. Vgl. auch unten zu *kn*.

Von *bkt* liegt nur ein Beispiel vor: 127:4 *bkt tgly* "dann geht sie (Š'tqt) fort"[2]. Vgl. ebenso unten zu *kn*.

c) *Adverbien der Art und Weise bzw. des Grundes*

Die Formen dieser Gruppe vertreten ebenfalls – wie gemeinsemitisch – Gebilde von verschiedenen Grundelementen. Wie bei den Ortsadverbien (siehe oben) sind unter ihnen Frage- und Demonstrativformen zu unterscheiden.

α) F r a g e f o r m e n

Von dieser Kategorie kommen in Betracht 1) vom Stamm *'y*: *ik* < **'ay*[3] (Stamm) + *-k* (Derivationsmorphem); *iky* = *ik* + *-y* (Hervorhebungspartikel (siehe unten)); *ikm* = *ik* + *-m* (Hervorhebungspartikel (siehe unten)) "wie?" Vgl. hierzu etymologisch und strukturell unter anderen Formen wie hebräisch *'ēḵ* < **'ayk*, *'ēḵā* < **'ayka*, *'ēḵāḵā* < **'ayka* + hervorhebendem *-ka*; jüdisch-aramäisch *'ēḵ* < **'ayk*[4] usw., syrisch *'aykan(nā)* = *'ayka* + hervorhebendem *-n(nā)* "wie?"[5]

Ganz wie die Ortsadverbien vom Stamm *'y* (siehe oben) leiten auch die hierher gehörigen von derselben Wurzel abgeleiteten Formen in den bisherigen Texten nur direkte Fragen ein. Die Struktur der Sätze ist aber hier, wie analog in den zu vergleichenden Sprachen (vgl. oben), teils verbal, teils nominal.

Von den betreffenden Fragewörtern vom Stamm *'y* erscheint zunächst, nur poetisch in Verbalsätzen gebraucht, der einfache Ausdruck *ik* öfters mit folgender Präformativform, nämlich als Vorwurf, wie 49:VI:24-26 *ik tmtḫ*(:24)*ṣ 'm aliyn b'l* (:25) *ik* (:26) "wie kannst du dich mit Aliyn Ba'l schlagen, wie (ist es möglich o.ä.)?"[6]; vgl. auch 137:40; ferner 51:III:28-29 *ik tmgnn rbt* (:28) *aṯrt ym* (:29) "wie könnt ihr die Fürstin

---

1 Zu 76:III:30 *bkm* = der Präposition *b* + dem Nomen *km* "Hügel" siehe Aartun, *BiO* XXIV, 5-6 (1967), S. 288f.; *WdO* IV, 2 (1968), S. 291f.

2 Zur gewöhnlichen Deutung der Form *bkt* (= Partizip im Femininum von der Wurzel *bky*), welche aber weder sachlich noch sprachlich in Frage kommen kann, siehe z.B. Virolleaud, *Syria* XXIII (1942-1943), S. 4; Gordon, *Ug. lit.*, S. 81; Driver, *Myths*, S. 45; anders z.B. Ginsberg, *ANET*, S. 148; Sauren und Kestemont, *UF* 3, S. 218 und andere (siehe unten). Vgl. dagegen aber schon Gordon, *Textbook*, S. 372.

3 Vgl. oben S. 1, Anm. 1.

4 Vgl. oben S. 1, Anm. 2.

5 Siehe Brockelmann, *Grundriß* I, S. 328; *Lex. syr.*, S. 14f.; Gesenius-Buhl, *Hw*, S. 29; Dalman, *Gram.*, S. 220, 398; vgl. auch von Soden, *AHw*, S. 24 zu akkadisch *ayyaka*.

6 Vgl. schon z.B. Hammershaimb, *Verb*, S. 44; Gordon, *Ug. lit.*, S. 48; *Ug. and Min.*, S. 87; Driver, *Myths*, S. 115; Jirku, *Mythen*, S. 74; de Moor, *AOAT* 16, S. 230 und andere; dagegen Ginsberg, *ANET*, S. 141 ("why?");

Aṯrt des Meeres bitten? "; vgl. hierzu auch unten zu Fragment (zur Wiederherstellung von 51:VII:53-58):1-2[1]; weiter auch 67:II:21 *ik ylḥn* "wie soll er verstehen . . . . ? "; so auch negativ: 3Aqht obv. 9 *ik al yḥdṯ yrḫ* im Englischen: "how will he not renew the moon? (wörtlich auf deutsch: wie soll er nicht den Mond erneuern?)"[2]. Zum betreffenden Gebrauch vgl. analogerweise auch z.B. Gn 39:9; 2S 6:9 u.ö. (ähnlich auch mit Negation 2S 1:14) zu hebräisch *'ēḵ*, *'ēḵā*.

Statt Verbum finitum (Präformativform) folgt aber nach *ik* vereinzelt auch der Infinitiv[3] als Vorwurf: Fragment (zur Wiederherstellung von 51:VII:53-58):1-2 *ik mgn rbt aṯrt* (:1) [*ym*] (:2) "wie können sie die Fürstin Aṯrt [des Meeres] bitten?"[4]; vgl. ferner oben die Parallele 51:III:28-29 (mit Präformativform).

Auch kann z.T. das einfache *ik*, ebenso wie auch bisweilen hebräisch *'ēḵ* usw., mit folgender Afformativform in reinen Tatsachenfragen stehen, wie 51:II:21-24 *ik* (:21) *mǵy aliyn* [*b*]*'l* (:22) *ik mǵyt b*[*t*]*lt* (:23) *'nt* (:24) "wie, ist gekommen (d.h. wie kommt es, daß gekommen ist) Aliyn [Ba]'l? Wie, ist gekommen die Ju[ng]frau 'Anat?"[5]; so auch 51:IV:31-32 *ik mǵyt rbt aṯr*[*t y*]*m* (:31) *ik atwt qnyt i*[*lm*] (:32) "wie, ist gekommen die Fürstin Aṯr[t des Mee]res? , Wie, ist angelangt die Erschafferin der G[ötter]?"[6]. Hierzu vgl. analog z.B. zu hebräisch *'ēḵ* (vgl. oben) Gn 26:9.

Die besondere erweiterte Form *iky* des Ugaritischen wird dagegen in dem belegten Material nur in reinen Tatsachenfragen, und zwar ausschließlich in der Prosa verwendet. Zunächst begegnet diese sporadisch mit folgendem Verbum finitum, namentlich Präformativform: 1010:5-6 *iky aškn* (:5) *'ṣm lbt dml* (:6) "wie soll ich die Holzstämme für das Haus des Dml/Bt Dml festsetzen (wörtlich: auferlegen)? "[7]. Ferner steht dieselbe einmal in einem echten Nominalsatz: 138:6-8 *iky lḥt* (:6) *spr dlikt* (:7) *'m ṯryl* (:8) "wie (steht es) mit den Brieftafeln[8], die ich zu Ṯryl gesandt habe?" Die erweiterte Form *iky* kommt höchstwahrscheinlich auch im Text 118:8 (zerstört) vor[9].

In verschiedenen Textarten bezeugt ist aber die erweiterte Form *ikm*. Hier ist, wenn überhaupt erkennbar, der Satztypus verbal. Mit folgender Präformativform als Vorwurf taucht die Form in der Dichtung auf: 125:20-21 *ikm yrgm bn il* (:20) *krt* (:21) "wie kann gesagt werden: "Krt (ist) der Sohn des Il?" ". Ferner erscheint dieselbe an einer verstümmelten Prosastelle: 26:10 *wikm kn w*[ ] "und wie . . . . ?"

Aistleitner, *Texte*, S. 23 ("warum?"); Goetze, *Studia Orientalia Ioanni Pedersen*, S. 115-123 ("not"); ebenso van Zijl, *AOAT* 10, S. 233f. (dagegen mit Recht schon Albright, *JAOS* 76 (1956), S. 234); usw. – Zum Bau des letzteren Syntagma vgl. jedoch vor allem Ginsberg, a.a.O.; Aistleitner, a.a.O.; vgl. auch besonders 129:17f.

1 Vgl. Gordon, *Ug. lit.*, S. 30; *Ug. and Min.*, S. 65; Driver, *Myths*, S. 95; Jirku, *Mythen*, S. 42; van Selms, *Marriage*, S. 63 und andere; dagegen Ginsberg, *ANET*, S. 132; Aistleitner, *Texte*, S. 39; *Wb*, S. 16; vgl. die Anmerkung zum unmittelbar vorangehenden Fall.

2 Vgl. Gordon, *Ug. lit.*, S. 92 u.ö.; dagegen z.B. Virolleaud, *Danel*, S. 219 ("voici!"); Aistleitner, *Texte*, S. 74 ("wahrlich"); usw.

3 Vgl. auch ibid.: 3 *w?tn* = *w?* (Konjunktion) + *tn* (Infinitiv von *ytn*); vgl. ebenso 51:V:70 *wtn*.

4 Vgl. vor allem Gordon, *Ug. lit.*, S. 38; *Ug. and Min.*, S. 74 und andere; vgl. auch oben.

5 Vgl. Driver, *Myths*, S. 93; Jirku, *Mythen*, S. 40 usw.; dagegen Virolleaud, *Syria* XIII (1932), S. 124 ("certes"); Gordon, *Ug. lit.*, S. 29 ("why?"); ebenso Ginsberg, *ANET*, S. 132; Aistleitner, *Texte*, S. 38; usw. Aus dem Indoeuropäischen sind in Fällen wie diesen Ausdrücke zu vergleichen wie z.B. französisch "comment?", dem Gebrauch nach ebenso teils = deutsch "wie?", teils = deutsch "wie kommt es, daß . . . ", z.B. "comment peut-il vivre?"; "comment s'est-il adressé à moi?"

6 Vgl. die unmittelbar vorangehende Anmerkung.

7 Vgl. Dietrich und Loretz, *WdO* III (1966), S. 214f. Zu anderer Auffassung von *iky* (Hoftijzer, *UF* 3, S. 360) siehe unten.

8 Oder: Listen-Tafeln (Dietrich und Loretz, a.a.O.).

9 Vgl. schon Herdner, *Corpus*, S. 154, die statt *ikzi* (Virolleaud und die Kopie, *Syria* XXI (1940), S. 260f.; Gordon, *Textbook*, S. 190) eben *iky*! liest. Wie bekannt stellt ferner der Text einen Vertrag dar, der ebenfalls in akkadischer Sprache vorliegt. Der betreffende Ausdruck *iky*! entspricht im Zusammenhang dem akkadischen *ammīni* "warum?", welches zeigt, daß *iky*! hier, wie oft die einfache Form *ik* (siehe oben), zunächst auf deutsch die Bedeutung: "wie kommt es, daß?" hat. Vgl. auch Dietrich und Loretz, a.a.O.

Weiter gehört hierher 2) das Kompositum *lm* = *l* (Präposition) + *m* (Fragepronomen) "warum?" (wörtlich: "in bezug auf welches?, bezüglich wessen?" (siehe unten)). Vgl. analog arabisch *limā̌*; hebräisch *lāmā, lāmǣ, lāmmā*; aramäisch *lᵉmā* (gemeinaramäisch) "warum?"[1].

Auch die letztgenannte Bildung des Ugaritischen leitet in dem zu Gebote stehenden Material allein direkte Fragen, und dem Sinne nach, wie meistens auch arabisch *limā̌*, hebräisch *lāmmā* usw. (vgl. oben), nur solche als Vorwürfe, ein. Die Satzgefüge sind, ebenso wie üblich in den verwandten Idiomen, teils verbaler, teils nominaler Art.

In Verbalsätzen wird die Bildung *lm* des Ugaritischen kombinatorisch meist mit folgender Präformativform verbunden; so dichterisch: 51:VII:38-39 *lm tḫš* (:38) *lm tḫš nṯq dmrn* (:39) "warum überfallet ihr, warum überfallet ihr ....?" (zum wörtlichen Sinn des Adverbs vgl. schon oben)[2]; 75:II:58 *lm ttkn* "warum .... ihr?"; 125:80 *lm tbʿrn* "warum läßt du mich (vor Ungewißheit) brennen?"[3]; ebenso in der Prosa: 1010:4 *lm tlik ʿmy* "warum schickst du zu mir?"; so auch mit Negation: 1012:25-26 *lm* (:25) *l ytn hm mlk* [*b*]*ʿly* (:26) "warum gibt der König, mein [H]err, sie nicht?"; 2060:16 *lm ... l tlk* "warum ... kommst du nicht?" Vgl. hierzu z.B. zu hebräisch *lāmmā* Ex 2:13; 5:15; u.ö. sowie zu arabisch *lima* Qur. 2:85(91); 3:59(66); u.ö.

Seltener wird ugaritisch *lm* in Verbalsätzen mit folgender Afformativform kombiniert. Das geschieht dichterisch: 137:24-25 *lm ǵltm ilm riš*[*t*] (:24) *km* (:25) "warum habt ihr, Götter, eure Häup[ter] sinken lassen?"; so auch in der Prosa: 1012:23-24 *lm škn hnk* (:23) *lʿbdh alpm š*[*šw*]*m* (:24) "siehe[4], warum hat er (der Hethiterkönig) seinem Diener (die Lieferung von) zweitausend Pf[er]den auferlegt?"; 1022:2 *lm likt* "warum hast du geschickt?"; ebenso mit Negation: 2010:7 *lm* [*l*] *likt* "warum hast du [nicht] geschickt?" Vgl. dementsprechend zu hebräisch *lāmmā* 1S 22:13; Ps 80:13; u.ö. und zu arabisch *lima* Qur. 3:180 (183) usw.

Ganz vereinzelt leitet die ugaritische Form *lm* Nominalsätze ein. Dieser Art ist die epische Stelle: Krt: 137-138 *lm ank* (:137) *ksp wyrq ḫrṣ* (:138) "was soll ich mit dem Silber und dem Gelb des Goldes? (wörtlich: warum ich das Silber und das Gelb des Goldes?)"; vgl. auch die Parallele ibid.: 282-283. Zum Syntagmatypus vgl. ferner z.B. zu hebräisch *lāmmā* Gn 27:46; usw.

Zerstörte Stellen mit der besprochenen Form *lm* des Ugaritischen sind: 18:13; 2010:13; 2128:7, :12 (Briefe); 76:III:6 (mythischer Text).

β) D e m o n s t r a t i v f o r m e n

Nur einige, wenige, sparsam angewandte Vertreter sind vorhanden.

Überliefert ist von dieser Art 1) vom Stamm *k*: *k* "so". Vgl. etymologisch hebräisch *kō* < **kā* (und Nebenformen); akkadisch *kīam, kêm* usw. "so"[5].

Zu bezeugen ist ugaritisch *k* nur einmal am Anfang eines Verbalsatzes im Epos. Es steht kombinatorisch mit folgender Präformativform verbunden: 128:I:7 *ktnḫn udmm* "so wehklagen die Udmiten". Zum Gebrauch vgl. ähnlich z.B. zu hebräisch *kō* Nu 8:7; usw.[6].

[1] Siehe Reckendorf, *Synt. Verh.*, S. 76; Gesenius-Buhl, *Hw*, S. 402; Brockelmann, *Lex. syr.*, S. 372; Schulthess, *Gram.*, S. 56; Dalman, *Gram.*, S. 398; Drower-Macuch, *Dictionary*, S. 236.

[2] Zum Syntagma vgl. al-Yasin, *Lex. rel.*, S. 151; Gordon, *Ug. lit.*, S. 36; *Ug. and Min.*, S. 73 und andere; anders z.B. Driver, *Myths*, S. 101; Aistleitner, *Texte*, S. 45; *Wb*, S. 118.

[3] Zur Deutung des Syntagma vgl. schon z.B. Aistleitner, *Texte*, S. 100. Für den Gebrauch des Verbs *bʿr* von der inneren Unruhe vgl. sonst z.B. Ps 39:4.

[4] Siehe näher unten zur Hervorhebungspartikel *hn* mit Erweiterungen.

[5] Siehe Gesenius-Buhl, *Hw*, S. 335, 344; von Soden, *GAG*, S. 175; *AHw*, S. 470.

[6] Zu anderen, angeblich hierher zu rechnenden Belegen (Aistleitner, *Wb*, S. 143) siehe unten zu *k* als Bekräftigungspartikel.

Weiter findet sich 2) vom Stamm *kn(n)*: *kn* "so". Zur Etymologie vgl. zunächst hebräisch *kēn*; phönizisch *kn*, punisch *chen*; biblisch-aramäisch, christlich-palästinensisch, jüdisch-aramäisch *kēn*, mandäisch *kin*; altsüdarabisch *kn* "so"; vgl. ferner auch arabisch *lākin(na)* "sondern, aber" < *lā* + *kin(na)* "nicht so"[1].

Von der Form *kn* kommt ebenfalls im vorliegenden Material nur ein Beispiel aus der Dichtung vor. Das betreffende Gebilde begegnet auch hier am Beginn eines Verbalsatzes, wird aber syntaktisch genauer mit folgender Afformativform kombiniert: 75:II:54 *kn npl bʿl* "so fiel Baʿl". Vgl. vielleicht auch die zerstörte Stelle 26:10 (Prosa?). Zum angeführten sicheren Gebrauch der Form vgl. analog z.B. zu hebräisch *kēn* (vgl. oben) Ex 36:29; usw.

Ferner kommt vor 3) das Kompositum *kd* = *k* (Präposition) + *d* < **ḏ* (Demonstrativpronomen) "so" (< "diesem gemäß"). Vgl. die analogen Typen in den verwandten Sprachen, wie arabisch *ka-ḏā*; hebräisch *kā-zæ, kā-zō, kā-zōṯ*; jüdisch-aramäisch *kĕ-ḏā* "so"[2].

Mit Sicherheit ist auch letztgenannte Form nur einmal im Epos nachzuweisen. Im vorliegenden Fall steht die Form im Innern eines Verbalsatzes (mit *yqtl*): 1Aqht:14 *imḫṣh kd ʿl qšth* "ich schlug ihn so (wörtlich: diesem gemäß) wegen seines Bogens"[3]. Vgl. hierzu analog z.B. zu hebräisch *kā-zōṯ* (vgl. oben) 1S 4:7; 2Ch 31:20; u.ö.

Zerstörte Stellen mit *kd* = "so" sind wahrscheinlich 49:II:3, :4 (mythischer Text). Vgl. vielleicht auch die unklare Stelle 6:25 (Mythus)[4].

---

1 Siehe Brockelmann, *Grundriß* I, S. 324; Gesenius-Buhl, *Hw*, S. 351, 910; Friedrich, *Gram.*, S. 114; Schulthess, *Gram.*, S. 56; Dalman, *Hw*, S. 207; Drower-Macuch, *Dictionary*, S. 213; Höfner, *Gram.*, S. 173; Wright II, S. 333 D.

2 Siehe Wright I, S. 266 A; Gesenius-Buhl, *Hw*, S. 194; Dalman, *Hw*, S. 192.

3 Vgl. Driver, *Myths*, S. 59; Aistleitner, *Wb*, S. 146 und andere; anders z.B. Virolleaud, *Danel*, S. 137 ("la cruche"); Ginsberg, *ANET*, S. 153 ("but").

4 Vgl. Aistleitner, *Wb*, S. 146.

2. Von Begriffswurzeln abgeleitete Adverbien

a) *Adverbien des Ortes*

Generell betrachtet bieten – genau wie durchgehend die obigen Typen – auch die Formen dieser Bildungsart des Ugaritischen im allgemeinen strukturell keine besonderen Phänomene dar. Was die zuerst zu erörternden Ausdrücke lokalen Sinnes anbelangt, sind, wie üblich im Semitischen, dem Bau nach meistens aus früheren nominalen Bildungen, seltener aus älteren syntaktischen Verbindungen von Partikel + Nomen entstandene Gebilde zu belegen.

In den bisherigen Überlieferungen kommt von den zuerst zu behandelnden Formen vor 1) vom Stamm *bʿd*: *bʿdn* = *bʿd* (ursprüngliche nominale Stammbildung) + *-n* (Hervorhebungspartikel (siehe unten)) "hinten". Zur Etymologie – und wahrscheinlich auch der Struktur der Stammbildung – vgl. vor allem arabisch *baʿdu* (ursprüngliches Nomen im Lokativ) (nur im zeitlichen Sinn belegt) "darauf, alsdann" u.ä.[1]

Vorläufig läßt sich das Adverb *bʿdn* auch nur dichterisch in einem (zweimal belegten) Verbalsatz aufweisen. Syntagmatisch wird der Ausdruck, wie mehrfach die Adverbien im Ugaritischen bzw. Semitischen (vgl. schon oben), im gegebenen Fall vorangestellt: ʿnt:III:30 *bʿdn ksl ṯṯbr* "hinten "zerbricht" sie (d.h. ʿAnat) die Lenden"[2]; ebenso 51:II:17-18[3]. Vgl. ferner Reckendorf, *Synt. Verh.*, S. 14 zu arabisch *baʿdu* u.dgl.; vgl. auch Brockelmann, *Grundriß* I, S. 462; II, S. 341.

Weiter erscheinen 2) vom Stamm *ʿl(y/w)*: *ʿl* (ursprüngliche nominale Stammbildung (der verkürzten Wurzel)); *ʿlm* = *ʿl* + *-m* (Hervorhebungspartikel (siehe unten)); *ʿln* = *ʿl* + *-n* (Hervorhebungspartikel (siehe unten)) "oben, darüber". Hierzu vgl. etymologisch – und nach allem auch bezüglich der Struktur des übergeordneten Stammwortes – besonders arabisch *ʿalu* "von oben, oberhalb"; ferner nabatäisch *ʿl*, *ʿly* "oben"[4].

Von den letzteren Formen vom Stamm *ʿl(y/w)*, die auch alle vorangestellt auftreten (vgl. oben), findet sich die einfache Form *ʿl* auch allein an zwei poetischen Stellen. Der Satztypus ist ebenso in beiden Fällen verbal: 1Aqht:208 *wʿl tlbš npṣ aṯt* "und darüber zieht sie (Pǵt, die Tochter des Dnil) das Kleid einer Frau an"; 2Aqht:II:9 *wʿl yṣhl pi[t]* "und oben leuchtet die Schlä[fe]". Vgl. weiter oben zu *bʿdn*.

Vereinzelt in einem kultisch-rituellen Text belegt ist ferner die erweiterte Form *ʿlm*. Auch hier ist der Satztypus von verbaler Art: 5:9-10 *ʿlm tʿrbn gṯrm* (:9) *bt mlk* (:10) "oben (auf der Höhe des Palastes) treten die *gṯr-m* in das Haus des Königs ein". Zum Gebrauch vgl. ebenfalls oben zu *bʿdn*. Nicht hierher gehört *ʿlm* in der Bedeutung "darüber hinaus, auch" u.ä. (612:7 u.ö.); hierzu siehe näher unten.

Nur in der Poesie, aber in verschiedenen Satztypen, erscheint dagegen die verlängerte Form *ʿln*. Letztere steht in einem Verbalsatz: 51:I:38 *ʿln yblhm ḫrṣ* "an ihnen (den Schuhen) bringt er oben Gold an". Ferner steht dieselbe in einem zusammengesetzten Nominalsatz: ʿnt:III:31 *ʿln pnh tdʿ* "oben ihr Antlitz schwitzt"; vgl. auch noch die zerstörte Stelle mit *ʿln* ʿnt:V:22. Zur Anwendung vgl. ebenso oben zu *bʿdn*.

---

1 Vgl. Brockelmann, *Grundriß* I, S. 462ff.; Wright I, S. 288 B; Reckendorf, *Synt. Verh.*, S. 13f. vgl. mit von Soden, *GAG*, S. 87; vgl. ferner ugaritische Ausdrücke auf *-u* wie 127:3 *bu* (*tbu*); vgl. auch unten zu *ʿln*.

2 Vgl. Ginsberg, *ANET*, S. 137; Driver, *Myths*, S. 87 und andere; anders z.B. Virolleaud, *La déesse*, S. 44; Gordon, *Ug. lit.*, S. 19; Aistleitner, *Wb*, S. 54 mit Verweis auf S. 331f. Zum lokalen Sinn vgl. sonst besonders die Parallelen: *ʿln* (von derselben Bildungsart wie *bʿdn* (siehe unten)) "oben" (ibid.:31) sowie *ẓrh* "ihr Rücken" (ibid.:32); vgl. auch die vom selben Stamm abgeleitete ugaritische Präposition *bʿd* "hinter" (siehe unten).

3 Prinzipiell kann *ksl* "die Lenden" auch syntaktisch das Subjekt sein; vgl. Driver, *Myths*, S. 87 Anmerkung 16.

4 Siehe Wright I, S. 288 B; Reckendorf, *Synt. Verh.*, S. 13f.; Cantineau, *Le nabatéen* I, S. 99.

Ferner finden sich von dieser Art 3) die Zusammensetzungen *mrḥqm* und *mrḥqtm* = *m* (Präposition (siehe unten)) + *rḥq* bzw. *rḥqt* (Nomen (Adjektiv) vom Stamm *rḥq* ohne bzw. mit Femininendung *-t*) + *-m* (Hervorhebungspartikel (siehe unten)) "in der Ferne"[1]. Vgl. hierzu zunächst – etymologisch und strukturell – hebräisch *mērāḥōq* = *mē-rāḥōq* "in der Ferne"[2].

Bezüglich des Gebrauchs der letztgenannten Ausdrücke, die beide ausschließlich in der Prosa verwendet werden, ist ersterer *mrḥqm* bisher nur ganz vereinzelt – in einem schwer beschädigten Text – gefunden (vielleicht steht der Ausdruck syntagmatisch nachgestellt): 1012:3 [*a*]*dty mrḥqm* ". . . . meine [He]rrin in der Ferne". Zum Text siehe sonst besonders Virolleaud, *PU* II, S. 26f. (Vgl. jedoch z.B. Gordon, *Textbook*, S. 218, der auch an dieser Stelle gegen den Keilschrifttext *mrḥqtm* liest.)

Demgegenüber ist aber schon vielfach überliefert die Nebenform *mrḥqṭm*. Diese wird ferner in den vorhandenen Belegen folgerichtig in Syntagmata verwendet nach dem Muster: *lp'n* N.N. + Zahladverbien + *mrḥqtm* + *qlt* (Verbum finitum), wie 89:6-11 *l p'n* (:6) *adty* (:7) *šb'd* (:8) *w šb'id* (:9) *mrḥqtm* (:10) *qlt* (:11) "zu Füßen meiner Herrin fiel ich siebenmal und siebenmal nieder (bin ich siebenmal und siebenmal niedergefallen) in der Ferne (wörtlich: aus der Ferne)" (vgl. unten); ebenso 1014:5-8; 2063:5-8 [*lp*]*'n b'ly* (:5) [*šb'*]*d šb'*[*d*] (:6) [*mr*]*ḥqtm* (:7) *qlt* (:8) "[zu Fü]ßen meines Herrn fiel ich [sieben]mal, sieben[mal] nieder [in der Fer]ne"; 2115 rev. 5-8 *lp'n b'ly* (:5) *ṯnid šb'd* (:6) *mrḥqtm* (:7) *qlt* (:8) "zu Füßen meines Herrn fiel ich zweimal siebenmal nieder in der Ferne"; vgl. auch 1013:2-5 (zerstörte Stelle mit syntagmatischer Verschiebung einzelner Wörter(!)). Dagegen aber ohne Zahladverb: 95:5-7 *l p'n adtny* (:5) *mrḥqtm* (:6) *qlny* (:7) "zu Füßen unserer Herrin fielen wir nieder in der Ferne". Zur festen Redeweise vgl. sonst besonders EA 49:3; 52:3-4; 53:3; usw. Für die Kombination der Partikel vgl. außerdem Ps 38:12; usw. zu hebräisch *mērāḥōq*.

Endlich ist hierher zu rechnen 4) die Form *bt* (+ folgendem Nomen rectum) < **b-bt* (Präposition + Nomen regens) (haplologische Silbenellipse) "im Hause, in das Haus". Vgl. dementsprechend auch hebräisch und aramäisch *bēṯ* < **bV-bēṯ* (**bV-bayt-*) "im Hause, in das Haus"[3].

In verschiedenen Textarten auftretend, ist, – gleich hebräisch *bēṯ* usw. (vgl. oben), – auch der Ausdruck *bt* des Ugaritischen in Syntagmen sowohl verbaler wie nominaler Art gebräuchlich.

Beispiele für den Gebrauch der ugaritischen Form *bt* in Verbalsätzen sind vorläufig, aus der Dichtung: 124:24 *tštyn bt ikl* "sie trinken im Hause des Essens (d.h. im Speisesaal)", ähnlich auch 2Aqht:I:32-33; :II:4-5; :21-22; ferner 51:VIII:7-8; 67:V:14-15; aus der Prosa (kultisch-ritueller Text): 5:9-10 *'lm t'rbn gṯrm* (:9) *bt mlk* (:10) "oben (auf der Höhe des Palastes) treten die *gṯr-m* in das Haus des Königs ein"; ferner 609 obv. 18; 2004:10, :11. Vgl. hierzu analog z.B. Gn 38:11; 12:15; usw. zu hebräisch *bēṯ*.

In Nominalsätzen (echter bzw. zusammengesetzter Art) begegnet ugaritisch *bt*, wie es scheint, vorläufig nur in der Prosa: 1153:1-2 *b gt ilštm'* (:1) *bt ubnyn šh* (:2) "in Gt Ilštm' im Hause des Ubnyn (ist) sein Schaf"; 1121:1-2 *dt* (:1) *'rb bt mlk* (:2) "(acht Wagen,) die in das Haus des Königs einfuhren"; vgl. oben 5:9-10. Zum Gebrauch vgl. weiter besonders analoge Belege von hebräisch *bēṯ* wie Gn 24:23; Ri 18:18; usw.[4].

---

1 Wörtlich aber: "aus der Ferne". Siehe näher unten zu *m-* (Präposition).

2 Siehe Gesenius-Buhl, *Hw*, S. 754. Vgl. ferner auch die sonstigen ugaritischen Kombinationen von Partikel + Nomen vom Stamm *rḥq* ohne bzw. mit *m*-Erweiterung, wie *lrḥq* (*l* + *rḥq*) ('nt:IV:78-79), *lrḥqm* (*l* + *rḥq* + *-m*) ('nt pl. X:IV:3) vgl. mit hebräisch *lᵉmērāḥōq* Hi 36:3 u.ö.

3 Siehe Brockelmann, *Grundriß* I, S. 265; Beer-Meyer, *Gram.* I, S. 79; Nöldeke, *Syr. Gram.*, § 243.

4 Die Entstehung der Ausdrucksweise *bt* (< **b-bt*) "im Hause/in das Haus" ist, wie der Vergleich mit den verwandten Sprachen beweist, als vorugaritisch zu betrachten. Beim Vorkommen der Kombination *b-bt* (wie *'rb b-bt* 2Aqht:II:26; 77:18-19 u.ö.) wird ugaritisch, ebenso wie in den respektiven verwandten Idiomen (vgl. z.B. 2K 15:5; 17:29; Gn 31:14 usw.), die Bedeutung der Präposition betont.

b) *Adverbien der Zeit*

Die respektiven hierher zu rechnenden Bildungen des Ugaritischen stammen, wie die dem Bau nach zur selben Hauptgruppe gehörenden Ortsadverbien (vgl. oben) ebenfalls alle von ursprünglichen Nominalformen bzw. älteren Kombinationen von Partikel (Präposition) + Nomen her.

In den bisher publizierten Texten sind schon von dieser Art bezeugt 1) von der Wurzel 'ḫr (ohne bzw. mit vorangestellter Partikel): aḫr (ursprüngliche nominale Stammbildung); baḫr = b (Präposition) + aḫr "dann, darauf" o.ä. Zur Etymologie vgl. besonders hebräisch und aramäisch (ägyptisch-aramäisch) 'aḥar < *'aḫar; altbabylonisch aḫarrum; tigrē ḥar < *'aḫar "hernach, danach, dann" u.ä.[1].

Ohne Vergleich ist von den letzt angeführten Adverbien des Ugaritischen am gebräuchlichsten der einfache Typus aḫr. Immer nur satzeinleitend in der Dichtung angewandt, tritt dieser zunächst häufig in Verbalsätzen mit qtl resp. yqtl auf, wie 121:II:5-6 aḫr š[pšm bt̲l̲t̲] (:5) mǵy rpum lgrnt (:6) "dann, bei So[nnenaufgang am dritten (Tag)], kamen die Rpum zu den Tennen"; Krt:195-198 aḫr (:195) šp[š]m b[t̲]l̲t̲ (:196) ym[ǵyn] lqdš (:197) a[t̲rt] ṣrm (:198) "dann, bei So[nnen]aufgang am [dri]tten [Tag], kom[men] sie zum Heiligtum der A[t̲rt] von Tyrus"; Krt:209-210 aḫr špšm brbʿ (:209) ymǵy ludm rbt (:210) "dann, bei Sonnenaufgang am vierten (Tag), kamen sie (verbale Kurzform von der Vergangenheit) zum großen Udm"[2]; 51:III:23-24 aḫr mǵy aliyn bʿl (:23) mǵyt btlt ʿnt (:24) "dann kam Aliyn Baʿl (und) kam die Jungfrau ʿAnat"; 51:V:106 aḫr mǵy kt̲r wḫss "dann kam Kt̲r und Ḫss" (dazu aber besonders van Zijl, AOAT 10, S. 94f. mit Verweisen); 137:30 aḫr tmǵyn mlak ym "darauf kommen die Boten des Ym"[3]; 2Aqht:V:25-26 aḫr ymǵy kt̲r (:25) wḫss (:26) "dann kommt Kt̲r und Ḫss"[4]. Zum Gebrauch vgl. vor allem analog zu hebräisch 'aḥar Gn 30:21; Ex 5:1; Nu 31:2; Hos 3:5; u.ö.

Ganz sporadisch zu belegen ist die Anwendung von ugaritisch aḫr in Nominalsätzen (nur einmal in einem zusammengesetzten Nominalsatz bezeugt), wie 77:32-33 aḫr (:32) nkl yrḫ ytrḫ (:33) "darauf erkaufte sich Yrḫ die Nkl"[5]. Zum betreffenden, vielfach im Ugaritischen bzw. Semitischen bezeugten, Syntagmatypus vgl. schon oben; vgl. auch unten.

Das Kompositum baḫr, das wie aḫr (vgl. oben) ebenso nur satzeinleitend in der Dichtung belegt ist, kommt bisher nur vereinzelt in einem Verbalsatz vor: 49:V:20 baḫr ispa "dann soll ich essen". Zur Anwendung vgl. näher oben zu aḫr.

---

[1] Siehe Gesenius-Buhl, Hw, S. 26; Rosenthal, Handbook I/2, S. 8; von Soden, AHw, S. 18; CAD, "A" 1, S. 170; Bergsträsser, Einführung, S. 120.

[2] Zu anderen in der gleichen Weise gebauten Syntagmen nach dem Muster: Partikel (d.h. Adverb bzw. Hervorhebungspartikel) + Zeitakkusativ + hervorhebendem -m + Präposition mit ihrem Kasus (Zeitbestimmung) usw. vgl. Krt: 107-108 mk špšm (:107) bšbʿ (:108); Krt:118-119 hn špšm (:118) bšbʿ (:119) usw. Vgl. ferner de Langhe, Textes I, S. 316, Driver, Myths, S. 33; Ginsberg, ANET, S. 144f.; Aistleitner, Wb, S. 14; Sauren und Kestemont, UF 3, S. 201f. und andere; dagegen z.B. Gordon, Ug.lit., S. 72, 102 ("after"); Jirku, Mythen, S. 91 ("nachdem"), anders aber S. 90 ("nachher"); usw.

[3] Vgl. Gordon, Ug.lit., S. 14; Ug. and Min., S. 23; Ginsberg, ANET, S. 130; Driver, Myths, S. 81; de Moor, AOAT 16, S. 125 und andere; anders z.B. Aistleitner, Texte, S. 49; Wb, S. 14 ("nachdem").

[4] Vgl. Virolleaud, Danel, S. 204; Gordon, Ug.lit., S. 89; Ug. and Min., S. 125; Ginsberg, ANET, S. 151; Driver, Myths, S. 52; Jirku, Mythen, S. 121 usw.; dagegen z.B. Aistleitner, Texte, S. 71; Wb, S. 14 ("nachdem"); van Zijl, AOAT 10, S. 95 ("when").

[5] Vgl. Virolleaud, Syria XVII (1936), S. 222; Gordon, Ug.lit., S. 64; Driver, Myths, S. 125; Jirku, Mythen, S. 78; Aistleitner, Texte, 64; Wb, S. 14; van Selms, Marriage, S. 27; Herrmann, Yariḫ, S.19; usw.; dagegen Gordon, Textbook, S. 355; Dahood, Biblica 43 (1962), S. 363-364; ibid., 44 (1963), S. 292-293; Ug.-Heb. phil., S. 34. Die funktionelle Identifikation der Form aḫr (:32) mit ʿmn (:32) (Dahood; Gordon) läßt sich weder kontextlich (vgl. oben) noch etymologisch begründen.

Außerdem ist belegt 2) vom Stamm *'n*: *'nt* (einfache Stammbildung + Femininendung *-t*) "nun" (< "die Zeit"). Vgl. etymologisch hebräisch *'ăttā*, *'attā* (< **'n-t*); aramäisch *kĕ-'an* (bibl.-aram., ägypt.-aram., jüd.-aram.), *kĕ-'ænæt*, *kĕ-'æṯ* (bibl.-aram.) "jetzt, nun"[1].

Auch die Form *'nt* des Ugaritischen tritt bislang nur in der Poesie zum Vorschein, und hat gleicherweise (vgl. die obigen Typen) syntagmatisch immer ihren Platz am Satzanfang. Die vorläufigen Belegstellen sind Nominalsätze: 1Aqht:154 *'nt brḥ p'lmh 'nt pdr dr* "nun (sei) ein Flüchtling, und für (alle) Ewigkeit, nun (sei ein Flüchtling) und von Geschlecht zu Geschlecht"; so auch ibid.:161-162, :168. Zum Gebrauch vgl. z.B. Ez 7:3 u.ö. zu hebräisch *'attā* (vgl. oben).

c) *Adverbien der Art und Weise*

Im Unterschied von den Formen der beiden obigen Gruppen dieser Bildungsart gehen die in Frage kommenden Wörter dieser Kategorie ugaritisch alle auf frühere Nominalbildungen zurück. Neben erstarrten Einzelformen finden sich jedoch hier z.T. auch adverbialisierte Komposita von Nomina vor.

Zu dieser Gruppe gehört 1) vom Stamm *'mn*: *imt* < **imnt* (ursprüngliche nominale Stammbildung mit Femininendung *-t*) "in Wahrheit"[2]. Zur etymologischen Frage vgl. zunächst hebräisch *'ĕmæ̆ṯ* < **'amint-* "in Wahrheit"[3].

Zu belegen ist die Form *imt* nur gelegentlich in der Dichtung. In syntagmatischer Verbindung mit einer präponierten anordnenden Konjunktion leitet sie einen Verbalsatz ein: 67:I:19-20 *pimt*[4] *bkl[a]t* (:19) *ydy ilḥm* (:20) "und in Wahrheit esse ich mit meinen b[ei]den Händen". Ferner steht dieselbe mit vorgesetzter Hervorhebungspartikel (siehe unten) einmal zu Beginn eines Nominalsatzes: ibid.:18-19 *hm imt imt npš blt* (:18) *ḥmr* (:19) "siehe, in Wahrheit, in Wahrheit mein Begehren (ist) das Verzehren des Lehmes"[5]. Vgl. hierzu z.B. Jer 10:10 zu hebräisch *'ĕmæ̆ṯ* (vgl. auch Jer 26:15 zu hebräisch *bæ'ĕmæ̆ṯ*).

Zur selben Gruppe gehört weiter 2) vom Stamm *'n*: *any* = *an* (ursprüngliche nominale Stammbildung) + *-y* (Hervorhebungspartikel (siehe unten)) "kräftig" (< "mit Kraft"). Zur Etymologie vgl. ebenso ugaritisch *an-m* (49:I:22) sowie hebräisch *'ōn* < **'ān-* "Kraft"[6].

Die ugaritische Form *any*, die auch bis jetzt nur zweimal in der Poesie auftritt, steht, was die Kombination betrifft, an beiden Belegstellen vorangestellt in Verbalsätzen als nähere Bestimmung des Verbs *ṣḥ* (*ṣyḥ*): 51:IV:47 *any lyṣḥ ṯr il abh* "kräftig, fürwahr, ruft der Stier-Gott, sein Vater"; ebenso 'nt:V:43. Zum Gebrauch vgl. sonst besonders unten zur parallelen Ausdrucksweise mit *gm*.

Ferner erscheint 3) vom Stamm *g*: *gm* = *g* (ursprüngliche nominale Stammbildung) + *-m* (Hervorhebungspartikel (siehe unten)) "laut" (< "mit der Stimme"). Zur Etymologie vgl. ugaritisch *gy* (18:18), *gh* (49:I:11), usw. "meine/seine Stimme".

---

1 Siehe Gesenius-Buhl, *Hw*, S. 629, 911; Dalman, *Gram.*, S. 212.
2 Zur Phonetik vgl. Gordon, *Textbook*, S. 32 (§5.22).
3 Siehe Gesenius-Buhl, *Hw*, S. 52; Koehler, *Lexicon*, S. 66.
4 Vgl. schon Herdner, *Corpus*, S. 33; de Moor, *UF* 1 (1969), S. 184f.
5 Vgl. besonders de Moor, *UF* 1 (1969), S. 185f.
6 Siehe sonst vor allem Aartun, *WdO* IV, 2 (1968), S. 279f. Die Parallele des Ausdrucks *an-y*, nämlich *g-m* "laut" < "mit der Stimme" (siehe unten), macht deutlich, daß ugaritisch *an* etymologisch mit hebräisch *'ōn* < **'ān-* "Kraft" und nicht mit akkadisch *anant-/anunt-* "Widerstand, Kampf" zu verbinden ist.

Wie *any* (siehe oben) wird auch die Form *gm* lediglich dichterisch angewandt. Wie jene steht auch diese immer zu Beginn von Verbalsätzen als nähere Bestimmung zum Verb *ṣḥ* (*ṣyḥ*). Belegstellen sind: 49:I:15-16 *gm yṣḥ il* (:15) *lrbt aṯrt ym* (:16) "laut ruft Il zur Fürstin Aṯrt des Meeres"; vgl. 49:III:22; 51:II:29 *gm lġlmh k[ṯṣḥ]* "laut [ruft sie] (die Göttin Aṯrt des Meeres), fürwahr, zu ihren Dienern"; vgl. 51:II:47; 51:VII:52-53 *gm lġ(:52)[lm]h b'l kyṣḥ* (:53) "laut ruft, fürwahr, Ba'l zu seinen Die[nern]"; ebenso 51 Frag. VII:53-58:5-6; 62:10-11 *gm* (:10) *tṣḥ lnrt ilm špš* (:11) "laut ruft sie (die Göttin 'Anat) zur Leuchte der Götter, Špš"; 2Aqht: V:15 *gm laṯth kyṣḥ* "laut ruft er (d.h. Dnil), fürwahr, zu seiner Frau"; vgl. 128:IV:2; Krt:237-238; 1Aqht:49; 'nt pl.X:IV:2. Zu ähnlichen formelhaften Verbindungen (vielleicht schon z.T. als erstarrte Syntagmaformeln zu betrachten) vgl. schon oben.

Ebenso finden sich von dieser Art 4) vom Stamm *m'd*: *mid* (ursprüngliche nominale Stammbildung); *midm = mid + -m* (hervorhebende Partikel (siehe unten)) "sehr". Vgl. hierzu etymologisch hebräisch *mĕ'ōḏ* "sehr"[1].

Abweichend von den besprochenen Formbildungen, ist die syntagmatische Stellung der ugaritischen Form *mid*, ebenso wie bei der hebräischen Form *mĕ'ōḏ* (vgl. oben) der Fall ist, unterschiedlich. So steht letztere entweder am Anfang, im Innern oder am Ende des Satzgefüges. In bezug auf die Syntax erscheint *mid*, — auch ganz wie hebräisch *mĕ'ōḏ*, — teils in Verbal-, teils in Nominalsätzen.

Als Belegstellen können zunächst für den Gebrauch in Verbalsätzen Fälle angeführt werden, wie dichterisch (mit syntagmatischer Voranstellung des Adverbs): 'nt:II:23 *mid tmtḫṣn* "sehr kämpft sie (die Göttin 'Anat)"; Krt:23 *mid grdš ṯbth* "sehr wurde sein Heim (wörtlich: sein Sitz) beraubt"; 128:III:13 *mid rm [krt]* "sehr erhaben ist/sei [Krt]". Prosabelege dieser Art sind (die syntagmatische Stellung des Adverbs ist hier teils im Satzinnern, teils am Satzende): 55:27 *wyk!hp mid [ššw]* "und [das Pferd] sehr scharrt"[2]; so auch 56:32-33 [*w ykhp*] (:32) *mid* (:33) "[und es] sehr [scharrt]". Zu den verschiedenen Kombinationen vgl. analog z.B. Ex 19:18; Jos 3:16; Ps 92:6 u.ö. zu hebräisch *mĕ'ōḏ*.

Für den Gebrauch der Form *mid* in Nominalsätzen lassen sich bisher nur Belege aus der ungebundenen Rede (aus Briefen) anführen (die Stellung des Adverbs ist hier, wie in den betreffenden Verbalsätzen in der Prosa (vgl. oben), ebenfalls teils im Satzinnern, teils am Satzende): 54:11-13 *w yd* (:11) *ilm p kmtm* (:12) *'z mid* (:13) "und die Hand der Götter (lastet) hier wie der Tod sehr schwer", 95:10-12 *hnny 'mny* (:10) *kll mid* (:11) *šlm* (:12) "hier bei uns (ist) alles in bester Ordnung"; 1015:9-10 *wpn špš nr* (:9) *by mid* (:10) "und das Antlitz des Sonnenkönigs (wörtlich: der Sonne) leuchtete mir sehr". Zum Gebrauch vgl. analog z.B. Gn 12:14; Joel 2:11; usw. zu hebräisch *mĕ'ōḏ*.

Zerstörte Stellen mit ugaritisch *mid* sind: 'nt:V:24 (Mythus), 64:4 (genealogische Liste).

Die Form *midm* kommt nur einmal in einem Nominalsatz in der Prosa vor: 2060:3-4 *'m špš kll midm* (:3) *šlm* (:4) "bei dem Sonnenkönig (ist) alles in bester Ordnung"; vgl. oben zu *mid*.

Auch kommt vor 5) vom Stamm *'l(y/w)*: *'lm = 'l* (ursprüngliche nominale Stammbildung) + *-m* (Hervorhebungspartikel (siehe unten)) "darüber hinaus, auch" o.ä. Zur Etymologie vgl. näher oben zu *'l*, *'l-m*, *'l-n* als Ortsadverbien.

Zur Zeit sind von der Form *'lm* nur Prosabelege nachweisbar. Kombinatorisch steht auch dieser Ausdruck bald am Anfang, bald im Innern des Satzes. Der Satztypus ist folgerecht nominal, wie 612:A:7 *'lm tzġ bġb ṣpn* "darüber hinaus (wörtlich: obendrauf o.ä.): ... auf ... des Ṣpn"; vgl. ibid.:B:3; ibid.:B:7 *'lm lršp mlk* "darüber hinaus: für Ršp Mlk"; 613:32 *'lm 'lm gdlt lb'l* "darüber hinaus, darüber hinaus: eine Färse für Ba'l"; 612:B:11-12 *š 'lm* (:11) *lkṯr* (:12) "ein Schaf auch für Kṯr"; vgl. auch die zerstörte Stelle 612:B:12-13[3]. Zur Kombination vgl. besonders oben zu *mid*.

---

[1] Siehe Gesenius-Buhl, *Hw*, S. 392; Koehler, *Lexicon*, S. 488. Zum Typus vgl. ferner Aartun, *ZDMG* 117,2 (1967), S. 257f.

[2] Siehe näher Aartun, *Neue Beiträge* (noch nicht erschienen).

[3] Vgl. Virolleaud, *Ugaritica* V, S. 588f.; Gordon, *Supplement*, S. 554; dagegen Gazelles, *VT* 19, S. 505; de Moor, *UF* 2, S. 318ff. (siehe unten).

Ferner erscheint 6) vom Stamm *ṯn(y)*: *ṯnm* "zwei(mal)". Vgl. im besondern den entsprechenden hebräischen Ausdruck *šēṯayim* "(ein) zwei(tes Mal)"[1].

Nachgewiesen werden kann bis jetzt die Form *ṯnm* nur an einigen wenigen Stellen in der Poesie. Wie *ʿlm* (siehe oben) begegnet auch *ṯnm* syntagmatisch teils am Satzanfang, teils im Satzinnern. Die Satzgebilde sind aber hier nur verbal, wie 1Aqht:224 *ṯnm tšqy msk hwt* "zweimal (wörtlich: zwei) trinkt sie (Pǵt, die Tochter des Dnil) diesen Mischtrank"; 3Aqht obv.22 *hlmn ṯnm qdqd* "schlage ihn (d.h. den Helden Aqht) zweimal auf den Scheitel!"; ebenso auch ibid.:33. Zur Anwendung vgl. z.B. Ps 62:12 usw. zu hebräisch *šĕtayim*[2].

Endlich gehören hierher 7) mehrere Kombinationen von Zahlwörtern + dem Nomen *(y)d/id* "Hand". Zur Verbindung vgl. unter anderen den hebräischen Sprachtypus *ḥāmēš yāḏōṯ* "fünfmal" (Gn 43:34). Zum Wechsel der Struktur des letzteren Gliedes der ugaritischen Komposita vgl. besonders noch arabisch *yad-* bzw. *ʾīd* (vulgär); jüdisch-aramäisch *yĕḏā* bzw. *ʾīḏā* vgl. mit hebräisch *yāḏ* und äthiopisch *ʾĕd* usw. "Hand"[3].

Betreffs des Vorkommens sind die letzteren komponierten Formen des Ugaritischen durchaus in den verschiedensten Textarten gebräuchlich. Gleich den beiden letztbesprochenen Formen dieser Art (siehe oben) haben auch diese Typen syntagmatisch ihren Platz entweder am Anfang oder im Innern des Satzgefüges. Die Struktur der Sätze ist aber hier – wie öfters (vgl. oben) – abwechselnd verbal und nominal.

Als Belege für den Gebrauch der komponierten Ausdrücke in Verbalsätzen sind anzuführen Beispiele, wie dichterisch (mit Voranstellung des Adverbs): 52:12 *šbʿd yrgm ʿl ʿd* "siebenmal soll man es rezitieren zur Laute"; 3Aqht obv.23 *ṯlṯid ʿl udn* "(schlage ihn zweimal auf den Scheitel,) dreimal über das Ohr!"; ebenso ibid.:33-34; vgl. ferner auch 1Aqht:78-79; aus der Prosa (das Adverb steht hier in allen Fällen im Satzinnern): 89:6-11 *l pʿn* (:6) *adty* (:7) *šbʿd* (:8) *wšbʿid* (:9) *mrḥqtm* (:10) *qlt* (:11) "zu Füßen meiner Herrin fiel ich siebenmal und siebenmal nieder (bin ich siebenmal und siebenmal niedergefallen) in der Ferne"; ebenso 1014:5-8; 2008:4-5 *l pʿn bʿly* [*mrḥqtm*] (:4) *šbʿd w šbʿ*[*id qlt*] (:5) "zu Füßen meines Herrn [fiel ich] siebenmal und s[iebenmal nieder in der Ferne]"; 2063:5-8 [*lp*]*ʿn bʿly* (:5) [*šbʿ*]*d šbʿd* (:6) [*mr*]*ḥqtm* (:7) *qlt* (:8) "[zu Fü]ßen meines Herrn fiel ich [sieben]mal, siebenmal nieder [in der F]erne"; 2115 rev.5-8 *lpʿn bʿly* (:5) *ṯnid šbʿd* (:6) *mrḥqtm* (:7) *qlt* (:8) "zu Füßen meines Herrn fiel ich zweimal siebenmal nieder in der Ferne"; vgl. auch die zerstörte Stelle 1013:2-4 (mit syntagmatischer Verschiebung). Zum Muster der aus der Prosa angeführten Redeweisen vgl. zunächst EA 60:15; 68:8; 75:5; usw.; vgl. auch oben zu *mrḥqtm*.

Für den Gebrauch der komponierten Typen in Nominalsätzen liegt vorläufig nur ein Beispiel aus der Poesie vor (zusammengesetzter Nominalsatz): 52:14-15 *ʿl išt šbʿd ǵzrm ṭb*[*ḫ g*]*d bḥlb annḫ bḫmat* (:14) *wʿl agn šbʿdm* (mit hervorhebendem *-m*; siehe unten) *dǵ*[ ] (:15) "auf dem Feuer ko[chten] die Helden siebenmal ein [Zi]cklein in Milch, . . . in Butter, und auf dem Flammenherd (wörtlich: Feuer) siebenmal . . .". Zur Syntax vgl. näher oben.

2128:5 (*ṯnid*) (zerstörter Prosatext).

Nach dem Obigen weist somit das Ugaritische eine recht große Anzahl Adverbien auf. Sprachgeschichtlich finden sich, wie gesehen, unter ihnen teils ursemitisch ererbte, teils einzelsprachlich entstandene Typen. Die

---

1 Siehe Gesenius-Buhl, *Hw*, S. 852; Koehler, *Lexicon*, S. 998.

2 Als reguläre Nomina zu betrachten sind die einfachen Formen *ulny*||*ʿẓmny* (68:5); *mʿ* (Krt:87, :177-178). Vgl. ferner Aartun, *Neue Beiträge*. Ebenfalls als ein echtes Nomen zu fassen ist *klatnm* "(mit) den beiden (Händen)" (Krt:161). Zur syntaktischen Konstruktion vgl. hebräische Beispiele wie Ps 17:13; 109:2; usw. Zur angeblichen Form *šbʿny* (52:64) (vgl. z.B. Gordon, *Textbook*, S. 487) siehe Driver, *Myths*, S. 124f.; Herdner, *Corpus*, S. 100.

3 Siehe Kazimirski, *Dictionnaire* II, S. 1624f.; Gesenius-Buhl, *Hw*, S. 283; Dalman, *Gram.*, S. 200, Dillmann, *Lex.*, S. 798.

Morphologie der Vertreter ist im allgemeinen die gemeinsemitische. Besonders bemerkenswert ist aber die z.T. vertretene, altererbte *-ny*-Derivation, die, außer im Ugaritischen, sonst ausschließlich im Ägyptischen konserviert worden ist. Auch der Gebrauch der ugaritischen Adverbien folgt in der Regel den in weitem Ausmaß freien Mustern des Semitischen. Aber einzelne Formen bzw. Formtypen treten schon, wie z.T. in den verwandten Idiomen, – nach dem vorhandenen Sprachmaterial zu urteilen, – nur noch in bestimmten mehr oder weniger erstarrten Syntagmaformeln auf (so z.B. *idk*, *any*, *gm*, *mrḥqtm* und die Formen auf *-ny*).

II. VERNEINUNGSPARTIKELN

Wie die verwandten Sprachen besitzt auch das Ugaritische mehrere Partikeln, die zur Bezeichnung der Verneinung dienen. Unter den vorhandenen Bildungen sind, wie üblich im Semitischen, auch ugaritisch teils von Deuteelementen, teils von Begriffswurzeln abgeleitete Typen vertreten. Der Funktion nach beziehen sich die Formen entweder ausschließlich auf den ganzen Satz, oder aber auf das einzelne Wort bzw. den ganzen Satz[1].

1) Von Deuteelementen abgeleitete Formen

a) *Formen zur Verneinung des ganzen Satzes*

Von dieser Art sind vorhanden 1) vom Stamm *'yn*: *in* < **'ayn-*[2] (Stammbildung); *inm* = *in* + *-m* (Hervorhebungspartikel (siehe unten)); *inn* = *in* + *-n* (Hervorhebungspartikel (siehe unten)) "Nichtsein, Nichtvorhandensein". Vgl. hierzu etymologisch hebräisch *'ayin* bzw. *'ēn* < **'ayn-*; *'ēnæn-* < **'ayna-n-*; moabitisch *'n* < **'ayn-*; vgl. auch akkadisch *yānu, yānumma* sowie punisch *ynny* "Nichtsein, Nichtvorhandensein"[3].

Bezüglich des Gebrauchs dienen – ganz wie durchgehend die analogen Typen in den verwandten Sprachen (vgl. oben) – auch sämtliche Verneinungsformen vom Stamm *'yn* des Ugaritischen nur zur Negierung von Nominalsätzen rein konstatierender Art. Kombinatorisch werden die Formen – ebenso den gewöhnlichen Sprachmustern des Semitischen folgend – in der Regel dem Subjekt des Satzes vorangestellt.

Am häufigsten gebraucht wird von den genannten ugaritischen Typen die einfache Form *in*. Es tritt zunächst diese in Erscheinung als Verneinung eingliedriger Nominalsätze, und zwar in Verbindung mit dem Nomen (Substantiv) allein als Subjekt; so in der Dichtung: 1Aqht:117 *in šmt in 'ẓm* "nicht ist Fett vorhanden, nicht sind Knochen vorhanden"; vgl. ebenso ibid.:131; ferner auch in Verbindung mit dem Pronomen als Subjekt, wie dichterisch (mit einer näheren appositionellen Bestimmung zum Subjekt): 51:IV:44 *win d'lnh* "und niemand ist über ihm (wörtlich: und das Nichtsein desjenigen über ihm (ist))"; ebenso 'nt:V:41; so auch in der Prosa (ohne nähere Bestimmung zum Subjekt): 54:8-9 *ht* (:8) *hm inmm* (:9) "siehe, wenn nichts mehr (gehört wird) (wörtlich: siehe, wenn das Nichtsein irgendwelcher (Nachricht ist)), . . .". Zu diesem Gebrauch vgl. analog z.B. zu hebräisch *'ēn* Gn 41:49; 1K 18:43; Neh 2:2; usw.

Weiter erscheint die unerweiterte Form *in* aber auch häufig als Verneinung zweigliedriger Nominalsätze, ebenso meistens in Verbindung mit dem (einfachen) Nomen (Substantiv) (vgl. oben) als Subjekt, so dichterisch: 51:IV:50 *wn in bt lb'l* "und Ba'l hat kein Haus (wörtlich: und das Nichtsein des Hauses (ist) für Ba'l)";

---

[1] Vgl. schon Obermann, *JBL* 65 (1946), S. 233-248; Goetze, *Studia Orientalia Ioanni Pedersen . . . dicata* (1953), S. 115-123.

[2] Vgl. Gordon, *Textbook*, S. 31 (§5.18).

[3] Siehe Brockelmann, *Grundriß* I, S. 500; Gesenius-Buhl, *Hw*, S. 31; Friedrich, *Gram.*, S. 115 (§249); von Soden, *GAG*, S. 161 (§111 b).

ebenso ʻnt:V:46; so auch 129:19 *in bt* [*ly*] "[ich habe] kein Haus"; 2Aqht:I:19 *din bn lh* "der keinen Sohn hat"; ferner auch dichterisch mit Voranstellung des nominalen Subjektes, wie 1001:2 *alt in ly* "ich habe keinen Thron"[1]. Hierhergehörige Fälle aus der Prosa sind, mit normaler Wortstellung: 1125:1 [ ] *in ḥẓm lhm* "sie haben keine Pfeile"; ferner mit Voranstellung des Subjektes (des Substantivs) (vgl. oben): 1008:20-21 *wunṯ* (:20) *in bh* (:21) "und Frondienst gibt es nicht dabei"; vgl. auch 1009:18 (siehe unten); 1141:4-5 *w pat aḥt* (:4) *in bhm* (:5) "und eine Ecke (für die Armen) gibt es nicht darauf (auf den Feldern)". Syntaktisch kann aber das verneinende *in* hier auch, mit dem Partizip bzw. dem Infinitiv als dem tatsächlichen Subjekt verbunden, auftreten, und zwar mit Nachstellung des Subjektes, wie dichterisch: 126:V:22 *in bilm ʻnyh* "niemand unter den Göttern antwortet(e) ihm (wörtlich: das Nichtsein des ihm Antwortenden (ist/war) unter den Göttern)"; vgl. auch ibid.:12-13, :16, :19; ʻnt:V:36 *kin bilht ql*[*ṣ*]*t* "daß keine unter den Göttinnen he[f]tig ist[2] (wie du)"; 3Aqht rev.16-17 *wi*[*n bilht*] (:16) *qlṣk*[3] (:17) "und kei[ne unter den Göttinnen] ist heftig wie du (wörtlich: und das Nicht[sein] deines Heftigseins (ist) [unter den Göttinnen])". Als Analogien vgl. vor allem zu hebräisch *'ayin* bzw. *'ēn* Gn 2:5; 19:31; 31:50; Jos 6:1; 1K 5:20; Jer 10:5; usw.; vgl. auch vereinzelt zu moabitisch *'n* :24.

Zerstörte Stellen mit der einfachen Form *in* sind: 23:8 (Opfertext); 129:22 (mythischer Text); 1Aqht: 76 (Epos).

Die erweiterte Form *inm* erscheint bisher nur einmal in einem eingliedrigen Nominalsatz in der Prosa, namentlich mit dem Infinitiv als Subjekt verbunden (, dem ein pronominales Objekt untergeordnet wird): 2065: 13 *inm ʻbdk hwt* "du dienst ihm nicht (wörtlich: das Nichtsein deines Dienens ihm (ist))". Zum Gebrauch vgl. schon oben zu *in*. Vgl. ferner den Gebrauch von akkadisch *yānumma* (von Soden, *AHw*, S. 411f.; *CAD* "J", S. 324).

Vielfach verwendet wird dagegen die erweiterte Form *inn*. Vorläufig auch nur in der Prosa auftretend, begegnet aber diese immer in zweigliedrigen Nominalsätzen, zumeist in Verbindung mit dem Nomen (Substantiv) als Subjekt; so (mit Voranstellung des Subjektes, vgl. oben) 1006:16-17 [*u*]*nṯ inn* (:16) *l*[*h*]*m* (:17) "s[ie] haben keinen [Fron]dienst zu leisten"; 1009:18 [*wu*]*nṯ in*[*n*] *bh* "[und Fron]dienst gibt es nicht dabei"; vgl. oben zu *in*; ebenso (mit Voranstellung des Prädikats) 1121:6-7 *w l ṯt mrkbtm* (:6) *inn uṯpt* (:7) "und die beiden Wagen haben keine Köcher"; so auch (mit Voranstellung sowohl des Subjektes als des Prädikats) 2060:19-20 *ky akl* (:19) *b ḥwtk inn* (:20) "daß keine Speise in deinem Haus/Gebiet (wörtlich: im (Haus/Gebiet) deines Lebens)[4] vorhanden ist"; ferner (im zusammengesetzten Relativsatz, mit normaler Wortstellung) 306:1-2 *mḏ!rǵlm dinn* (:1) *msgm lhm* (:2) "Soldaten, die keine *msg-m* haben"; 1035:4-5 *bdl ar dt inn* (:4) *mhr lhm!*[5] (:5) "*bdl* von Ar, die keinen *mhr* haben"; so auch (im einfachen Relativsatz) mit dem (vorangestellten) Relativpronomen als Subjekt: 2071:1-2 *mdrǵlm dt inn* (:1) *bd tlmyn* (:2) "Soldaten, die nicht unter dem Befehl von Tlmyn stehen (wörtlich: die nicht in der Hand des Tlmyn sind)". Hierzu vgl. besonders analog zu hebräisch *'ēnæn-* Gn 39:9; 42:36; usw.; vgl. auch oben zu *in*.

Derselben Art sind 2) vom Stamm *'l*: *al* (Stammbildung); *alm* = *al* + *-m* (hervorhebende Partikel (siehe unten)) "nicht". Zur Etymologie vgl. hebräisch *'al*; phönizisch *'l*; aramäisch *'al* (*'l*); alt- bzw. neusüdarabisch *'l* bzw. *'al* (*'ul*, *'el*); amharisch *'al*; akkadisch *ul*, *ula* usw. "nicht"[6].

---

[1] Vgl. 49:VI:27-28; 129:17 *alt*||*ksa* "Thron"; dagegen Dahood, *Ug.-Heb. phil.*, S. 50: *alt* = "curse" mit Verweis auf "the incantation from Arslan Tash . . . *'lt* "curse"". Der vorliegende Text ist aber, ebenso wie 49 und 129 (vgl. oben), mythischer Art!

[2] Siehe näher Aartun, *Neue Beiträge*.

[3] Siehe Herdner, *Corpus*, S. 85; zu anderer Lesart vgl. Virolleaud, *Danel*, S. 223f.; Gordon, *Textbook*, S. 249.

[4] D.h. syntagmatische Assimilation: "Leben" syntagmatisch verbunden mit "Haus/Gebiet" wird unter Wegfall des letzteren (des syntaktischen Nomen regens) zu "Haus/Gebiet". Zu diesem häufigen Vorgang im Semitischen vgl. z.B. auch arabisch *'ila -ṣ-ṣubḥi* < *'ilā ṣalāti -ṣ-ṣubḥi* "bis zum Morgengebet"; usw. (Brockelmann, *Grundriß* II, S. 453). Vgl. auch in unseren Sprachen mit entsprechender Assimilation z.B. französisch *rien* < *ne rien* "nichts"; *pas* (z.B. *pas du tout*) < *ne pas* "nicht"; usw.

[5] Der Schreiber hat *lht* geschrieben.

[6] Brockelmann, *Grundriß* I, S. 499f.; Gesenius-Buhl, *Hw*, S. 36; 894; Friedrich, *Gram.*, S. 115 (§249); Höfner, *Gram.*, S. 174 (§129); Wagner, *Syntax*, S.33f.; von Soden, *GAG*, S. 177 (§122 b).

Auch die Formen vom Stamm *'l* des Ugaritischen kommen in den vorhandenen Texten sehr ungleich häufig zur Anwendung.

Am gebräuchlichsten erweist sich auch von diesen Typen der einfache Ausdruck: *al.* Wie im allgemeinen auch die entsprechende Formbildung *'al/'l* in den zu vergleichenden westsemitischen Idiomen (vgl. oben), tritt dieser nur in Verbal- bzw. Nominalsätzen mit Verbalsätzen als Prädikat als Verneinung der subjektiven Begehrung auf.

Es dient so schon häufig ugaritisch *al*, mit folgendem *yqtl* bzw. *tqtl* = Verbum finitum der 3. Person des Jussivs, der Verneinung des Befehls bzw. des Wunsches; so offensichtlich in der Poesie in Verbalsätzen, wie 49:VI:26-27 *al yšmʻk ṯr* (:26) *il abk* (:27) "der Stier-Gott, dein Vater, soll dich nicht hören"[1]; ebenso 129: 17; 51:III:5 *al yns* "er soll nicht . . ."; 51:VIII:17-18 *al yʻdbkm* (:17) *kimr bph* (:18) "er soll euch nicht wie ein Schaf in seinem Munde behandeln"[2]; 125:34 *al tšt bšdm mmh* "sie (d.h. Ṯtmnt, die Tochter des Krt) soll nicht ihre Tränen (wörtlich: ihre Wasser) auf den Feldern vergießen"[3]; 3Aqht obv.9 *al yḥdṯ yrḫ* "den Mond soll er nicht erneuern"[4]; ebenso in der Prosa: 1023:3 *al ytbʻ* "er möge sich nicht entfernen o.ä."; so bisweilen auch in zusammengesetzten Nominalsätzen mit Verbalsätzen als Prädikat, wie dichterisch: 1Aqht:159-160 *šršk barṣ al* (:159) *ypʻ* (:160) "deine Wurzel soll nicht in der Erde treiben"; ferner in der Prosa: 2065:21 *w [u]ḫy al ybʻrn* "und möge mein [Bru]der mich nicht vertilgen o.ä."[5]; 2059:26-27 *w aḫy mhk* (:26) *b lbh al yšt* (:27) "und möge mein Bruder sich nichts zu Herzen nehmen". Vgl. hierzu analog z.B. zu hebräisch *'al* Ex 32:22; 36:6; 1K 18:40 u.ö.; zu phönizisch *'l* Friedrich, *Gram.*, S. 148; vgl. ferner auch Brockelmann, *Grundriß* II, S. 185f.

Ferner dient so als subjektive Verneinung auch vielfach ugaritisch *al*, in Verbindung mit *tqtl* d.h. Verbum finitum der 2. Person des Jussivs, zum Ausdruck des Verbots (wie in den verwandten Sprachen kommt auch im Ugaritischen der Imperativ nicht negiert vor). Belege dieser Art sind aus der Poesie (nur Verbalsätze vorhanden): 51:V:126 *al tšt urbt b[bhtm]* "du sollst nicht ein Fenster am [Palast] anbringen"; ebenso 51:VI: 8; 51:VIII:15-17 *al* (:15) *tqrb lbn ilm* (:16) *mt* (:17) "ihr sollt euch nicht dem Sohn des Il, Mt, nähern"; 125: 31 *al trgm laḫtk* "du sollst nicht deiner Schwester (etwas) sagen"[6]; 2Aqht:VI:34 *al tšrgn ybtltm* "du sollst

---

[1] Vgl. schon z.B. Virolleaud, *Syria* XII (1931), S. 221; Gordon, *Ug.lit.*, S. 48; Aistleitner, *Texte*, S. 23; Jirku, *Mythen*, S. 74; usw. (vgl. de Moor, *AOAT* 16, S. 230, 235 mit Verweis auf Gray, *Legacy*², S. 280); dagegen aber, – zweifelsohne im Widerspruch mit dem Kontext, – z.B. Driver, *Myths*, S. 115 *al* = "of a truth". Letztere, auch allerdings belegte, sekundäre Bedeutung hat ugaritisch *al* nur in einer bestimmten, sprachgeschichtlich offenbar verkürzten, Redeweise entwickelt (syntagmatisch begründete positive Anwendung der negativen Form) (ähnlich wie auch vielfach sonst im Semitischen); siehe unten (Bekräftigungspartikeln).

[2] Zum Kontext (Parataxe: Jussiv + Jussiv) vgl. besonders Gordon, *Textbook*, S. 108 (§12.4), 118 (§13.36); Obermann, *JBL* 65 (1946), S. 233. (Besonders ausgedehnt ist dieser Typus (sowie andere entsprechende Konstruktionen) im Hebräischen und Arabischen, insbesondere die Kombination: Imperativ + Jussiv, wie z.B. Ps 9:20 *qūmā yahwæ 'al yāʻoz 'ænōš* "Yahwæ, steh auf! Der Mensch soll nicht die Oberhand gewinnen (= daß nicht der Mensch die Oberhand gewinne)"; Qur. 12:63 *fa-'arsil maʻanā 'aḫānā naktal* "so schicke unseren Bruder mit uns! Wir sollen Maß erhalten (= daß wir Maß erhalten)").

[3] Vgl. ebenso Virolleaud, *Syria* XXII (1941), S. 120; Gordon, *Ug.lit.*, S. 78; Jirku, *Mythen*, S. 105; usw.; dagegen z.B. Driver, *Myths*, S. 41 ("of a truth"); Gray, *Krt*, S. 23 ("indeed"); zur positiven Auffassung vgl. aber schon oben Anm. 1.

[4] Vgl. Virolleaud, *Danel*, S. 219; Gordon, *Ug.lit.*, S. 92; Aistleitner, *Texte*, S. 74; usw.; anders Driver, *Myths*, S. 57 ("of a truth"); Jirku, *Mythen*, S. 127 ("fürwahr"); hierzu vgl. aber ebenfalls oben Anm. 1.

[5] Vgl. hierzu Gordon, *Textbook*, S. 375: "let him not turn me down"; demgegenüber Virolleaud, *PU* V, S. 93: "– et que mon frère ne (le) gaspille pas!"

[6] Vgl. ebenso schon Virolleaud, *Syria* XXII (1941), S. 120; Gordon, *Ug.lit.*, S. 78; Aistleitner, *Texte*, S. 99; Jirku, *Mythen*, S. 105; dagegen aber z.B. Driver, *Myths*, S. 41 ("of a truth"), Gray, *Krt*, S. 22 ("surely"); zur letzteren nur syntagmatisch entwickelten Bedeutung von *al* siehe schon oben Anm. 1.

mich nicht belügen, o Jungfrau"; 3Aqht rev.8 *al tš[mḫ]* "du sollst dich nicht fr[euen]"; ebenso 'nt:V:29; Krt: 133-134 *al tṣr* (:133) *udm rbt* (:134) "du sollst nicht das große Udm bedrängen"; ebenso Krt:275-276; 'nt:I:1 *al tǵl*[ ] "senk[et] nicht . . ."; so auch z.T. mit vorangestelltem Vokativ: 125:25-27 *bn al tbkn al* (:25) *tdm ly al tkl bn* (:26) *qr 'nk* (:27) "mein Sohn, du sollst mich nicht beweinen, du sollst nicht meinetwegen seufzen, du sollst nicht, mein Sohn, die Quelle deiner Augen erschöpfen"; ebenso gelegentlich mit vorangestelltem direktem bzw. präpositionellem Objekt, wie Krt:116-117 *ḥẓk al tš'l* (:116) *qrth* (:117) "du sollst nicht deinen Pfeil gegen die Stadt fliegen lassen (wörtlich: aufsteigen lassen)"[1]; 137:14-15 *[lp'n il]* (:14) *al tpl al tštḥwy pḫr [m'd]* (:15) "[zu Füßen des Il] sollt ihr nicht (nieder)fallen, ihr sollt euch nicht vor der Versammlung verneigen". Beispiele dieser Art aus der Prosa sind (ebenso nur Verbalsätze bezeugt): 1013:21-24 *al tdḥl!*[2] (:21) *w ap mhkm* (:22) *b lbk al* (:23) *tšt* (:24) "du sollst dich nicht fürchten, und auch sollst du dir nichts zu Herzen nehmen" (zur syntagmatischen Verschiebung vgl. oben); 1019:14 *wal ttn* "und du sollst nicht geben"; 2001 rev. 12 *al ttn ln* "du sollst uns nicht geben". Hierzu vgl. z.B. analog zu hebräisch *'al* Nu 21:34; Jos 3:4; Gn 37:22; Lev 10:9; usw.; zu phönizisch *'l* Friedrich, *Gram.*, S. 148; vgl. ferner Brockelmann, *Grundriß* II, S. 185.

Zerstörte bzw. unklare Stellen mit *al* + *tqtl* (der 2. Person des Jussivs) sind: 51:VI:10; 608:51; 609 rev. 16 (poetische Texte); 1010:19; 1015:12; 2062:B:5 (administrative Texte).

Entsprechend dem Obigen kann endlich auch ugaritisch *al* dazu dienen, die Selbstaufforderung (den Kohortativ) zu verneinen. Letzterer Gebrauch findet sich vorläufig nur in der Poesie, wie 67:III:11 *al ašt b*[ ] ". . . soll ich nicht anbringen am . . ."; 'nt:V:30 *al aḫdhm*[3] *by* [ ] "ich will sie nicht fassen beim . . ."; mit vorangestelltem Objekt: 51:VII:45-46 *dll al ilak lbn* (:45) *ilm mt* (:46) "einen huldigenden (Diener)[4] will ich nicht zum Sohne des Il, Mt, senden"[5]. Vgl. 1002:58 (zerstörter Text). Zum Gebrauch vgl. z.B. Kombinationen mit hebräisch *'al* wie Gn 21:16; 2S 13:25; 24:14; Ps 31:18; usw.

Nicht behandelte zerstörte Stellen mit *'al* sind: 1002:12 (Poesie); 1017:3; 2008 rev. 6; 2060:22; 2116: 13 (Prosa).

Die erweiterte Form *alm* des Ugaritischen läßt sich bisher nur einmal dichterisch in einer elliptischen Redeweise nachweisen: 1001 obv. 8 *alm qḥny šy qḥny* "nein (wörtlich: (das soll) nicht (sein o.ä.))! nimm uns beide, (o) Šy, nimm uns beide!" Zum Sprachtypus (Ellipsen im Semitischen) siehe besonders Brockelmann, *Grundriß* II, an mehreren Stellen.

b) *Formen zur Verneinung des einzelnen Wortes bzw. des ganzen Satzes*

Zu belegen ist von dieser Art vorläufig nur vom Stamm *l*: *l* "nicht". Vgl. etymologisch hebräisch *lō* < **lā*; aramäisch *lā*; arabisch *lā*, *lam* < **lā-m(V)*, *lammā* < *lam* + *-mā*; neusüdarabisch *lā* (*lo*, *l(e)*) (vgl. auch altsüdarabisch *lm* = *l* + *-m*, *lhm* = *l* + *-h* + *-m*); akkadisch *lā* "nicht"[6].

[1] Vgl. so auch schon Virolleaud, *Keret*, S. 41; Ginsberg, *ANET*, S. 144 (ebenso *BASOR*, Suppl. Stud. 2-3 (1946), S. 16; vgl. dazu aber ibid., S. 39); Aistleitner, *Texte*, S. 91; Driver, *Myths*, S. 31; Jirku, *Mythen*, S. 88; usw.; dagegen aber z.B. Gordon, *Ug.lit.*, S. 70 ("surely"); al-Yasin, *Lex.rel.*, S. 163 ("surely"); hierzu vgl. aber oben S. 21, Anm. 1.

[2] Geschrieben ist *tdḥṣ*.

[3] Zur Lesart vgl. Virolleaud, *Déesse*, S. 77; Hammershaimb, *Verb*, S. 150; Brockelmann, *Orientalia* X (1941), S. 231f.; Herdner, *Corpus*, S. 19; dagegen Gordon, *Textbook*, S. 254: *tḫdhm*; ebenso id., *Ug. and Min.*, S. 56.

[4] Vgl. näher Aartun, *Neue Beiträge.*

[5] Vgl. ebenso Hammershaimb, *Verb*, S. 156; Gordon, *Ug.lit.*, S. 36; *Ug. and Min.*, S. 73; Ginsberg, *ANET*, S. 135; Aistleitner, *Texte*, S. 45; *Wb*, S. 166; dagegen z.B. Driver, *Myths*, S. 101 ("of a truth"); Jirku, *Mythen*, S. 52 ("fürwahr"); vgl. dazu aber oben S. 21, Anm. 1.

[6] Siehe Brockelmann, *Grundriß* I, S. 499; Gesenius-Buhl, *Hw*, S. 373; 912; Wright I, S. 287 A-B; Wagner, *Syntax*, S. 33f.; Höfner, *Gram.*, S. 174 (§129 e); von Soden, *GAG*, S. 177 (§122 a).

Wie gewöhnlich im Semitischen auch immer unmittelbar vor dem Negierten (dem Einzelwort bzw. dem Prädikat des Satzes) stehend[1], ist *l* unbedingt die am meisten verbreitete Negationsform des Ugaritischen.

Als Wortnegation erscheint jedoch *l* im vorliegenden Sprachmaterial nur selten. In den wenigen zu belegenden Fällen verneint es z.T. das einfache Nomen, wie in der Dichtung: ʿnt:IV:49-50 *lib ypʿ* (:49) *lbʿl* (:50) "nicht ein Feind zeigt sich gegen Baʿl"; 1003:8 *tn!n lšbm* "der nicht-geknebelte Tnn"[2]; zuweilen aber auch das durch eine Präposition regierte Nomen, wie in der Prosa: 1028:13-14 *bnš* (:13) *l b bt mlk* (:14) wörtlich: "Leute/Angestellte, nicht im Hause des Königs" d.h. "nicht im Hause des Königs befindliche Leute/Angestellte"[3]; so auch 1029:16. Zum Gebrauch vgl. z.B. analog zu hebräisch *lō* Dt 32:21; Ps 43:1; Jes 48:10 u.ö.

In der geläufigen Funktion als Satznegation dient – in der überwiegenden Mehrzahl der Fälle – *l* dazu, verbale Aussagesätze (konstatierende Verbalsätze) zu verneinen. Es folgt dann kombinatorisch nach *l*, das, wie gewöhnlich, im allgemeinen den Satz einleitet, als finite Form des Verbs bald *qtl* (Afformativform), bald *yqtl(-)* (Präformativform d.h. Kurz- bzw. Langform).

Für den Gebrauch von *l* zur Verneinung von konstatierenden Verbalsätzen mit *qtl* (Afformativform) finden sich bereits Belege, wie dichterisch: 67:I:9 *wl yṯb ilm* "und es verweilten die Götter nicht"; ebenso 67:II:13; vgl. auch 137:19; Krt:301; ferner ʿnt:II:19 *wl šbʿt tmtḫṣh* "und nicht war/wurde sie (die Göttin ʿAnat) satt ihres Kämpfens"[4]; so auch (mit vorangestelltem Verbalnomen (Infinitivus absolutus)): ʿnt pl.X:V:21 *ydʿ lydʿt* "wahrlich, ich (du) habe (hast) nicht erfahren . . ."[5]; ebenso in der Prosa (mit Voranstellung des Objektes sowie des zum Prädikat gehörenden Verbalnomens): 2060:13-14 *ht* [ ] *špš bʿlk* (:13) *ydʿm l ydʿt* (:14) "siehe, du hast wahrlich die Sonne, deinen Herrn, nicht anerkannt"[6]; ebenso häufig im Relativsatze (mit vorangestelltem Relativpronomen als Subjekt (normale Wortstellung)): 1122:6 *d l ṣpy* "(drei Wagen des Königs,) die nicht überzogen sind"; 2100:21 *d l yṣa bt mlk* "(und 17 (Krüge) Öl,) die nicht vom König geliefert worden sind (wörtlich: die nicht aus dem Haus des Königs gegangen sind)"; so auch (mit syntagmatischer Verschiebung (Voranstellung) des präpositionellen Objektes (vgl. oben)): 2106:3 *w b spr l št* "(Liste der Seelen, die in das Haus des Königs eintraten) und in die Liste nicht gesetzt wurden". Vgl. hierzu analog z.B. zu hebräisch *lō* Gn 19:8; 27:2; Ex 34:28; Ri 3:2; Ez 16:4; usw.; vgl. ferner auch besonders Brockelmann, *Grundriß* II, S. 182ff.

Zur Verneinung konstatierender Verbalsätze (Erfahrungssätze) mit *yqtl* (Kurzform von der Vergangenheit) dient schon *l* dichterisch (in Relativsätzen): 76:I:3 *dl ydʿ bn il* "das, was der Sohn/die Söhne des Il nicht kennt bzw. kennen (wörtlich: kennen lernte/kannte bzw. kennen lernten/kannten)"[7]; ʿnt:III:23-25 *abn brq dl tdʿ šmm* (:23) *rgm ltdʿ nšm wltbn* (:24) *hmlt arṣ* (:25) "ich verstehe den Blitz[8], den die Himmel nicht kennen,

---

1 Unter den bisher bekannten semitischen Idiomen weist jedoch der neusüdarabische Dialekt, das Mehri, zumeist Nachstellung der Negation *lā* auf; siehe Brockelmann, *Grundriß* II, S. 184; Wagner, *Syntax*, S. 33f.

2 Vgl. ebenso Gordon, *Textbook*, S. 487.

3 Dieser Gebrauch steht der Anwendung als Satzverneinung sehr nahe. Zum betreffenden Fall vgl. sonst Gordon, *Textbook*, S. 125 Anmerkung 1.

4 Zur Konstruktion vgl. auch analog zu hebräisch *śāḇaʿ*, arabisch *šabiʿa* usw. + Akkusativ; siehe die Lexika; anders Dahood, *Ug.Heb. phil.*, S. 33.

5 Vgl. ebenso Gordon, *Ug.lit.*, S. 27; dagegen identifiziert z.B. Aistleitner, *Texte*, S. 35 die Negation *l* hier mit der gleichgeschriebenen Bekräftigungspartikel *l* (vgl. unten). Zur hiesigen Kombination (Inf. abs. + Negation + Verb.fin. (*qtl*)) vgl. in Besonderheit den unmittelbar nachfolgenden Fall derselben Art (2060:13-14).

6 Zum Bau des Syntagma vgl. besonders Brockelmann, *Grundriß* II, S. 294ff.

7 Zur Verbalsyntax (Präteritum in Erfahrungssätzen) vgl. vor allem Aartun, *Tempora*, S. 68ff. Zum doppelten Aspekt ("kennen, kennen lernen") vgl. ebenfalls ausführlich Aartun, ibid., S. 44ff.

8 Für diese Deutung spricht entscheidend der Zusammenhang (NB! :23, :24 *tdʿ*, :24 *tbn*); vgl. auch Gordon, *Ug.lit.*, S. 19; *Ug. and Min.*, S. 53; dagegen z.B. Obermann, *JBL* 65 (1946), S. 239 ("a stone of splendour"); Ginsberg, *ANET*, S. 136 ("a thunderbolt"); ferner Virolleaud, *Déesse*, S. 36, 38 (*abn* von der Wurzel *bny*); ebenso Driver, *Myths*, S. 87; Jirku, *Mythen*, S. 30; Aistleitner, *Texte*, S. 27; usw.

das Wort, das die Menschen nicht kennen, und die Mengen der Erde nicht verstehen"; zum wörtlichen Sinn vgl. schon zum unmittelbar vorangehenden Fall; ebenso ʿnt:IV:59-60, :62; ʿnt pl. IX:III:15; ʿnt:I:13-15 *ks qdš* (:13) *ltphnh aṯṯ krpn* (:14) *ltʿn aṯrt* (:15) ". . . einen heiligen Becher, den die Frauen nie gesehen haben (wörtlich: nicht sahen), einen Krug, den Aṯrt nie erschaut hat (wörtlich: nicht erschaute)"; auch bisweilen (in einem Hauptsatz) zur Verneinung von *yqtl* von der reinen Vergangenheit (mit vorangestelltem Objekt): 1Aqht:15-16 *hwt* (:15) *l aḥw* (:16) "ihn ließ ich nicht am Leben". Zum Gebrauch vgl. vor allem die (altererbte) übliche Kombination: *lam* < **lā-m(V)* (vgl. oben) + *yqtl* (Kurzform von der Vergangenheit) im Arabischen; siehe Brokkelmann, *Grundriß* II, S. 153f., und besonders Reckendorf, *Synt.Verh.*, an mehreren Stellen.

Mit *yqtl-* (Langform von der Nichtvergangenheit) kombiniert, begegnet in konstatierenden Sätzen die Negation *l* in Fällen, wie dichterisch: 68:17-18 *lymk*[1] *ltnǵṣn pnth lydlp* (:17) *tmnh* (:18) "nicht sinkt er (d.h. Ym) nieder, nicht werden seine Gelenke zum Schwanken gebracht, nicht wird erschüttert seine Gestalt"; Krt: 119 *wl yšn pbl* "und Pbl schläft nicht"; ebenso Krt:222; (mit Voranstellung des präpositionellen Objektes) 3Aqht obv. 12-13 ʿ[*l qšth*] (:12) *tmḫṣh qṣʿth hwt lt*[*ḥwy*] (:13) "we[gen seines Bogens] schlägst du ihn, (wegen) seiner Armbrust läßt du ihn nicht am [Leben]"; ferner (im Nebensatze) ʿnt:V:11 *k?dl ytn bt lbʿl* "wenn nicht Baʿl ein Haus gegeben wird"; 1002:62 *hm l atn bty lh* "wenn ich ihm nicht mein Haus gebe"; vgl. ferner 608: 35[2]; 1001:5; so auch (generelle Verneinung) 127:33-34 *ltdn dn almnt* (:33) *ltṯpṭ ṯpṭ qṣr npš* (:34) "du sprichst nicht das Recht der Witwe, du richtest nicht die Rechtssache des an die Seele Bedrückten"; ebenso 127:45-47; 127:47-48 *ltdy* (:47) *ṯšm ʿl dl* (:48) "du entfernst nicht diejenigen, die die Armen bedrücken"; (mit vorangestelltem präpositionellem Objekt) 127:48-50 *lpnk* (:48) *ltšlḥm ytm bʿd* (:49) *kslk almnt* (:50) "du läßt nicht die Waise vor dir (und) die Witwe hinter deinem Rücken speisen"; ebenso (zur Verneinung der nach unserem Sprachgefühl modifizierten Tempusbedeutung von *yqtl-*) 49:I:34 *lamlk bṣrrt ṣpn* "ich kann nicht herrschen auf den Höhen des Ṣpn"[3]; 49:I:22-24 *lyrẓ*[4] (:22) *ʿm bʿl lyʿdb mrḥ* (:23) *ʿm bn dgn* (:24) "nicht kann er mit Baʿl wetteifern o.ä., nicht kann er gegen den Sohn des Dagān den Speer werfen"[5]. Belege dieser Art aus der Prosa sind: 1012:25-26 *lm* (:25) *lytn hm mlk* [*b*]*ʿly* (:26) "warum gibt sie nicht der König, mein [H]err?"; 2060:16 *lm l tlk* "warum kommst (wörtlich: gehst) du nicht?"; 1019:13 *wlttn* "und dir wird nicht gegeben"; 2116:14-15 *l tsʿn* (:14) *mṣrm* (:15) "sie reisen nicht nach Ägypten"; (im Nebensatze) unpublizierter Text (Gordon, *Textbook*, S. 124 Anmerkung 3) *w k l yḫru w l yṯtn ssw* "und wenn das Pferd keinen Stuhlgang hat und nicht uriniert"; ebenso 55:8; 56:8; so auch (Verneinung des nach unserem Sprachgebrauch modifizierten Tempusbegriffs) 1012:28-29 *p l ašt aṯty* (:28) *nʿry ṯh lpn ib* (:29) "und ich kann nicht meine Frau (und) meine Kinder (wie) Geschenke vor den Feind setzen"[6]. Hierzu vgl. z.B. analog zu hebräisch *lō̄* Gn 32:27; Ex 11:9; 1S 6:3; 1K 20:9; Jes 44:20; 62:1; Pr 19:7; Ps 49:21; usw.; zu weiteren Analogien vgl. besonders Brockelmann, *Grundriß* II, S. 182ff.

Einzeln dient so auch die Partikel *l* zur Verneinung des konstatierenden Satzes mit *yqtl-n* (Energicus), wie dichterisch: 601 obv.7 *w dl ydʿnn* "und derjenige, den er nicht kennt"[7]. Zu diesem Gebrauch vgl. z.B. zu hebräisch *lō̄* Gn 44:32; Ps 89:23; usw.

---

1 Zur Lesart vgl. auch Virolleaud, *Syria* XVI (1935), S. 31; Herdner, *Corpus*, S. 11; Gordon, *Manual*, S. 150; dagegen id., *Textbook*, S. 180 *lymr*!.

2 Vgl. Virolleaud, *Ugaritica* V, S. 576f.

3 Zu diesem Gebrauch von *yqtl-*(!) vgl. besonders Brockelmann, *Grundriß* II, S. 148ff.; Bergsträsser, *Gram.* II, S. 35.

4 Zur Lesart vgl. auch Herdner, *Corpus*, S. 39; Gordon, *Textbook*, S. 167; anders Virolleaud, *Syria* XII (1931), S. 195 (*lirf*); Driver, *Myths*, S. 110 (*lyrṣ*).

5 Zu dem auch in diesem Fall vom Kontext geforderten negativen Sinn von *l* vgl. schon Ginsberg, *ANET*, S. 140; Gordon, *Ug.lit.*, S. 44; Schmidt, *Königtum*, S. 18f.; usw.; anders z.B. Brockelmann, *Orientalia* X (1941), S. 232; Driver, *Myths*, S. 111; van Zijl, *AOAT* 10, S. 190ff.

6 Vgl. oben Anmerkung 3.

7 Zur Deutung vgl. de Moor, *UF* 1, S. 168; Loewenstamm, *UF* 1, S. 74; anders Virolleaud, *Ugaritica* V, S. 547; Rüger, *UF* 1, S. 203 (das *l* wird aber von allen negativ gefaßt).

Nur selten dient dagegen *l* zur Verneinung von konstatierenden Nominalsätzen echter bzw. zusammengesetzter Art. Zur Negation des echten Nominalsatzes wird es verwendet in der Prosa in Fällen, wie 1084:2 *yn d l ṭb* "Wein, der nicht gut (ist)"; ebenso ibid.:5, :7, :10, :12, :15, :17, :19, :23; mit nachfolgendem Infinitiv als Prädikat: 1013:18-19 *w hm* (:18) *l ʿl* (:19) "und wenn (er, d.h. der Hethiter) nicht aufsteigt"; zur Negation des zusammengesetzten Nominalsatzes wird es gebraucht in der Dichtung an Stellen, wie 49:I:31-33 *pʿnh ltmǵyn* (:31) *hdm riš̀h lymǵy* (:32) *apsh* (:33) "seine Füße erreichen nicht den Schemel, sein Haupt erreicht nicht dessen (d.h. Thronsessels) Ende"; 3Aqht obv.26-27 *mh!rh ank* (:26) *laḥwy* (:27) ". . . lasse ich nicht am Leben". Vgl. analog z.B. zu hebräisch *lō̆* Gn 7:2; Dt 17:15; 2Ch 6:32; Jes 49:15; usw.; vgl. ferner auch besonders Brockelmann, *Grundriß* II, S. 114f.

Schließlich kann aber *l* auch zur nachdrücklichen Verneinung von verbalen bzw. nominalen Verbotssätzen dienen. Nur vereinzelt ist die Verwendung desselben zur Verneinung von verbalen Verbotssätzen (mit *yqtl* verbunden), wie dichterisch: 2003:3 *w l tikl wltš̀[t]* "und du sollst nicht essen und nicht trin[ken]"; ebenso wohl 62 rev.41-44. Häufiger ist der Gebrauch desselben zur Negierung von nominalen Verbotssätzen (nur solchen zusammengesetzter Art), wie in der Prosa (in Verbindung mit *yqtl(-)*): 1005:12-14 *wmnkm lyqḥ* (:12) *spr mlk hnd* (:13) *byd ṣtqšlm* (:14) "und niemand nehme Ṣtqšlm dieses königliche Schreiben weg (wörtlich: und irgendjemand nehme (nimmt) nicht das Schreiben des Königs, siehe dieses, (nunmehr) in der Hand des Ṣtqšlm)"; so auch 1009:12-15 *mnk* (:12) *mnkm l yqḥ* (:13) *bt hnd bd* (:14) *ʿbdmlk* (:15) "niemand nehme ʿBdmlk dieses Haus weg" (zum wörtlichen Sinn vgl. zum unmittelbar vorangehenden Fall)[1] ; ebenso aus der Prosa (in Verbindung mit *yqtl-n* (Energicus)), wie 1008:16-18 *bnš bnšm* (:16) *l yqḥnn bd* (:17) *bʿln* (:18) "niemand unter den Menschen nehme Bʿln es (das Feld) weg". Zum wörtlichen Sinn vgl. ebenfalls oben zu *l* + *yqtl(-)* in prohibitiver Bedeutung. Für diesen Gebrauch vgl. analog z.B. zu hebräisch *lō̆* Gn 4:12; 1S 14:36 (siehe Gesenius-Kautzsch, *Gram.*, S. 334, 501); Hos 2:12 u.ö.; zu arabisch *lā̆* Qur. 9:40; 11:83 (81); 2:126 (132); 3:97 (102); usw.; vgl. ferner auch Brockelmann, *Grundriß* II, S. 20f.; von Soden, *GAG*, S. 106 (§81 h).

Weitere mögliche Beispiele mit *l* "nicht" sind (meist zerstörte Stellen): 67:IV:2; 122:4, :12; 123:6, :11; 128:II:10; 1001:2, :5; 1002:44; 1003:13; Krt:234; 1Aqht:78; ʿnt pl. X:IV:7, :V:27 (poetische Stellen); 13:11; 1016:11; 1139:6, :7; 1154:2, :5; 2010:10; 2060:9, :10; 2062:A:3; 2128 rev.2 (Prosastellen).

---

1 Zum Stil der beiden letztangeführten Fälle vgl. sonst besonders akkadisch *eqlam lā tanaššar-šu* "Feld zieh ihm nicht ab!" (von Soden, *GAG*, S. 199 (§145 e)).

2) Von Begriffswurzeln abgeleitete Formen

Es sind von dieser Bildungsart im ganzen nur folgende Formen vom Stamm *bl(y/w)* vertreten: *bl* (Stammbildung (der verkürzten Wurzel)) "nicht, ohne"; *lbl* = *l* (Präposition (siehe unten)) + *bl* "ohne"; *blt* = *bl* + *-t* (hervorhebende Partikel (siehe unten)) "nicht". Zur Etymologie vgl. hebräisch *bal* "nicht", *bĕlī* "nicht, ohne", *liḇlī* < *lĕ* + *bĕlī* (vgl. auch *biḇlī, mibbĕlī*) "ohne", *biltī* < *bal* + *-tī*[1] "nicht, ohne, außer; ohne daß"; phönizisch *bl* "nicht", *blt* < *bl* + *-t* "außer daß"; punisch *bl* "nicht"; syrisch *(men) bĕlay* (vgl. oben zu hebräisch *mibbĕlī*) "ohne"; arabisch *bal* "nein, sondern; nein, im Gegenteil"; äthiopisch in Zusammensetzungen: *ʾĕnbala, zaʾĕnbala* "ohne, außer"; akkadisch *balu(m), bal(a), balī-* "ohne"[2].

Von den letztgenannten Negationen des Ugaritischen, die, wie gemeinsemitisch (vgl. oben), auch immer kombinatorisch dem Negierten präponiert werden, begegnet bereits ziemlich häufig die Kurzform *bl*, und zwar teils als Wort-, teils als Satzverneinung. Immer noch nur sporadisch ist aber das Vorkommen der beiden übrigen Typen: *lbl* als Wortverneinung, *blt* als Satzverneinung.

Hinsichtlich der Belege dient der Reihe nach der einfache Typus *bl* als Wortverneinung (= deutsch "nicht" ("un"-)) an Stellen, wie dichterisch: 51:VII:43 *umlk ublmlk* "ob König oder Nicht-König"; 125:15 *blmtk ngln* "wenn du nicht stirbst (wörtlich: dein Nicht-Tod), würden wir jubeln"; ebenso 125:99; 2Aqht:VI: 27-28 *blmt* (:27) *wašlḥk* (:28) "(wünsche dir Leben, und ich will es dir geben,) Unsterblichkeit (wörtlich: Nicht-Tod), und ich will sie dir verschaffen"; ebenso auch (= deutsch "ohne") 124:18-19 *yn bld* (:18) *ǵll* (:19) "Wein ohne Verderbtheit"[3]; Krt:90-91 *ḫpṯ dbl spr* (:90) *ṯnn dbl hg* (:91) "Truppen, die ohne Zahl (sind), Soldaten, die ohne Begrenzung (wörtlich: Zählung, Zahl o.ä.) (sind)"; so auch in der Prosa: 1098:11 *w[a]rbʿ l ʿšrm dd l yḫšr bl bnh* wörtlich: "und 24 Töpfe (sind) für Yḫšr ohne seinen Sohn d.h. für Yḫšr allein"; 2064: 26 *wbl bnš* "und ohne einen Mann". Zum angeführten Gebrauch vgl. z.B. analog zu hebräisch *bĕlī* Hos 7:8; Mal 3:10; Ps 63:2; Hi 30:8 u.ö. Zur syntaktischen Kombination vgl. auch hebräisch *ʾal-māwæṯ* "Nicht-Tod (Unsterblichkeit)" Pr 12:28[4]; vgl. ferner z.B. zu akkadisch *balu(m)* usw. von Soden, *GAG*, an mehreren Stellen.

Als Satzverneinung (= deutsch "nicht") dient *bl* meistens zum Ausdruck der objektiven Negation; so dichterisch in Verbalsätzen (namentlich in Zweifelsfragen) (mit folgender Präformativform der 1. Person des Indikativs), wie 49:I:20 *bl nmlk ydʿ ylḥn* "wollen wir nicht einen Kundigen, der einsichtig ist[5], zum Herrscher machen? (wörtlich: machen wir nicht einen Kundigen, der einsichtig ist, zum Herrscher?)"[6]; vgl. unten zu

---

[1] Vgl. Aartun, *BiO* XXVIII, 1-2 (1971), S. 127; vgl. auch unten.

[2] Siehe Brockelmann, *Grundriß* II, S. 185f.; *Lex.syr.*, S. 75, Gesenius-Buhl, *Hw*, S. 99, 100, 102; Friedrich, *Gram.*, S. 114 (§249); Wright I, S. 285 D; Dillmann, *Lex.*, S. 773f.; von Soden, *AHw*, S. 100. Ob ugaritisch *bl* bisweilen ein Kompositum aus der Präposition *b* (siehe unten) + der Negation *l* (wie hebräisch *bĕ-lō*, arabisch *bi-lā*) vertritt, ist wegen der mangelhaften Schrift nicht zu entscheiden.

[3] Siehe näher Aartun, *Neue Beiträge*; vgl. auch sonst schon den Gegensatz: *yn ṭb* "guter Wein" : *yn d l ṭb* "Wein, der nicht gut (ist)" (vgl. oben), wie 1084 passim.

[4] *bĕ-ʾoraḥ ṣĕḏāqā ḥayyīm wĕ-ḏæræḵ nĕṯīḇā ʾal-māwæṯ* "auf dem Wege der Gerechtigkeit (ist) Leben und das Wandeln (ihres) Steiges (ist) Nicht-Tod (Unsterblichkeit)".

[5] Hier bildet die betreffende Verbform *ylḥn* einen Nebensatz, und zwar entweder einen Relativsatz, was am wahrscheinlichsten ist, oder einen Zustandssatz; vgl. Brockelmann, *Grundriß* II, S. 501ff; 552ff.

[6] Der Kontext verrät, daß wir es hier, der üblichen Funktion der Form *bl* gemäß, mit einer negativen Zweifelsfrage zu tun haben. Vgl. schon Virolleaud, *Syria* XII (1931), S. 195; Gordon, *Ug.lit.*, S. 44; *Textbook*, S. 372; Labuschagne, *VT* 14 (1964), S. 97f.; vgl. auch Aistleitner, *Texte*, S. 19; *Wb*, S. 49 ("doch"); dagegen z.B. Ginsberg, *ANET*, S. 140 ("why"); Driver, *Myths*, S. 111 ("yea"); Jirku, *Mythen*, S. 68 ("fürwahr"); de Moor, *AOAT* 16, S. 202f.

blt; 51:V:123 *bl ašt urbt bbh[tm]* "soll ich nicht ein Fenster am Pal[ast] anbringen? (wörtlich: bringe ich nicht ein Fenster am Pal[ast] an?)"; ebenso 51:VI:5[1]; so ferner auch dichterisch im (konstatierenden) Nominalsatze, wie 2Aqht:I:21 *bl i̱t bn lh* "er hat nicht einen Sohn (wörtlich: nicht (ist) ihm die Existenz eines Sohnes)". Prohibitiv ist dagegen der Gebrauch an der poetischen Stelle (in Nominalsätzen): 1Aqht:44-46 *bl ṭl bl rbb!* (:44) *bl šrʿ thmtm bl* (:45) *ṭbn ql bʿl* (:46) "nicht (falle) Tau und nicht Regen, nicht (finde) das Anschwellen der beiden Ozeane (statt), (und) nicht die Wohltat der Stimme Baʿls!" Zur letzteren Anwendung vgl. zu hebräisch *bal* Ps 10:6; 16:4; Pr 23:7; 24:23 usw.; zum betreffenden prohibitiven Fall vgl. auch besonders zu hebräisch *ʾal* 2S 1:21[2]; kombinatorisch sind hier auch zu vergleichen (nämlich zu 2Aqht:I:21 *bl i̱t*) Hi 9:33 *lō yēš*[3]; aramäisch *lā-ʾīṯay* (Dan 2:10 u.ö.); *layt*, *layi̱t*, *lēṯ* < *lā* + *ʾīṯ*; arabisch *laysa* < *lā* + **ʾisa*; akkadisch *laššu/lāšu* < *lā* + *išû*)[4]; vgl. ferner auch Brockelmann, *Grundriß* II, S. 26f., 114f., 185f.

Zerstörte Stellen mit der einfachen Form *bl* sind: 49:V:28; 51:II:43; 75:II:8, :24; 602 rev. 7-8 (poetische Texte).

Für den Gebrauch der besonderen Form *l-bl* (= deutsch "ohne") (d.h. als Wortverneinung; vgl. oben) gibt es bisher nur ein einziges sicheres Beispiel: RŠ 22 225[5] *tspi širh lbl ḥrb tšt dmh lbl ks* "sie (die Göttin ʿAnat) aß sein Fleisch ohne Messer; sie trank sein Blut ohne Becher"[6]. Vgl. vielleicht auch 125:91, :93 (verstümmelte dichterische Stellen). Zum angeführten sicheren Gebrauch vgl. ähnlich zu hebräisch *liḇlī* Jes 5:14; Hi 38:41; 41:25.

Die erweiterte Form *bl-t* (= deutsch "nicht") läßt sich vorläufig überhaupt nur an einer einzigen poetischen Stelle belegen; sie dient, – wie öfters die einfache Form *bl* (vgl. oben), – zum Behuf der objektiven Verneinung (in einer Zweifelsfrage): 49:I:26 *blt nmlk ʿṯtr ʿrẓ* "wollen wir nicht ʿṮtr, den Furchtbaren, zum Herrscher machen? (wörtlich: machen wir nicht ʿṮtr, den Furchtbaren, zum Herrscher?)"[7]. Vgl. auch oben die Parallele mit der einfachen Form *bl* (49:I:20). Zum Typus der Aussage vgl. sonst Brockelmann, *Grundriß* II, S. 187ff.

Somit ergibt sich, daß das Ugaritische morphologisch durchaus nur altsemitisch ererbte Negationsformen einfacher resp. erweiterter Art kennt. Die Funktionen der Formen sind auch durchgehend die ihnen im Altsemitischen verliehenen. Nur teilweise scheint bei ihrem Gebrauch eine gewisse Erstarrung eingetreten zu sein (*bl*). Als Hauptnegation gilt im Ugaritischen immer noch *l*.

---

1 Auch hier handelt es sich um eine Zweifelsfrage negativer Art; vgl. so auch schon Aistleitner, *Texte*, S. 42; vgl. auch ibid., S. 43 sowie *Wb*, S. 49("doch"); Labuschagne, *VT* 14 (1964), S. 97f.; van Zijl, *AOAT* 10, S. 128f.; dagegen z.B. Virolleaud, *Syria* XIII (1932), S. 146 ("mais"); Gaster, *Thespis*, S. 175f. (positiv); Ginsberg, *ANET*, S. 134 (positiv); Gordon, *Ug.lit.*, S. 34; *Textbook*, S. 372 (positiv); Driver, *Myths*, S. 99 ("nay"); ebenso Gray, *Legacy*, S. 50; Jirku, *Mythen*, S. 48 ("gewiß"), 49 ("fürwahr"); usw.

2 *ʾal-ṭal wĕ-ʾal-māṭār ʿălēḵæm* "(möge) kein Tau und kein Regen auf euch (fallen)!"

3 *lō yēš-bēnēnū mōḵīaḥ* "kein Schiedsmann ist zwischen uns".

4 Siehe Brockelmann, *Grundriß* I, S. 235; von Soden, *AHw*, S. 539.

5 Veröffentlicht von Virolleaud in *CRAIBL* 1960 (erschienen 1961), S. 180-186.

6 Vgl. auch Gordon, *Textbook*, S. 372.

7 Der negative Charakter der Zweifelsfrage erhellt auch hier durch den Kontext. Vgl. schon Virolleaud, *Syria* XII (1931), S. 195; Labuschagne, *VT* 14 (1964), S. 97f.; van Zijl, *AOAT* 10, S. 128f.; vgl. auch Aistleitner, *Wb*, S. 49 ("doch"); ähnlich *Texte*, S. 19 ("dann") (als Partikel des vorsichtigen Vorschlags); dagegen Ginsberg, *ANET*, S. 140 ("well"); Gordon, *Ug.lit.*, S. 44; *Textbook*, S. 372 (positiv); Driver, *Myths*, S. 111 ("yea"); Jirku, *Mythen*, S. 68 ("fürwahr"); de Moor, *AOAT* 16, S. 202 ("yet"); usw.

III. BEKRÄFTIGUNGSPARTIKELN

Die hier zu behandelnden Typen sind – zum Unterschied von den Negationen (vgl. oben) – ugaritisch alle morphologisch von Deuteelementen abgeleitet. Der Funktion nach sind aber auch unter diesen Partikeln zwei Hauptgruppen von Formen zu unterscheiden: solche, die zur Bekräftigung des ganzen Satzes, und solche, die zur Bekräftigung des einzelnen Wortes bzw. des ganzen Satzes dienen.

1. Formen zur Bekräftigung des ganzen Satzes

Von dieser Art begegnen 1) vom Stamm *’ṯ*: *iṯ* (Stammbildung); *iṯm* = *iṯ* + *-m* (hervorhebende Partikel (siehe unten)); *iṯt* = *iṯ* + *-t* (verbale Flexionsendung) “Vorhandensein, Sein, Existenz”. Vgl. etymologisch hebräisch *’iš*, *yēš*; aramäisch: *’īṯay* = *’īṯa* + *-y* (hervorhebende Partikel (siehe unten)) (biblisch-aramäisch), *’yty* = *’yt* + *-y* (ägyptisch-aramäisch), *’īṯ* (syrisch, palästinensisch-aramäisch) (akkadisch *išû(m)*, nur Verbum “haben”, dazu *laššu* (von Soden, *AHw*, S. 532)) “Vorhandensein, Sein, Existenz”, vgl. auch arabisch *laysa/laysat/lastu* usw. < *lā* (Negation) + **’isa/*’isat/*’istu* (= **’isa* mit verbaler Personalflexion) “ist/bin nicht” usw.[1].

Wie ihre funktionellen Gegensätze, d.h. die Negationsformen vom Stamm *’yn* (vgl. oben), werden auch die Bekräftigungsformen vom Stamm *’ṯ* nur mit Bezug auf Nominalsätze, und zwar, – soweit mehrere Belege überhaupt vorhanden sind, – teils mit Bezug auf eingliedrige, teils auf zweigliedrige Satztypen verwendet. In der Regel stehen auch diese Formen unmittelbar vor dem Subjekt des Satzes.

In betreff der Belege dient von den genannten Typen die einfache Form *iṯ* schon öfters zur Bekräftigung von eingliedrigen Nominalsätzen; so mit folgendem Nomen (Substantiv) als Subjekt, an Stellen, wie dichterisch: 49:III:21 *kiṯ zbl b‘l arṣ* “denn vorhanden ist der Fürst, der Herr der Erde”; 52:74 *iṯ yn* “es ist vorhanden Wein”; 1Aqht:145 *iṯ šmt iṯ ‘ẓm* “es ist vorhanden Fett, es sind vorhanden Knochen”; ebenso (in Nebensätzen) 49:III:3 *whm iṯ zbl b‘[l arṣ]* “und wenn vorhanden ist der Fürst, der He[rr der Erde], . . .”; ebenso 49:III:9; 1Aqht:110-111 *hm iṯ šmt hm i[ṯ]* (:110) *‘ẓm* (:111) “wenn Fett vorhanden ist, wenn Knochen vorhanden si[nd], . . .”; ebenso ibid.:125; :139-140; so auch (im Relativsatz), mit dem (vorangestellten relativen) Pronomen (normale Wortstellung) als Subjekt: 3Aqht rev.18 *diṯ bkbdk* “das, was in deiner Leber ist (wörtlich: dessen Vorhandensein in deiner Leber)”; ebenso in der Prosa: 2060:34 *aṯr iṯ* “das, was da ist, . . .”[2]. Vgl. hierzu analog z.B. zu hebräisch *’iš* 2S 14:19; zu hebräisch *yēš* 2K 9:15; Pr 23:18; Thr 3:29; Koh 4:8; 8:14; zu biblisch-aramäisch *’īṯay* Dan 3:12; :17; :29; usw.; vgl. auch Brockelmann, *Grundriß* II, S. 14.

Häufig dient auch schon die einfache Form *iṯ* zur Bekräftigung von zweigliedrigen Nominalsätzen, auch hier überwiegend mit dem Nomen (Substantiv) als Subjekt, wie dichterisch: 2Aqht:I:21 *bl iṯ*[3] *bn lh*

---

[1] Siehe Brockelmann, *Grundriß* I, S. 235, 479 u.ö.; *Lex.syr.*, S. 16, Gesenius-Buhl, *Hw*, S. 322, 897; Schulthess, *Gram.*, S. 80 (§154); Wright I, S. 96 B-D; von Soden, *GAG*, S. 161 (§111 a), *AHw*, S. 402.

[2] Vgl. schon Virolleaud, *PU* V, S. 86; Gordon, *Textbook*, S. 369.

[3] Zur Kombination: Negation + Affirmation vgl. aramäisch *layt*, *layiṯ*, *lēṯ* < *lā* + *’īṯ*; arabisch *laysa* < *lā* + **’isa*; akkadisch *laššu* < *lā* + *išû*.

"er hat nicht einen Sohn (wörtlich: nicht (ist) ihm die Existenz eines Sohnes)"; (mit Voranstellung des Subjektes) ʿnt:III:17-18 *rgm* (:17) *i͟t ly* (:18) "ich habe ein Wort"; so auch in der Prosa (im zusammengesetzten Relativsatze): 2023:1 *dt i͟t alpm lhm* "(Leute,) die Rinder haben"; ebenso (im einfachen Relativsatze) mit dem (vorangestellten relativen) Pronomen (gewöhnliche Wortstellung) als Subjekt: RŠ 66 29 101 *d i͟t bd rb ʿprm*[1] "(Leute/Angestellte,) die unter der Aufsicht des Chefs der *ʿpr-m* stehen (wörtlich: die in der Hand des Chefs der *ʿpr-m* sind)". Hierzu vgl. analog z.B. zu hebräisch *ʾiš* Mi 6:10; zu hebräisch *yēš* Jer 31:17; Mal 1:14; Ps 73:11 u.ö.; zu biblisch-aramäisch *ʾītay* Dan 2:28; 5:11 u.ö.; zu palästinensisch-aramäisch *ʾīt* Schulthess, *Gram.*, S. 95 (§ 190.6); usw.; vgl. auch Brockelmann, *Grundriß* II, S. 14.

Zerstörte Stellen mit der einfachen Form *i͟t* sind: 52:72; 603 obv.8; 608:33 (poetische Texte); 3:55; 1129:1 (Prosatexte).

Die erweiterte Form *i͟tm* kommt bisher nur einmal in einem zerstörten poetischen Text vor: 67:III:24 *i͟tm m*[ ] "die Existenz . . ." (anders de Moor, *AOAT* 16, S. 181 mit Verweis auf *UF* 1, S. 178).

Mehrfach bezeugt, und zwar auch schon in verschiedenen Kombinationen, ist dagegen der flektierte d.h. schon als Kopula (Prädikat + Subjekt) zu fassende Typus *i͟t͟t*. In Verbindung mit einem besonderen Subjekt tritt dieser vereinzelt in der Dichtung auf: Krt:201 *ii͟t͟t a͟trt ṣrm* "so wahr A͟trt von Tyrus da ist"[2]; ferner wiederholt in der Prosa in Verbindung mit besonderen zum Prädikat gehörigen Bestimmungen, wie (mit teilweiser Voranstellung der letzteren) 117:14-15 *bm t͟y ndr* (:14) *i͟t͟t ʿmn mlkt* (:15) "ich bin bei der Königin mit dem gelobten Geschenk"[3]; ebenso (mit Voranstellung aller näheren Bestimmungen zum Prädikat): 1013:12-14 *hlny ʿmn* (:12) *mlk b t͟y ndr* (:13) *i͟t͟t* (:14) "ich bin hier bei dem König mit dem gelobten Geschenk"[4]. Hierzu vgl. vor allem analoge Syntagmen mit arabisch *laysat/lastu* (vgl. oben) wie Qur. 2:107 (113); 6:66; usw.; vgl. ferner Brockelmann, *Grundriß* II, S. 112.

Ferner kommt vor 2) *akn*, wohl < *ʾa* (Präfix) + *kn* (Stammbildung von der Wurzel *kn* "so" (vgl. oben))[5], "fürwahr". Vgl. etymologisch hebräisch *ʾāḵĕn*; jüdisch-aramäisch *ʾykn* "fürwahr"; vgl. auch akkadisch *akanna* "so" (vor zitierter direkter Rede)[6].

Nachgewiesen ist bisher die ugaritische Bekräftigungsform *akn* nur einmal dichterisch in einem zweigliedrigen Nominalsatz (mit Voranstellung des nominalen Subjektes): Krt:15 *t͟ar um akn*[7] *lh* "Kinder einer Mutter, fürwahr, hatte er (wörtlich: Blutsverwandte o.ä. einer Mutter, fürwahr, für ihn (war))"[8]. Zum entsprechenden Gebrauch der verwandten hebräischen Form *ʾāḵĕn* (vgl. oben) vgl. Gn 28:16; Hi 32:8, usw.

---

[1] Nach Gordon, *Supplement*, S. 556 angeführt.

[2] Zur gleichen Deutung vgl. auch schon Albright, *BASOR* 94 (1944), S. 31; Driver, *Myths*, S. 33; Gray, *Krt*, S. 16; ferner Ginsberg, *Keret*, S. 18; *ANET*, S. 145; Jirku, *Mythen*, S. 91; usw.; dagegen Virolleaud, *Keret*, S. 47: *ii͟t͟t* = einer Verbalform der 1. P. Sg. (nicht zu begründen); Aistleitner, *Texte*, S. 93; *Wb*, S. 29: *i͟t͟t* = "Dame" (sprachlich unhaltbar).

[3] Hierzu vgl. schon de Moor, *JNES* XXIV (1965), S. 357f.; dagegen Aistleitner, *Wb*, S. 29: *i͟t͟t* = "Dame" (sowohl sachlich wie sprachlich unhaltbar; vgl. auch das folgende Beispiel derselben Struktur).

[4] Vgl. Anmerkung 3.

[5] Zum Typus vgl. zunächst Barth, *Pronominalbildung*, S. 74f.

[6] Siehe Gesenius-Buhl, *Hw*, S. 35; Dalman, *Gram.*, S. 223 (§46); von Soden, *AHw*, S. 27. Zu *ʾāḵĕn/akanna* vgl. arabisch *lākin/lākinna* < *lā* + *kin/kinna*.

[7] Zur gleichen Lesart vgl. unter anderen Virolleaud, *Keret*, S. 34; Hammershaimb, *Verb*, S. 33; Gordon, *Textbook*, S. 250; Aistleitner, *Wb*, S. 151. Dagegen liest – nicht der keilschriftlichen Grundlage gemäß – Ginsberg, *Keret*, S. 14 *tkn*; ebenso Gray, *Krt*, S. 11; Herdner, *Corpus*, S. 62 und andere.

[8] Die Auffassung der Form *akn* als einer Afʿel-Form des Verbs *kwn* (so z.B. Hammershaimb, *Verb*, S. 33 und andere) ist jedoch wegen des völligen Mangels der Afʿel-Konjugation im Ugaritischen strukturell nicht möglich, und paßt auch nicht im Zusammenhang.

Von dieser Art erscheint ferner 3) vom Stamm *'l*: *al* "fürwahr". Wie gewöhnlich angenommen, ist diese Form – aller Wahrscheinlichkeit nach – morphologisch genauer mit der gleichgeschriebenen subjektiven Negationspartikel *al* (vgl. oben) zu identifizieren[1].

Dem eben Angeführten gemäß dient die Partikel *al* – in den in Frage kommenden Fällen – lediglich dazu, verbale Befehlssätze zu bekräftigen. Der positive Sinn der Sätze, die übrigens alle nach ein und demselben Grundmuster gebildet sind: Partikel (*idk*) + *al* + *tqtl* (2. Person des Jussivs) (vom Verb *ytn*) + Nomen (*pnm*) + Präposition (*'m*) mit Regiertem bzw. Richtungsakkusativ, dürfte, – wie oft im Semitischen der Fall ist (vgl. unten), – auf elliptischen Vorgängen, resp. auf Auslassung der Verbformen der ursprünglich durch *al* eingeleiteten negativen Befehlssätze, beruhen. In der bisherigen Überlieferung kommen nur dichterische Belege solcher *al*-Sätze vor: 51:VIII:1-2 *idk al ttn pnm* (:1) *'m ǵr trǵzz* (:2) "dann, fürwahr, sollt ihr das Antlitz wenden d.h. euch begeben zum Berge Trǵzz (dem tatsächlichen Wortlaut nach: dann nicht (< dann (sollt ihr) nicht (zögern, verweilen o.ä.)), ihr sollt das Antlitz wenden zum Berge Trǵzz)"[2]; 51:VIII:10-11 *idk al ttn* (:10) *pnm tk qrth* (:11) "dann, fürwahr, sollt ihr euch begeben zu seiner Stadt (wörtlich: in die Mitte seiner Stadt)"; 'nt:VI:12-13 *idk al ttn* (:12) *pnm tk ḥqkpt* (:13) "dann, fürwahr, sollt ihr euch nach Ḥqkpt begeben"; (mit syntagmatischer Verschiebung des Objektes (des konservierten Verbs) (vgl. oben)) 67:V:11-13 *idk* (:11) *pnk al ttn tk ǵr* (:12) *knkny* (:13) "dann, fürwahr, sollst du dich nach dem Berge (wörtlich: in die Mitte des Berges) Knkny begeben"; 137: 13-14 [*idk pnm*] (:13) *al ttn 'm pẖr m'd t*[*k ǵr ll*] (:14) "[dann], fürwahr, sollt ihr euch zur Gesamtheit der Versammlung na[ch dem Berge] (wörtlich: in die Mitte des Berges) [Ll] begeben"[3]. Zu sonstigen, kombinatorisch bedingten Ellipsen von Verba finita bzw. Sätzen im Semitischen vgl. besonders Brockelmann, *Grundriß* II, S. 454f., 657ff.

Ebenso erscheinen 4) vom Stamm *k*: *k* (Stammbildung), *ky* = *k* + *-y* (Hervorhebungspartikel (siehe unten)) "fürwahr". Vgl. etymologisch hebräisch *kī* (; phönizisch *k*) "fürwahr"[4].

Die Anwendung der Formen vom Stamm *k* des Ugaritischen beschränkt sich ganz und gar auf konstatierende Sätze. Wie entsprechend beim Gebrauch des verwandten hebräischen Ausdrucks *kī* (vgl. oben) wird dabei das Prädikat, dem die Partikeln immer unmittelbar vorangestellt werden, in der Regel nach hinten, oft sogar ans äußerste Satzende gerückt.

Es dient bereits von den letzterwähnten Formtypen der einfache Ausdruck *k* mehrfach der Affirmation von Verbalsätzen, wie mit *qtl* (Afformativform) als Prädikat in der Prosa: 2009:5-6 *lḥt šlm k lik*[*t*] (:5) *umy 'my* (:6) "eine Gruß-Tafel hat, fürwahr, meine Mutter an mich geschi[ckt]"[5]; 2064:21-22 *w lḥt alpm ḥrṯm* (:21) *k rgmt ly* (:22) "und eine Pflugrinder-Tafel hast du mir, fürwahr, genannt"[6]; ebenso – was noch häufiger ist – dichterisch, mit *yqtl*- (Präformativform d.h. Langform) als Prädikat: 2Aqht:V:10-11 *hlk kṯr* (:10) *ky'n* (:11) "das Kommen des Kṯr, fürwahr, er (d.h. Dnil) sieht"; 51:II:29 *gm lǵlmh k*[*tṣḥ*] "laut zu ihrem Diener/ihren Die-

---

1 Vgl. schon Dahood, *Biblica* 44 (1963), S. 293-294; Gordon, *Textbook*, S. 357; anders z.B. Obermann, *JBL* 65 (1946), S. 235 Anm. 5.

2 Hierzu vgl. schon die öfters vorkommenden Satzkombinationen: *tb' wl yṯb* "sie entfernten sich, sie verweilten nicht" + *idk lytn pnm 'm b'l* "dann, fürwahr, begaben sie sich zu Ba'l", wie 67:I:9-10; :II:13-15.

3 Dahood, *Biblica* 44 (1963), S. 293f. will an mehreren biblischen Stellen den gleichen Gebrauch von hebräisch *'al* finden. Die von ihm angeführten hebräischen Beispiele sind jedoch – dem Kontext nach – alle negativ zu interpretieren.

4 Siehe Brockelmann, *Syntax*, S. 52; *Orientalia* X (1941), S. 231; Friedrich, *Gram.*, S. 119 (§257 c); siehe ferner auch Ginsberg, *JRAS* 62 (1935), S. 56; Gordis, *JAOS* 63 (1943), S. 176f.; Driver, *Myths*, S. 144; Muilenburg, *HUCA* 32 (1961), S. 143; Gordon, *Textbook*, S. 76; Dahood, *Biblica* 46 (1965), S. 327; *Ug.-Heb. phil.*, S. 22.

5 Die von Virolleaud, *PU* V, S. 16 vorgeschlagene Deutung: *k* = "comme" paßt, wie schon aus der Wiedergabe Virolleauds hervorgeht, nicht im Zusammenhang.

6 Hier faßt Virolleaud, *PU* V, S. 92 *k* = "comment" auf. Der Zusammenhang fordert aber ebenso einen affirmativen Sinn; vgl. zum unmittelbar vorangehenden Fall.

nern, fürwahr, [sie (d.h. Aṯrt) ruft]"; 2Aqht:V:15 *gm laṯth kyṣḥ* "laut zu seiner Frau, fürwahr, er (d.h. Dnil) ruft"; 62:14-15 *lktp* (:14) *ʻnt ktšth* (:15) "auf die Schulter der ʻAnat, fürwahr, sie (die Leuchte der Götter, Špš) legt ihn"[1]. Zum Gebrauch vgl. analog zu hebräisch *kī* Ps 49:16 u.ö.; vgl. auch Brockelmann, *Grundriß* II, S. 181.

Ebenso ziemlich ausgedehnt ist die Verwendung der einfachen Form *k* zur Bekräftigung von Nominalsätzen, aber nur von solchen zusammengesetzter Art. Derartige Beispiele sind, vereinzelt mit folgendem *qtl* (Afformativform) als Prädikat, aus der Prosa: 1107:5-6 *mlbš ṯrmnm* (:5) *k yṯn* (:6) "die Kleider der *ṯrmn-m* sind/waren, fürwahr, alt d.h. schäbig o.ä. geworden"[2]; ferner vereinzelt dichterisch, mit folgendem *yqtl* (Präformativform d.h. Kurzform) als Prädikat: 52:39 *il aṯtm kypt* "Il schwächte, fürwahr, die beiden Frauen"; ebenso öfters dichterisch, mit folgendem *yqtl-* (Präformativform d.h. Langform) als Prädikat: 51:II:13-14 *hlk bʻl aṯ[t]rt* (:13) *ktʻn* (:14) "das Kommen Baʻls, fürwahr, Aṯ[t]rt sieht"; 51:II:26-27 *ksp [aṯ]rt* (:26) *ktʻn* (:27) "das Silber, fürwahr, [Aṯ]rt sieht"; 51:VII:52-53 *gm lǵ* (:52) *[lm]h bʻl kyṣḥ* (:53) "laut zu seinen Die[nern], fürwahr, Baʻl ruft"; so endlich auch vereinzelt dichterisch mit *yqtl-n* (Energicus) als Prädikat: 51:IV:27 *hlm il kyphnh* "siehe, Il, fürwahr, sie bemerkt"[3]. Für diesen Gebrauch vgl. zu hebräisch *kī* Gn 18:20 u.ö.; vgl. ferner auch Brockelmann, *Grundriß* II, S. 181.

Die erweiterte Form *ky* dient vorläufig nur einmal in der Prosa der Affirmation des zusammengesetzten Nominalsatzes, mit *qtl* (Afformativform) als Prädikat: 2060:17-19 *w lḥt akl ky* (:17) *likt ʻm špš* (:18) *bʻlk* (:19) "und eine Speise-Tafel hast du, fürwahr, an die Sonne, deinen Herrn, geschickt"[4]. Vgl. sonst oben zu *k* + *qtl*.

Endlich kommt von dieser Art vor 5) die Partikel *mt* "fürwahr". Vgl. etymologisch "jaudisch" *mt* "fürwahr"[5].

Die Form *mt* dient bisher nur vereinzelt dichterisch zur Bekräftigung des konstatierenden Verbalsatzes mit *yqtl-* (Langform): 604 obv. 9-10 *mt hm ks ym* (:9) *sk nhr* (:10) "fürwahr, siehe, den Becher mischt Nhr"[6]. Zum Gebrauch vgl. analog zu "jaudisch" *mt* Donner und Röllig, *Inschriften* I, S. 38; vgl. auch ibid. II, S. 215.

---

1 Hierzu vgl. schon nachdrücklich Gordon, *Textbook*, S. 76 (§9.17), 119 (§13.51), 116f.; ebenso id., *Ug.lit.*, S. 29, 43, 89; vgl. auch teilweise Driver, *Myths*, S. 144 und andere; dagegen z.B. Aistleitner, *Wb*, S. 143: *k* = "als", "so" (in keinem Fall dem Kontext entsprechend).

2 Virolleaud, *PU* II, S. 142: *k* = "quand"; Gordon, *Textbook*, S. 127 (§13.80): *k* = "whenever". Die affirmative Bedeutung ist aber auch an dieser Stelle durch den Zusammenhang gesichert.

3 Zu allen diesen Fällen mit *k* + *yqtl(-)* vgl. schon vor allem Gordon, *Textbook*, S. 76 (§9.17), 119 (§13.51), 116f.; *Ug.lit.*, S. 29, 37, 60; ebenso auch z.T. Driver, *Myths*, S. 144 und andere; dagegen z.B. Aistleitner, *Wb*, S. 143: *k* = "als", "so" (auch hier kontextlich nicht möglich).

4 Vgl. schon Gordon, *Textbook*, S. 417; dagegen Virolleaud, *PU* V, S. 85 ("quand").

5 Siehe Friedrich, *Gram.*, S. 161 (§41*); Donner und Röllig, *Inschriften* II, S. 219, 225.

6 Vgl. schon de Moor, *UF* 1, S. 185, 187.

2. Formen zur Bekräftigung des einzelnen Wortes bzw. des ganzen Satzes

Von dieser Art läßt sich vorläufig nur erkennen vom Stamm *l*: *l* "fürwahr". (Auf Grund der mangelhaften Schrift ist nicht mehr zu entscheiden, ob ugaritisch *l* einer oder mehreren Partikeln gleicher Funktion entspricht.) Vgl. etymologisch hebräisch *lĕ* (bzw. *lū*); arabisch *la*; äthiopisch *la*; akkadisch *lū* "fürwahr"[1]. (Diese Partikel ist nicht zu verwechseln mit der gleichgeschriebenen a) *l* zur Unterscheidung des Befehls u. dgl., b) *l* als Wunschpartikel (siehe unten).)

Im Material ist schon eine sehr ausgedehnte Anwendung dieser umfassend gebrauchten bekräftigenden Partikel *l* festzustellen. Kombinatorisch wird die Form (vgl. auch oben zum negativen Gegenstück *l*), dem normalen Muster der Kombination derselben im Semitischen gemäß, immer dem Bekräftigten (dem Einzelwort bzw. dem Prädikat des Satzes) präponiert.

Als Wortbekräftigung dient nun – in den allerdings bis jetzt nicht allzu häufigen Belegen dieser Art – das *l* meistens zur Affirmation des nominalen Ausdrucks, des Nomens (des Substantivs; vereinzelt des Adjektivs). Beispiele sind, mit Bezug auf das Nomen als Subjekt, dichterisch: 67:VI:8-9 *lb'l npl la*(:8)*rṣ* (:9) "fürwahr, Ba'l, ist zur Erde gefallen"; ebenso mit Bezug auf das Nomen als Objekt: 51:V:100-101 *yblnn ǵrm mid ksp* (:100) *gb'm lḥmd ḫrṣ* (:101) "die Berge bringen ihm viel an Silber, die Hügel das Schönste, fürwahr, an Gold"; so auch in der Prosa: 1010:17-18 *wl 'ṣm* (:17) *tspr* (:18) "und fürwahr, die Holzstämme, sollst du zählen"[2]. Nur einzeln dient ferner das *l* dazu, das Pronomen, namentlich dasselbe als Subjekt, zu bekräftigen, wie in der Prosa: 1029:15-16 *l d* (:15) *yškb l b bt mlk* (:16) "(150 Leute/Angestellte (zählen), fürwahr, diejenigen, die wohnen (wörtlich: liegen), nicht im Hause des Königs d.h. die außerhalb des Palastes wohnen"[3]. Zum Gebrauch vgl. analog z.B. zu hebräisch *lĕ* Nu 9:15; Koh 9:4 u.ö.; zu arabisch *la* Qur. 3:90 (96); 37:65 (67); 96:15; usw.; vgl. ferner auch Brockelmann, *Grundriß* II, S. 110; Caspari-Müller, *Gram.*, S. 241f., 339ff.

Bei der sehr beliebten Anwendung als Satzbekräftigung dient das *l* lediglich der positiven Unterstreichung von Aussagesätzen, und zwar vor allem von solchen verbaler Art. Zu dieser Kategorie gehören Fälle, mit *qtl* (Afformativform) als Prädikat, aus der Dichtung: 51:V:65 *lḥkmt* "fürwahr, du bist weise"[4]; 51:VII:23-24 *lrgmt lk lali* (:23) *yn b'l* (:24) "fürwahr, ich habe dir gesagt, o Aliyn Ba'l"[5]; ebenso 68:7-8; 52:62-63 *wl'rb bphm 'ṣr šmm* (:62) *wdg bym* (:63) "und fürwahr, es traten in ihren Mund hinein die Vögel des Himmels und die Fische im Meere"; 'nt:III:35-36 *lmḫšt mdd* (:35) *il ym lklt nhr il rbm* (:36) "fürwahr, ich habe den Liebling des Il, Ym, geschlagen; fürwahr, ich habe dem großen Fluß-Gott ein Ende bereitet"[6]; so auch aus der Prosa

[1] Siehe Brockelmann, *Syntax*, S. 28; Gesenius-Buhl, *Hw*, S. 370f., 380; Wright I, S. 282 D; Dillmann, *Lex.*, S. 23; von Soden, *AHw*, S. 520, 558.

[2] Virolleaud, *PU* II, S. 24: *l* = "pour". Das direkte Objekt des Verbs *spr* wird aber im Ugaritischen, ebenso wie z.B. im Hebräischen, nie durch die Präposition *l* eingeführt.

[3] Vgl. schon Virolleaud, *PU* II, S. 55; dagegen z.B. Gordon, *Textbook*, S. 125 Anmerkung 1: *l* = "not". Aber eine derartgie Kombination der Negation *l* ist dem Ugaritischen (Semitischen) unbekannt (vgl. oben).

[4] Vgl. schon Gordon, *Ug.lit.*, S. 32; Ginsberg, *ANET*, S, 133; Jirku, *Mythen*, S. 46 und andere; dagegen z.B. Virolleaud, *Syria* XIII (1932), S. 133: *l* = "vers". Das nachfolgende Wort *ḥkmt* ist aber, wie die Parallele zeigt, kein Nomen, sondern ein Verbum finitum. Zum Tempusgebrauch vgl. Aartun, *Tempora*, S. 68ff.

[5] Ebenso Hammershaimb, *Verb*, S. 72; Brockelmann, *Orientalia* X (1941), S. 229; Jirku, *Mythen*, S. 51; van Zijl, *AOAT* 10, S. 30f.; usw.; dagegen z.B. Virolleaud, *Syria* XIII (1932), S. 155: *l* = "pour" (auch hier ist aber das nachfolgende Wort (*rgmt*) eine finite Verbalform); Ginsberg, *ANET*, S. 135: *l* = "not"; so auch Gordon, *Ug.lit.*, S. 36; usw. (negative Bedeutung (Frage) aber nicht vom Kontext gefordert).

[6] Vgl. auch schon Virolleaud, *Déesse*, S. 51; Hammershaimb, *Verb*, S. 73; Driver, *Myths*, S. 87; Jirku, *Mythen*, S. 30; usw.; dagegen z.B. Ginsberg, *ANET*, S. 137: *l* = "not"; so auch Gaster, *Thespis*, S. 214; Gordon, *Ug. lit.*, S. 19f.; Aistleitner, *Texte*, S. 27; usw. Das tatsächliche Nebeneinander von weiteren gleichgestellten Verbformen, bald mit, bald ohne vorangestelltes *l*, zeigt aber auch hier den positiven Sinn der Partikel.

(z.T. mit syntagmatischer Verschiebung des Objektes): 1021:1-3 *lyblt ḫbṯm* (:1) *ap ksphm* (:2) *lyblt* (:3) "fürwahr, ich habe die Soldaten gebracht; auch habe ich, fürwahr, ihren Sold gebracht"[1]; ferner 117:16-17 *w rgmy lḥ* (:16) *lqt* (:17) "und meine Worte habe ich, fürwahr, geglättet"[2]; 2114:8-9 *akln b grnt* (:8) *l bʿr* (:9) "unsere Ernte (wörtlich: unser Essen) auf den Dreschtennen hat er, fürwahr, verwüstet"[3]; ebenso häufig mit *yqtl* (Kurzform von der Vergangenheit) als Prädikat, wie dichterisch: 1Aqht:82-83 *wl ytk dm[ʿh] km* (:82) *rbʿt ṯqlm* (:83) "und fürwahr, es flossen [seine] Trä[nen] wie Ein-Viertel-Seqel-Stücke"; ʿnt:III:37 *lištbm tnn išbm[n]h* "fürwahr, ich knebelte den Tnn, ich knebelte ihn"[4]; 137:30-31 *lpʿn il* (:30) *[l]tpl ltšthwy* (:31) "zu Füßen des Il, [fürwahr], fielen sie hin, fürwahr, verneigten sie sich"; (mit Voranstellung des Objektes) 49:II:35-37 *širh ltikl* (:35) *ʿṣrm mnth ltkly* (:36) *npr* (:37) "sein Fleisch, fürwahr, fraßen die Vögel, seine Teile, fürwahr, vernichteten die Gefiederten"[5]; Krt:12 *aṯt ṣdqh lypq* "seine gesetzmäßige Frau, fürwahr, erhielt er"[6]; ferner auch 128:V:18-19 *ʿrb špš lymǵ* (:18) *krt* (:19) "zum Untergang der Sonne, fürwahr, gelangte Krt". Besonders häufig findet sich dieser Gebrauch in Syntagmen nach dem festen Muster: *idk* (Adverb) + *l* + *yqtl* (vom Verb *ytn*) + *pnm* (Nomen) + *ʿm* (Präposition) + Regiertem resp. *tk* (Nomen im Akkusativ) + Genitiv (vgl. oben zu *al* (Bekräftigungspartikel))[7]: 49:I:4-5 *[id]k lttn pnm ʿm* (:4) *[i]l* (:5) "[da]nn, fürwahr, wandte sie das Antlitz d.h. begab sie sich zu [I]l"; ebenso 51:IV:20-21; 129:3-4; ʿnt pl. IX:III:21-22; 49:IV:31-32 *idk lttn pnm* (:31) *ʿm nrt ilm špš* (:32) "dann, fürwahr, begab sie sich zur Leuchte der Götter, Špš"; 51:V:84-85 *idk lttn pnm* (:84) *ʿm bʿl* (:85) "dann, fürwahr, begab sie sich zu Baʿl"; ebenso ʿnt:IV:81; 67:I:9-10 *idk* (:9) *lytn pnm ʿm bʿl* (:10) "dann, fürwahr, begaben sie sich zu Baʿl"; 67:II:13-14 *idk* (:13) *lytn pn[m] ʿm bn ilm mt* (:14) "dann, fürwahr, begaben sie sich zum Sohn des Il, Mt"; (mit Verschiebung (Voranstellung) des Objektes) 607:63 *idk pnm lytn tk aršḫ rbt* "dann, fürwahr, begab er sich nach (wörtlich: in die Mitte von) Aršḫ dem großen"[8]; Krt:301-302 *idk pnm* (:301) *lytn ʿmm pbl* (:302) "dann, fürwahr, begaben sie sich zu Pbl"; so auch öfters dichterisch mit *yqtl-* (Langform von der Nichtvergangenheit) als Prädikat: 6:31 *lydʿ hrh* "fürwahr, er kennt ihre Schwangerschaft"[9]; 51:IV:47 *any lyṣḥ ṯr il abh* "kräftig, fürwahr, ruft der Stier-Gott, sein Vater"; ebenso ʿnt:V:43; 51:VII:50-51 *lymru* (:50) *ilm wnšm* (:51) "fürwahr, er regiert über Götter und Menschen"[10]; 2Aqht:VI:43 *laqryk bntb pšʿ* "fürwahr, ich begegne dir auf dem Pfad der Sünde"; so vereinzelt auch dichterisch mit *yqtl-n* (Energicus) als Prädikat: 2Aqht :I:24 *ltbrknn lṯr il aby* "fürwahr, du wirst ihn segnen, o Stier-Gott, mein Vater"[11]. Hierzu vgl. analog z.B. zu

[1] Virolleaud, *PU* II, S. 42: *l* = "ne . . . pas"; so auch Aistleitner, *Wb*, S. 122; Gordon, *Textbook*, S. 119 (§13. 50). Kontextlich (NB *luk* usw.) ist aber auch in diesem Fall die positive Funktion von *l* deutlich.

[2] Zur Redeweise vgl. Pr 2:16 *ʾămāræhā hæḥǣlīqā* "sie hat ihre Worte geglättet".

[3] Vgl. schon Virolleaud, *PU* V, S. 137.

[4] Vgl. oben zu ʿnt:III:35-36 und S. 33, Anmerkung 6.

[5] Ebenso Driver, *Myths*, S. 111; Jirku, *Mythen*, S. 70; usw.; dagegen Hammershaimb, *Verb*, S. 118: *l* = "damit"; Gordon, *Ug.lit.*, S. 45: *l* = "not"; ebenso Aistleitner, *Texte*, S. 20 ("nicht"); usw. Die respektiven Aussagen, die alle beide konstatierende Hauptsätze(!) sind, bilden jedoch zweifelsohne den Höhepunkt der positiven Darstellung.

[6] Ebenso Driver, *Myths*, S. 29; Jirku, *Mythen*, S. 85; Gray, *Krt*, S. 11; usw.; dagegen z.B. Gordon, *Ug.lit.*, S. 67: *l* = "not"; so auch Aistleitner, *Texte*, S. 89; Sauren und Kestemont, *UF* 3, S. 194; usw. Der Gang der Darstellung fordert aber auch hier einen positiv unterstrichenen Sinn der Aussage.

[7] An sich könnte hier das *l* – im Vergleich mit *al* – mit der Negation *l* morphologisch identisch sein (vgl. Gordon, *Textbook*, S. 118 (§13.37)). Noch ist jedoch die Annahme wahrscheinlicher, daß die Form, – nach Ausweis des funktionell analogen altererbten arabischen Syntagmatypus *ʾiḏa-n la-*, – auch hier eben der bekräftigenden Partikel *l* entspricht (vgl. auch oben zu *idk* (Adverb)) (vgl. ferner van Zijl, *AOAT* 10, S. 70f. mit Verweisen).

[8] Vgl. Virolleaud, *Ugaritica* V, S. 571.

[9] Vgl. Gordon, *Ug.lit.*, S. 52.

[10] Vgl. auch Gordon, *Ug.lit.*, S. 36; Gray, *Legacy*, S. 45 und andere; dagegen z.B. Hammershaimb, *Verb*, S. 32: *l* = "damit"; so auch Ginsberg, *ANET*, S. 135 ("so that"); Jirku, *Mythen*, S. 52 ("daß"); usw. Das auslautende *u* der Verbalform beweist aber, daß wir es mit einer konstatierenden, durch *l* positiv unterstrichenen, Form zu tun haben.

[11] Ebenso Driver, *Myths*, S. 48; Jirku, *Mythen*, S. 116; usw.; dagegen z.B. Hammershaimb, *Verb*, S. 115 (Wunsch); Ginsberg, *ANET*, S. 150: *l* = "not"; usw. Unter Rücksichtnahme auf den unmittelbaren Zusammenhang (vgl. besonders die Parallele ohne *l*) ist aber der versichernde Sinn von *l* zu behaupten.

hebräisch *lĕ* Ps 109:16[1]; zu arabisch *la* Wright I, S. 283 A-B; II, S. 41 D, 348 D; zu akkadisch *lū* von Soden, *GAG*, S. 205 (§152 b), 239 (§185 d); vgl. auch Brockelmann, *Grundriß* II, S. 110, 159.

Bei der Anwendung von *l* als Affirmation von Nominalsätzen dient es – in der vorläufig nur relativ begrenzten Anzahl der Fälle – teils der Bekräftigung von echten Typen, wie dichterisch: 52:32 *hlh lšpl* "siehe, sie (ist), fürwahr, unten (wörtlich: siehe, sie (ist), fürwahr, Tiefliegendes/Unterbefindliches)"; 'nt:IV:78-79 *uǵr lrḥq ilm inbb* (:78) *lrḥq ilnym* (:79) "Uǵr (ist), fürwahr, entfernt, Götter; Inbb (ist), fürwahr, entfernt, Göttliche"[2]; 68:32 *ym lmt* "Ym (ist), fürwahr, tot"[3]; ebenso 68:34; teils aber auch der Bekräftigung von zusammengesetzten Typen d.h. Sätzen mit einer finiten Verbalform als Prädikat, wie dichterisch, mit folgendem *qtl* (Afformativform) verbunden: 68:6 [*b*]*ph rgm lyṣa* "[aus] seinem Munde kam, fürwahr, das Wort (, und die Rede von seinen Lippen)" (zum wörtlichen Sinn des Syntagma vgl. unten zu *b* (Präposition)); ebenso 1Aqht:75, :113, :141-142[4]; ebenso einzeln in Verbindung mit *yqtl* (Kurzform): 51:III:21 *kbh bṯt ltbṯ* "denn darin wurde, fürwahr, Schande gesehen"; so auch einzeln in Verbindung mit *yqtl-* (Langform): 51:V:66 *šbt dqnk ltsrk* "das Grau deines Bartes, fürwahr, belehrt dich"[5]. Zu dieser Verwendung vgl. analog z.B. zu arabisch *la* Qur. 10:92; 16:18; 22:53 (54); usw.; zu akkadisch *lū* von Soden, *GAG*, S. 205 (§152 b), 239 (§185 b) u.ö.; vgl. auch Brockelmann, *Grundriß* II, S. 110.

Zu weiteren möglichen Beispielen mit *l* "fürwahr" vgl. oben S. 25 zu den aufgeführten unerklärten (meist zerstörten) Fällen mit *l*.

Unter den hier besprochenen Partikeln finden sich somit, was die Morphologie anbetrifft, auch nur altsemitisch ererbte Bildungen, mit resp. ohne traditionelle Erweiterungen. Infolge des belegten Gebrauchs, der z.T. jedoch nur sporadisch ist (*akn, mt*), haben die Formtypen ihre herkömmlichen Funktionen bewahrt. Nur vereinzelt vertritt die Verwendungsweise einen weiterentwickelten Gebrauch (*al*). Auf der Stellung als Hauptaffirmation beharrt im Ugaritischen die Partikel *l*.

---

1 *wĕ-nik̲'ē lēḇāḇ lĕ-mōṯēṯ* "und den (Mann) verzagtes Herzens, fürwahr, tötete er"; vgl. auch schon Dahood, *Ug.-Heb. phil.*, S. 22.

2 Vgl. schon Gordon, *Ug.lit.*, S. 21 (positiv); dagegen id., *Ug. and Min.*, S. 55 (negativ); Virolleaud, *Déesse*, S. 62: *l* = Präposition; usw. Vgl. aber besonders die unmittelbar nachfolgenden Angaben der weiten Distanzen.

3 An sich kann hier *mt* auch *qtl* d.h. Affirmativform sein; zu solchen Sprachtypen vgl. unten.

4 Vgl. auch schon Virolleaud, *Syria* XVI (1935), S. 32; *Danel*, S. 151, 159, 164; Driver, *Myths*, S. 60f., 81; Jirku, *Mythen*, S. 24, 131f.; Gordon, *Ug.lit.*, S. 15; usw.; dagegen Gordon, *Ug.lit.*, S. 95f. (negativ); Ginsberg, *ANET*, S. 153f. (negativ); usw. Wir stehen aber hier einer festen Syntagmaformel gegenüber. Nur die positive Interpretation ergibt in allen Fällen einen Sinn.

5 Oder: "belehrte dich" d.h. *yqtl* (Kurzform von der Vergangenheit); vgl. die Parallele *lḥkmt*; vgl. auch oben S. 33, Anmerkung 4.

IV. HERVORHEBUNGSPARTIKELN

Die im folgenden zu besprechenden Partikeln stellen ebenso ugaritisch, wie gemeinsemitisch, morphologisch teils von Deuteelementen, teils von Begriffswurzeln abgeleitete Typen dar. Hinsichtlich der Funktion sind unter diesen Bildungen genauer drei Hauptgruppen von Formen zu unterscheiden: 1. solche zur Hervorhebung des einzelnen Wortes; 2. solche zur Hervorhebung des einzelnen Wortes bzw. des ganzen Satzes, und 3. solche zur alleinigen Hervorhebung des ganzen Satzes.

1) Von Deuteelementen abgeleitete Formen

a) *Formen zur Hervorhebung des einzelnen Wortes*

Unter den Partikelformen dieser Kategorie, die im Ugaritischen wie sonst im Semitischen besonders zahlreich sind, haben wir es dem Gebrauch nach mit folgenden Haupttypen zu tun: 1. Vokativpartikeln; 2. Akkusativpartikeln; 3. worthervorhebenden Partikeln allgemeinerer Art.

α) Vokativpartikeln[1]

Vorhanden ist von dieser Art 1) vom Stamm *y*: *y*. Vgl. etymologisch aramäisch *yā*; arabisch *yā*; akkadisch *ē*, *yē*; vgl. auch ägyptisch *ỉ*[2].

Vorläufig tritt die Vokativpartikel *y* des Ugaritischen nur in der Dichtung auf. In den vorhandenen Belegen dient diese Form, ebenso wie durchgehend arabisch *yā* usw. (vgl. oben), – auch wie die Parallelformen desselben Stammes im Semitischen kombinatorisch immer vorangestellt – nur zur Hervorhebung des Nomens (des Substantivs), meist dem Status absolutus, im Vokativ ohne nähere Bestimmung. Beispiele sind in konstatierenden Sätzen: am Satzanfang (hier mit Wiederholung des einfachen Nomens (Substantivs) im Vokativ): 52:40 *ymt mt nḥtm ḫṭk* "o Mann, Mann, dein "Stab" sinkt herab"; ebenso ibid.: 46-47; ibid.:43 *y ad ad nḥtm ḫṭk* "o Vater, Vater, dein "Stab" sinkt herab"; ebenso in anderer Stellung, namentlich syntaktisch im Satzinnern (ohne Wiederholung des einfachen Nomens (Substantivs) im Vokativ): 127:54-56 *yṯbr* (:54) *ḥrn ybn yṯbr ḥrn* (:55) *rišk* (:56) "Ḥrn wird zerschlagen, o Sohn, Ḥrn wird zerschlagen, dein Haupt"; 128:II:21-23 *a[ṯt tq]ḥ ykrt* (:21) . . . *tld šb‘ bnm lk* (:23) "die F[rau, die du ni]mmst, o Krt, . . . wird dir sieben Söhne gebären"; vgl. auch 2Aqht:V:37 (zerstörte Stelle)[3]; ebenso am äußersten Satzende: 49:IV:25 *pl ‘nt šdm yšpš* "rissig sind die Furchen der Felder (aus Mangel an Regen) geworden, o Špš"; ebenso ibid.:36; ibid.:46 *an lan yšpš* "wo?

---

1 Vgl. schon die vorzügliche Untersuchung von Singer, *JCS* 2 (1948), S. 1ff.; vgl. auch id., *BJPES* 10 (1942-1943), S. 54-63.

2 Siehe Brockelmann, *Lex.syr.*, S. 293,1; Macuch, *Handbook*, S. 151; Wright I, S. 294 B-C, II, S. 85ff.; von Soden, *GAG*, §§ 123 d, 124 b; *AHw*, S. 180; *CAD*, "E", S. 1; Gordon, *Textbook*, S. 407.

3 Vgl. schon z.B. Driver, *Myths*, S. 53; Jirku, *Mythen*, S. 121; Gordon, *Ug.lit.*, S. 89; Ginsberg, *ANET*, S. 151; Aistleitner, *Texte*, S. 71 und andere; dagegen z.B. Virolleaud, *Danel*, S. 204.

wohin? o Špš"; hier aber auch öfters zusammen mit der enklitischen Vokativpartikel *-m* (siehe unten): 137:36 *ʿbdk bʿl y ymm* "dein Diener (ist) Baʿl, o Ym"; vgl. auch 3Aqht rev.7; ʿnt:V:28; ʿnt pl. IX:II:8 (zerstörte Stellen). Seltener findet sich diese Konstruktion in Aufforderungssätzen, wie, am Satzanfang (Aufforderungssatz mit Imperativ) (auch hier mit Wiederholung des einfachen Nomens (Substantivs) im Vokativ): 52:69-70 *y nǵr* (:69) *nǵr pt[ḥ]* (:70) "o Wächter, Wächter, öff[ne]!"; am Satzschluß (Aufforderungssatz mit Jussiv), in dieser Stellung wiederum zusammen mit der enklitischen Vokativpartikel *-m* (ohne Wiederholung des einfachen Nomens (Substantivs) im Vokativ): 2Aqht:VI:34 *al tšrgn ybtltm* "nicht sollst du lügen, o Jungfrau!" Zum Gebrauch vgl. analog z.B. zu arabisch *yā* Qur. 2:31(33); 2:51(54); 20:11; 20:20(19); 20:36; 26:116; 26:167 u.ö.; vgl. ferner auch Howell, *Grammar* I, S. 168ff.; Wright II, S. 89 D; 90 B; Brockelmann, *Grundriß* II, S. 33f.; usw.

Ganz vereinzelt wird die Vokativpartikel *y* des Ugaritischen, ebenso wie gelegentlich die entsprechenden Formen desselben Stammes in den verwandten Sprachen, zur Hervorhebung des einfachen Nomens (des Substantivs), = dem Status constructus, im Vokativ (mit einem (Relativ)satz als Nomen rectum) gebraucht; so am Anfang eines Aufforderungssatzes mit Imperativ (im belegten Fall mit zweifachem unerweitertem Vokativ mit *y*): 52:64-65 *y aṯt itrḫ* (:64) *ybn ašld šu* (:65) "o Frauen, die ich heiratete, o Söhne, die ich zeugte, bereitet (wörtlich: erhebet) (ein Opfer)!"[1] Zum Gebrauch vgl. entsprechend z.B. zu arabisch *yā* unter anderem Reckendorf, *Synt.Verh.* sowie *Syntax* an verschiedenen Stellen.

Ferner kommt vor 2) vom Stamm *l*: *l*. Zur Etymologie vgl. besonders arabisch *la* (nach der Vokativpartikel *yā*); vgl. ferner auch vielleicht Arslan Tash *l*[2].

Auch die Vokativpartikel *l*, die die weit am häufigsten belegte Partikel dieser Art des Ugaritischen ist, tritt vorläufig nur in poetischen Texten auf. In den vorhandenen Fällen wird auch diese Form, dem üblichen Gebrauch der belegten entsprechenden Partikel(n) vom Stamm *l* im Semitischen gemäß, und zwar ebenso syntagmatisch präponiert, z.T. zur Hervorhebung des Nomens (des Substantivs) im Vokativ ohne nähere Bestimmung verwendet. Nur einzeln verbindet sich jedoch diese Form mit dem einfachen Status absolutus des Nomens, wie am Ende eines Aufforderungssatzes mit Infinitivkonstruktion: 6:22 *šmʿk larḫ* "höre (wörtlich: dein Hören)[3], o Kuh (, und achte darauf, (o Schwägerin) der Völker)!"[4]; schon wiederholt findet sich aber die Verbindung mit dem einfachen Status constructus des Nomens im Vokativ, wie in Aufforderungssätzen mit Imperativ: am Satzanfang (mit abwechselndem zweifachem Vokativ mit *l*): 77:24-26 *l* (:24) *nʿmn ilm lḫtn* (:25) *m bʿl trḫ pdry b[t ar]* (:26) "o Liebling des Il[5], o Schwiegersohn des Baʿl, heirate Pdry, die To[chter des Lichtes]!"[6]; am Satzschluß (mit einfachem Vokativ mit *l*): ʿnt:VI:9-10 *šmšr* (:9) *ldgy aṯrt* (:10) "mache dich auf, o Fischer der Aṯrt!" Zum Gebrauch vgl. zunächst zu arabisch *la* Reckendorf, *Syntax*, S. 112.

Sehr ausgedehnt ist ugaritisch die Verwendung der Vokativpartikel *l* zur Hervorhebung des Nomens (= dem Status absolutus bzw. constructus) im Vokativ mit näherer Bestimmung. In allen Fällen befindet sich der vokativische Ausdruck am Satzschluß. Belege dieser Art, und zwar nach dem Muster: *l* + dem Status abso-

---

1 Vgl. bereits Driver, *Myths*, S. 124f.; Jirku, *Mythen*, S. 84; Aistleitner, *Texte*, S. 61; Herdner, *Corpus*, S. 100; anders z.B. Virolleaud, *Syria* XIV (1933), S. 132, 136; Gordon, *Ug.lit.*, S. 61; *Textbook*, S. 175 und andere.

2 Siehe Wright II, S. 152 A f.; Albright, *BASOR* 76 (1939), S. 7ff.; Donner und Röllig, *Inschriften* II, S. 44. (Die von Dahood, *Ug.-Heb. phil.*, S. 36 angeführten vermeintlichen Beispiele von vokativischem *l* im Hebräischen sind vor allem vom syntaktischen, aber auch vom lexikalischen Standpunkt aus in ihrer Gesamtheit anders zu deuten.)

3 Zum Sprachtypus vgl. besonders Brockelmann, *Grundriß* II, S. 15.

4 Vgl. dagegen z.B. Gordon, *Ug.lit.*, S. 52.

5 Weniger wahrscheinlich: "o Liebling der Götter". Vgl. 49:VI:24 u.ö. (siehe unten).

6 Vgl. Singer, *JCS* 2 (1948), S. 3; Driver, *Myths*, S. 125; van Zijl, *AOAT* 10 (1972), S. 266f. und andere; anders z.B. Virolleaud, *Syria* XVII (1936), S. 219; Aistleitner, *Texte*, S. 64; *Wb*, S. 119; Gray, *Legacy*², S. 249 Anmerkung 2.

lutus des Nomens im Vokativ + näherer Bestimmung, sind in konstatierenden Sätzen (Substantiv im Vokativ + Apposition): 49:II:13-14 *mh* (:13) *taršn lbtlt ʿnt* (:14) "was wünschest du, o Jungfrau ʿAnat?"; ebenso ʿnt:V: 36-37; 68:7-8 *lrgmt* (:7) *lk lzbl bʿl* (:8) "fürwahr, ich habe es dir gesagt, o Fürst Baʿl"; ferner (Partizip im Vokativ + Objekt): 68:8 *ṯnt lrkb ʿrpt* "ich habe (es dir) wiederholt, o Wolkenreiter (wörtlich: o du reitend (auf) den Wolken)" (vgl. auch unten)[1]; in Aufforderungssätzen mit Imperativ (Substantiv im Vokativ + Apposition): 49: I:16-17 *šmʿ* (:16) *lrbt a[ṯrt] ym* (:17) "höre, o Fürstin A[ṯrt] des Meeres!"; 49:III:23 *šmʿ lbtlt ʿn[t]* "höre, o Jungfrau ʿAna[t]!"; ebenso 3Aqht obv.12; 51:V:121 *šmʿ laliyn bʿl* "höre, o Aliyn Baʿl!"; ebenso 51:VI:4; 77: 14-15 [*šm*](:14)*ʿ lkṯrt* [*bnt*] *hl*[*l sn*]*nt* (:15) "[hö]ret, o Kṯrt, [Töchter] des Hl[l, Schwa]lben!"; vgl. auch ibid.: 5-6; 126:IV:11 *šmʿ lngr il il*[*š*] "höre, o Handwerker-Gott (wörtlich: o Handwerker, Gott), Il[š]!"; 127:16-17 *šmʿ lmṯt* (:16) *ḥry* (:17) "höre, o Frau, Ḥry!"; 127:41-42 *šmʿ mʿ lkrt* (:41) *ṯʿ* (:42) "höre, o Krt, *Ṯʿ*!"; 1Aqht: 90 *šmʿ ldnil mt* [*rpi*] "höre, o Dnil, der [Rpu-]Mann!"; 68:28 *bṯ laliyn b*[*ʿl*] "erschlage (ihn) (wörtlich: zerreiße (ihn) o.ä.), o Aliyn B[aʿl]!"; 2Aqht:VI:26 *irš ḥym laqht ǵzr* "wünsche (dir ewiges) Leben, o Aqht, der Held!"; 2Aqht:VI:42 [*ṯ*]*b l!y*[2] *laqht ǵzr* "[ach]te auf mich (wörtlich: [keh]re zurück zu mir), o Aqht, der Held!"; ʿnt: VI:11 *mǵ lqdš amrr* "geh, o Qdš-Amrr (wörtlich: o Qdš Amrr)!"; (mit wiederholtem Vokativ mit *l*) 75:I:14-17 *ẓi at ltlš* (:14) *amt yrḫ* (:15) *ldmgy amt* (:16) *aṯrt* (:17) "geh hinaus, o Tlš, die Sklavin des Yrḫ, o Dmgy, die Sklavin der Aṯrt!"; ferner (Partizip im Vokativ + Objekt): 51:V:122 *bn lrkb ʿrpt* "achte darauf, o Wolkenreiter!" (zum wörtlichen Sinn vgl. oben); 68:29 *bṯ lrkb ʿrpt* "erschlage (ihn) (wörtlich: zerreiße (ihn) o.ä.) o Wolkenreiter!" Zum Gebrauch vgl. ebenso zu arabisch *la*[3].

Beispiele nach dem Muster: *l* + dem Status constructus des Nomens im Vokativ + angefügter näherer Bestimmung sind in Aufforderungssätzen mit Imperativ (Substantiv im Vokativ + Apposition): 49:VI:23-24 *šmʿ mʿ* (:23) *lbn ilm mt* (:24) "höre, o Sohn des Il, Mt!"; 67:II:11 *bhṯ lbn ilm mt* "heil (wörtlich: empfange mich freundlich o.ä.), o Sohn des Il, Mt!" Hierzu vgl. ebenso zunächst zu arabisch *la* (vgl. oben).

Weiter erscheint 3) vom Stamm *m*: *-m*. Zur Etymologie vgl. arabisch *-m-ma*; akkadisch *-mē* (*-mā*)[4].

Auch die Vokativpartikel *-m* des Ugaritischen ist in den vorläufigen Texten nur dichterisch zu belegen. In sämtlichen Fällen dient diese Form, wie auch im allgemeinen die zu vergleichenden Formen desselben Stammes im Semitischen (vgl. oben), der Hervorhebung des einfachen Nomens (des Substantivs im Status absolutus); so vor allem in konstatierenden Sätzen: im Satzinnern: 49:V:11-12 *ʿlk b*[*ʿ*]*lm* (:11) *pht qlt* (:12) "deinetwegen, o Ba[ʿ]l, habe ich Schande erfahren (wörtlich: gesehen)"; 68:8-9 *ht ibk* (:8) *bʿlm ht ibk tmḫṣ* (:9) "siehe, deinen Feind, o Baʿal, siehe, deinen Feind wirst du schlagen"; am Satzschluß: 51:V:65 *rbt ilm* "du bist groß (hast dich immer als groß erwiesen o.ä.)[5], o Il"; hier auch oft zusammen mit der präponierten Vokativpartikel *y* (vgl. oben): 137:36 *ʿbdk bʿl y ymm* "dein Diener (ist) Baʿl, o Ym"; vgl. auch ibid.:36-37; 3Aqht rev.7; ʿnt:V:28; ʿnt pl. IX:II:8 (zerstörte Stellen); ebenso in einem Aufforderungssatz mit Jussiv: 2Aqht:VI:34 *al tšrgn ybtltm* "nicht sollst du lügen, o Jungfrau". (Für andere Deutungen vgl. de Moor, *UF* 2 (1970), S. 219, 226; *AOAT* 16 (1971), S. 131, 135 mit Verweis auf Rainey, *IEJ* 19 (1969), S. 108 (sprachlich unhaltbare Interpretationen; Singular + der Partikelendung resp. der Vokativpartikel *-m(V)* ist ugaritisch eindeutig bezeugt; vgl. besonders den letztangeführten Fall; vgl. ferner unten. Außer den schon angeführten Untersuchungen von Singer vgl. sonst auch de Langhe, *Muséon* LIX, 1-4, S. 89-111; Herdner, *Syria* XXVI (1949), S. 384.) Zum Gebrauch vgl. analog zu arabisch *-m-ma* Howell, *Grammar* I, S. 168ff.; Wright II, S. 89 D; zu akkadisch *-mē* (*-mā*) von Soden, *GAG*, § 123 d u.ö.; Brockelmann, *Grundriß* II, S. 35; usw.[6].

---

1 Zur Konstruktion (Vokativpartikel + Partizip im Vokativ + direktem Objekt) vgl. arabisch *yā rākibani -l-ḥimāra* "o Eselreiter!" (siehe Brockelmann, *Grundriß* II, S. 34). Zum obigen Syntagma vgl. Ps 68:5 *rōkēḇ bāʿărāḇōṯ* (Partizip + präpositionalem Objekt(!)).

2 Zur Lesart vgl. Gordon, *Textbook*, S. 249; Herdner, *Corpus*, S. 83.

3 Vgl. oben mit Verweisen.

4 Siehe Howell, *Grammar* I, S. 168ff.; Wright II, S. 89 D, 224 D, von Soden, *GAG*, § 123 d, *AHw*, S. 569f., 639; vgl. auch Brockelmann, *Grundriß* II, S. 35.

5 Vgl. Aartun, *Tempora*, S. 73.

6 Zu den zahlreichen Fällen mit *-m* als hervorhebender Partikel allgemeinerer Art siehe unten.

β) Akkusativpartikeln

Von dieser Art ist vorläufig nur bezeugt vom Stamm *k*: *k*. Zur Etymologie vgl. äthiopisch *kīyā*[1].

Das Ugaritische verwendet *k* zur Hervorhebung des affizierten direkten Objekts (= dem Status absolutus bzw. constructus des Nomens mit/ohne nähere Bestimmung) nach dem Verbum. Alle Belege kommen aus der Dichtung: 604 obv.6-8 *brkt* [*m*]*šbšt* (:6) *krumm hm* (:7) *ʿn kd̲d aylt* (:8) "der Teich übermannt (wörtlich: verwirrt o.ä.) die Wildochsen, siehe, die Quelle die Herde der Hinden"[2]; 67:I:16-17 *hm brky tkšd* (:16) *rumm* (NB ohne hervorhebendes *k*) *ʿn kd̲d aylt* (:17) "siehe, der Teich überwältigt die Wildochsen, die Quelle die Herde der Hinden"[3]; 603 obv.1-2 *bʿl yt̲b kt̲bt ǵr hd r*[ʿ*y*] (:1) *kmdb btk ǵrh* (:2) "Baʿl thront (wörtlich: sitzt) auf dem Sitz des Berges, Hd, der Hi[rt], auf dem *mdb* mitten in seinem Berge"[4]. Zum Gebrauch von *k* vgl. zu äthiopisch *kīyā* z.B. Brockelmann, *Grundriß* II, S. 324f.; usw.[5].

γ) Worthervorhebende Partikeln allgemeinerer Art

In Betracht kommt hier eine große Anzahl von Enklitika. Nach den entsprechenden Formbildungen in den verwandten Sprachen zu urteilen hat man ugaritisch unter diesen Bildungen morphologisch nicht selten mit ungleichen (in der Schrift nicht unterschiedenen) Formtypen desselben Stammes zu rechnen. Die Behandlung des Gebrauchs dieser Formen erfolgt nach deren eventuellen Kombination mit Nomen, Pronomen, Verbum bzw. Partikel.

Vorhanden ist von dieser Art 1) vom Stamm *h*: *-h* (z.T. auch *-h-*) (wahrscheinlich variierter Struktur; vgl. unten). Hinsichtlich der Etymologie und der Morphologie vgl. zunächst hebräisch *-ā* < **-a-h(V)*[6]; arabisch *-hā*, *-h*, *-h-*; altsüdarabisch *-h*, *-h-*; äthiopisch *-hā*; usw.[7].

In betreff des Gebrauchs kommt im ugaritischen Material hervorhebendes *-h* schon zur Anwendung bei Wortformen der meisten Hauptkategorien (vgl. oben).

Besonders ausgedehnt ist die Anwendung von hervorhebendem *-h* beim Nomen. Übereinstimmend mit dem auch sonst bekannten Vorkommen von hervorhebendem *-h* beim Nomen im Semitischen beschränkt

---

1 Siehe Barth, *Pronominalbildung*, S. 81; Brockelmann, *Grundriß* II, S. 258; 324.

2 Vgl. Lökkegaard, in F.F. Hvidberg, *Weeping and laughter in the Old Testament* (Leiden 1962), S. 23 Anmerkung 4; de Moor, *UF* 1, 185ff.; anders z.B. Borger, *UF* 1, S. 4.

3 Vgl. die unmittelbar vorangehende Anmerkung.

4 Vgl. van Zijl, *AOAT* 10, S. 358f.; ähnlich Gaster, *Thespis*², S. 244; Eißfeldt, *Neue keilschriftalphabetische Texte*, S. 45; anders Virolleaud, *Ugaritica* V, S. 558; de Moor, *UF* 1, S. 180; Lipinski, *UF* 3, S. 82; Pope und Tigay, ibid., S. 118; Sauren und Kestemont, ibid., S. 215. Zum transitiven Gebrauch von *yt̲b* "sitzen" = "thronen" vgl. 127:38, :53:54. Vgl. auch Gn 18:1 (*yšb* + direktem Objekt).

5 De Moor, *UF* 1, S. 186 verweist als Analogie auf das sogenannte *kĕ*-veritatis des Hebräischen (mit Verweis auf Koehler, *Lex.*, S. 417). Wie mehrere Forscher schon längst erkannt haben (König, *Wb*, S. 169; Gesenius-Buhl, *Hw*, S. 329f.), ist aber das sogenannte *kĕ*-veritatis im Hebräischen in allen angeblichen Fällen mit der Präposition *kĕ-* der Vergleichung identisch.

6 Der Pänultimaakzent *ʾárṣā*, *šāmáymā*, usw. zeigt, daß das emphatische – im Schriftbild noch reflektierte – Element **-h* im Hebräischen (wie z.T. im Arabsichen (siehe unten)), jedenfalls z.Z. der Durchführung der Pänultimabetonung (vgl. vor allem Birkeland, *Akzent und Vokalismus*, passim), keine vokalische Endung mehr besaß. Vgl. ferner Blau und Loewenstamm, *UF* 2, S. 31f.

7 Siehe Bauer-Leander, *Hist. Gram.* I, S. 527f.; Birkeland, *Pausalformen*, passim; Wright I, S. 294 C; II, S. 372 D f.; Dillmann, *Gram.*, S. 286, 332; Beeston, *Grammar*, passim; Speiser, *IEJ* 4 (1954), S. 108-115; Blau und Loewenstamm, *UF* 2, S. 31-33.

sich jedoch dieser Gebrauch ausschließlich auf den Akkusativ und den Genitiv. Kombinatorisch betrifft diese Anwendung ugaritisch nur den Status absolutus.

Beispiele dieser Art sind, namentlich beim Akkusativ:

1. Als direktes Objekt verwendetes Nomen + hervorhebendem *-h*. Vorhanden ist nur ein Beispiel aus der gehobenen Rede (Status absolutus Singular + hervorhebendem *-h*), nämlich Krt:111-112 *s't bšdm* (:111) *ḥṭbh* (:112) "erbeute/nimm gefangen o.ä.[1] den Holzhauer auf dem Feld!" Vgl. dagegen die Parallelen *ḥpšt* (:112), *šibt* (:113), *mmlat* (:114) sowie die Wiederholung ibid.:214-217 ohne hervorhebende Partikel[2]. Zum obigen Beispiel vgl. zunächst den analogen Gebrauch von hervorhebendem *-hā* im Äthiopischen z.B. Matth 1:2 *Yĕhūdāhā* "den Juda"; usw.[3].

2. Örtlicher bzw. zeitlicher Akkusativ der Richtung + hervorhebendem *-h*. Dieser Gebrauch ist in den vorhandenen Texten sehr beliebt. Belege sind zuerst für die Verbindung mit dem örtlichen Akkusativ (Status absolutus Singular bzw. Dual + hervorhebendem *-h*), dichterisch (in Verbalsätzen): 52:38 *yr šmmh*[4] "sie (d.h. die "Rute" seiner "Hand") schoß zum Himmel"; Krt:167-168 *nša* (:167) [*y*]*dh šmmh* (:168) "er (Krt) erhob seine [H]ände zum Himmel"; vgl. die Parallele ibid.:75-76 ohne hervorhebende Partikel, d.h. mit dem bloßen Akkusativ; Krt:28-30 *tntkn udm'th* (:28) *km ṯqlm arṣh* (:29) *kmḫmšt mṭth* (:30) "seine Tränen werden wie Seqel zur Erde vergossen, wie Ein-Fünftel-Stücke auf das Bett"; Krt:157 *yrḥṣ ydh amth* "er wäscht seine Hände bis zum Ellbogen"; vgl. dagegen den ähnlichen Fall ibid.:63 mit dem bloßen Akkusativ; ferner Krt:116-117 *ḥẓk al tš'l* (:116) *qrth* (:117) "du sollst nicht deinen Pfeil gege.. die Stadt fliegen lassen (wörtlich: aufsteigen lassen)"; aus der Prosa: 109:1-2 *qrht d tššlmn* (:1) *ṯlrbh* (:2) "Städte, die (Waren) liefern an Ṯlrb". Für den zeitlichen Akkusativ + hervorhebendem *-h* finden sich nur dichterische Belege: 1Aqht:167-168 *'wr yštk b'l lht* (:167) *w'lmh* (:168) "es mache dich blind Ba'l von nun an und bis in alle Ewigkeit" (zum wörtlichen Sinn des Syntagma siehe näher unten zu *l* (Präposition)); desgleichen auch bisweilen im Nominalsatze: 1Aqht:154 *'nt brḥ p'lmh* "nun (sei) ein Flüchtling und für alle Ewigkeit"; ebenso ibid.:161; vgl. ferner 52:42, :45-46, :48-49 (siehe unter anderen Driver, *Myths*, S. 123). Zu diesem Gebrauch vgl. besonders analog zu hebräisch *-ā* < **-a-h(V)* z.B. Gn 28:12; 1K 7:25; Ex 13:10; Ps 104:20 (*haššāmāymā, 'arṣā, bāyṯā, yāmīmā, lāylā*); usw. (vgl. Speiser, *IEJ* 4 (1954), S. 108f.; Blau und Loewenstamm, *UF* 2 (1970), S. 31f. (gegen Kutscher)); ferner zu äthiopisch *-hā* z.B. Matth 2:8 (*Bēta lĕḥēm-hā*)[5].

3. Akkusativ vom Orte wo? + hervorhebendem *-h*. Auch diese Anwendung ist oftmals vertreten. Beispiele sind (Status absolutus Singular + hervorhebendem *-h*), dichterisch (in Verbalsätzen): 607:14-15 *tqru l špš u*[*m*]*h špš um ql bl 'm* (:14) *dgn ttlh* (:15) "sie ruft an die Sonne, ihre Mut[ter], (an) die Sonne, die Mutter des Ql Bl, bei Dgn in Ttl"; ebenso in Fällen nach demselben Muster: ibid.:19-20, :25-26, :35-36, :45-46, :51-52, :57-58; so auch ibid. am Rand; ferner bei einem Götttername ibid.:30-31 *tqru l špš umh špš um qlb*[*l*] *'m* (:30) *ršp bbth* (:31) "sie ruft an die Sonne, ihre Mutter, (an) die Sonne, die Mutter des Ql B[l], bei Ršp bei Bbt"; so auch ibid.:40-41; vgl. dagegen ibid.:2-3, :8-9 sowie 608:17 u.ö. mit dem bloßen Akkusativ bzw. mit *b* + Genitiv;

[1] Vgl. Gordon, *Ug.lit.*, S. 69; Ginsberg, *ANET*, S. 144; usw.; anders z.B. Jirku, *Mythen*, S. 88; Aistleitner, *Texte*, S. 91; Sauren und Kestemont, *UF* 3, S. 198; usw.

[2] Aistleitner, *Wb*, S. 101; *Texte*, S. 91 und andere fassen jedoch an der genannten Stelle *-h* = dem Personalsuffix der 3. Person Singular auf. Gegen diese Deutung spricht aber – außer den angeführten Parallelen – ganz entschieden der Zusammenhang. Vgl. auch schon z.B. Gordon, *Ug.lit.*, S. 69; Sauren und Kestemont, *UF* 3, S. 198; usw.

[3] Siehe Dillmann, *Gram.*, S. 286.

[4] D.h. Dual + *-h*; vgl. 49:II:25 u.ö.; anders Rainey, *IEJ* 19 (1969), S. 109 (wegen der fehlenden syntaktischen Analogien im Ugaritischen nicht beweiskräftig).

[5] Diesen Gebrauch *isoliert* zu betrachten und das *-h* dementsprechend als *Richtungs-h* zu erklären – so z.B. Aistleitner, *Wb*, S. 84 – ist arbiträr. Die auch sonst vorkommenden Gebräuche (vgl. unten; vgl. auch schon Dillmann, *Gram.*, S. 286) beweisen, daß das *-h* – funktionell – allein die übergeordnete Wortform als solche (vgl. demgegenüber die vorkommenden analogen Fälle ohne *-h*) hervorhebt.

ferner in der Prosa (in einem Nominalsatz): 1090:4-5 *kd l ḫty* (:4) *maḫdh* (:5) "ein Krug (ist) für den Hethiter in Maḫd"; vgl. dagegen ibid.:12, :16 mit *b* + Genitiv. Hierzu vgl. auch besonders analog zu hebräisch *-ā* < **-a-h(V)* z.B. 1K 4:14 (*Maḥănāymā*); usw (vgl. Speiser, *IEJ* 4 (1954), S. 109, Blau und Loewenstamm, *UF* 2 (1970), S. 32f.).

Die Anwendung von *-h* zur Hervorhebung des Nomens im Genitiv ist – nach der wahrscheinlichsten Lesart (vgl. unten) – vorläufig nur einmal dichterisch nachgewiesen (hinter dem Status absolutus Singular): 133 rev.5-6 *lytn lhm tḥt bʿl* (:5) *h* (:6) "... soll ihnen gegeben werden statt Baʿl"; (zum Text vgl. ebenso schon vor allem Gordon, *Manual*, S. 167; *Textbook*, S. 197; anders z.B. Virolleaud, *Syria* XXIV (1944-1945), S. 18; Herdner, *Corpus*, S. 48); vgl. dagegen aber, wie normal, die Parallele ibid.:6 ohne hervorhebende Partikel. Zu diesem Gebrauch vgl. zunächst analog zu äthiopisch: Präposition + Nomen (ursprünglich im Genitiv) + hervorhebendem *-hā*; vgl. auch ähnlich zu altsüdarabisch resp. minäisch: Genitiv (Status constructus) + hervorhebendem *-h* (z.T. mit nachfolgendem *-y* (siehe unten))[1].

Auch dient ferner ugaritisch *-h* zuweilen der Hervorhebung des Pronomens. Bei diesem Gebrauch erscheint zuerst die Kombination: *m-h* (substantivisches und sächliches Fragepronomen + hervorhebendem *-h*), wie dichterisch (das durch *-h* hervorgehobene Pronomen bildet das Objekt): 49:II:13-14 *mh*[2] (:13) *taršn lbtlt ʿnt* (:14) "was wünschest du, o Jungfrau 'Anat?"; ebenso ʿnt:V:36-37; 52:53 *mh ylt* "was haben sie geboren?"; ebenso 52:60; 2Aqht:VI:35-36 *mh yqḥ* (:35) *mh yqḥ* (:36) "was erhält er, was erhält er (wörtlich: was nimmt er)?"; vgl. auch 51:II:39 (zerstörte Stelle) (zu 612:B:1 *mh bnš* (kultischer Text) siehe besonders de Moor, *UF* 2, S. 321 (gegen Virolleaud, *Ugaritica* V, S. 590)). Vereinzelt in der Prosa kann hinter *-h* noch *-y*[3] (hervorhebende Partikel; siehe unten) affigiert werden (zum Typus *-h-y* || *-h* vgl. auch schon oben beim Nomen im Minäischen): 138: 9 *mhy r!gmt* "was hast du gesagt?"; daneben kommt vor: *m*[4]. Weiter findet sich *m-h-k* bzw. *m-h-k-m*[5] (substantivisches und sächliches Indefinitpronomen + *-h* + *-k* (hervorhebende Partikel; siehe unten) resp. + *-k* + *-m* (hervorhebende Partikel; siehe unten)). Nur Prosabelege sind vorhanden (in den vorliegenden Fällen bildet das verstärkte Pronomen ebenfalls das Objekt): 2059:26-27 *w aḫy mhk* (:26) *b lbh al yšt* (:27) "und mein Bruder soll sich nichts (wörtlich: nicht irgend etwas) zu Herzen nehmen"; 1013:22-24 *w ap mhkm* (:22) *b lbk al* (:23) *tšt* (:24) "und auch sollst du dir nichts zu Herzen nehmen"[6]. Als Analogien dieses Gebrauchs von *-h* aus den verwandten Sprachen vgl. z.B. arabisch *ma-h*, *ma-h-ya-m* (neben *mā̆*) (Fragepronomen); *ma-h-mā* (Indefinitpronomen); altsüdarabisch *m-h*, *m-h-m*, *m-h-n*, *m-h*, *k-*(!), *m-h-m k-*(!) (Indefinitpronomina); vgl. vielleicht auch mandäisch *mahu*[7].

---

1 Vgl. Dillmann, *Gram.*, S. 286; Beeston, *Grammar*, § 33:2 u.ö. Zu früheren auf rein hypothetischer Grundlage gefußten Deutungen des betreffenden altsüdarabischen *-h* siehe Rhodokanakis, *Studien* I, S. 44, 49, usw. – Als ein ursprüngliches Nomen + angehängtem *-h* (hervorhebende Partikel) zu fassen ist auch *ʿšr-h* (neben *ʿšr*, *ʿšrt*). Vgl. schon Gordon, *Manual*, §§ 7.17ff.; *Textbook*, §§ 7.20ff.; anders Blau und Loewenstamm, *UF* 2, S. 31 (mit Kutscher).

2 Aistleitner, *Wb*, S. 179 zufolge sei *mh* aus *mā* + *hū* entstanden (grundsätzlich richtig, falls mit *hū* eine Hervorhebungspartikel gemeint wird; vgl. unten); vgl. auch schon Blau und Loewenstamm, *UF* 2, S. 31f. (gegen Kutscher).

3 Vgl. schon Aistleitner, *Wb*, S. 179.

4 Nämlich Krt:38-39 *mat* (:38) *krt* (:39) "was ist über Krt gekommen?" (norwegisch: hva er kommet til Krt?"). Zum Verb *at* (hier Infinitivus absolutus (Gordon, *Textbook*, S. 88)) + Akkusativ (Personobjekt) vgl. z.B. analog zu hebräisch *ʾāṯā* (NB Hi 3:25(!); vgl. Gesenius-Buhl, *Hw*, S. 77f.); zu arabisch *ʾatā* (Kazimirski, *Dictionnaire* I, S. 9); usw. Zur betreffenden ugaritischen Stelle vgl. ferner besonders Herdner, *Corpus*, S. 62. Vgl. ferner *lm* "warum?" < *l* (Präposition) + *m* (Fragepronomen) (siehe schon Blau und Loewenstamm, *UF* 2, S. 31 mit Verweis auf Kutscher).

5 Vgl. schon Virolleaud, *PU* V, S. 83; Blau und Loewenstamm, *UF* 2, S. 31; anders Gordon, *Manual*, S. 287; Aistleitner, *Wb*, S. 179 (sprachlich nicht zu begründen).

6 67:VI:5 *mhyt* ist höchstwahrscheinlich nach Ausweis von 126:III:4 *miyt* zu lesen.

7 Siehe Wright II, S. 371 B-C, 373 A; Barth, *Pronominalbildung*, S. 129, 170; Beeston, *Grammar*, §§ 40:10, :11, :12; 43:4 u.ö.; Macuch, *Handbook*, an mehreren Stellen.

Außerdem dient ugaritisch *-h* sporadisch zur Hervorhebung von Partikeln:

An die selbständige Hervorhebungspartikel *hl* angehängt erscheint hervorhebendes *-h* an einer dichterischen Stelle (der Keilschrifttext ist im betreffenden Fall etwas beschädigt): 2Aqht:II:41-42 *hlh*[1] (:41) *ysmsmt* *'rš* (:42) "siehe, die Schönheit des Lagers"[2]; vgl. sonst *hl, hl-k, hl-m, hl-n* (siehe unten). Zur Kombination mit *-h* vgl. entsprechend zu arabisch *'ayyu-hā* (Vokativpartikel)[3].

Ferner ist belegt die Affigierung von hervorhebendem *-h* an die Präposition *b*. Ein sicheres Beispiel ist dichterisch (nach einem Bewegungsverb): 76:III:28-29 *t'l bh ǵr*[4] (:28) *mslmt bǵr tliyt* (:29) "sie (die Göttin 'Anat) stieg auf den Berg Mslmt, auf den Berg Tliyt". Mehrdeutig sind dagegen Fälle, wie 51:II:16-17; 1Aqht: 93-94; 'nt:III:29-30[5]; vgl. sonst neben der einfachen Form *b* auch *b-y, b-m, b-n* (siehe unten). Für die Verbindung mit *-h* vgl. besonders zu altsüdarabisch *b-h-y, b-h-y-t* (neben *b*), *b'm-h* (neben *b'm*), *byn-h* (neben *byn*); usw.[6]

Ferner findet sich 2) vom Stamm *w*: *-w* (= *-w* + Vokal[7]) (auch nach allem morphologisch nicht einheitlich; vgl. unten). Zur Etymologie und Morphologie vgl. hebräisch *-w, -ō* < **-a-w(V), -ū* < **-u-w(V)*; Gezer-Inschrift *-w*; aramäisch *-w(-), -wā̆-, -ō* < **-a-w(V)*, arabisch *-w* (im Schriftbild); altsüdarabisch *-w*; usw.[8]

Wie in den meisten übrigen semitischen Sprachen ist auch im Ugaritischen der Gebrauch von hervorhebendem *-w* nur in einigen isolierten Kombinationen repräsentiert.

Gefunden ist zunächst im Material hervorhebendes *-w* einmal dichterisch am Nomen im Genitiv (hinter dem Status constructus Plural). Die Form steht im betreffenden Fall kombinatorisch zwischen dem Hauptwort und dem Personalsuffix: 'nt:I:6 *ybrd ṯd lpnwh* "man (wörtlich: die Schar (der Diener))[9] setzt(e) ihm (dem Gott Ba'l) eine Brust vor". Vgl. die Parallelen 76:II:17 u.ö. *lpnnh*, d.h. mit hervorhebendem *-n* (siehe unten), sowie 127:48 *lpnk* ohne hervorhebende Partikel. – Die Auffassung von *lpnwh* als einem Aramaismus (Driver, *Myths*, S. 82; Aistleitner, *Untersuchungen*, S. 26) resp. als einem Archaismus = *lapanwīhū* (de Moor, *AOAT* 16, S. 70) kann sprachlich nicht unterbaut werden. – Vgl. ferner vielleicht auch 604 rev.18 (Virolleaud, *Ug.* V, S. 560f.; anders de Moor, *UF* 1, S. 185). Zur angeführten Kombination mit *-w* vgl. vor allem zu Nomen + hervorhebendem *-w* in der Gezer-Inschrift (schon feste Kombinationen)[10].

---

1 Vgl. Gordon, *Textbook*, S. 248; Herdner, *Corpus*, S. 81 Anmerkung 7.

2 Zu *hlh* = *hl* (Hervorhebungspartikel) + *-h* (Personalsuffix) siehe unten.

3 Siehe Wright I, S. 294 B-C.

4 Zu anderen Lesarten siehe z.B. Virolleaud, *Syria* XVII (1936), S. 170; Driver, *Myths*, S. 118; dagegen Gordon, *Textbook*, S. 182; Herdner, *Corpus*, S. 51 und andere. Zur ganzen Frage siehe zuletzt Aartun, *WdO* IV,2 (1968), S. 290f.

5 Vgl. schon Driver, *Myths*, S. 87 Anmerkung 14. Bei persönlichem Subjekt ist *bh* = *b* (Präposition) + *-h* (hervorhebende Partikel).

6 Siehe Beeston, *Grammar*, §§ 49:4; 51:1; 57:8; u.ö.

7 Vgl. Gordon, *Textbook*, S. 31 (§ 5.18).

8 Siehe Brockelmann, *Grundriß* I, S. 496; *Lex.syr.*, S. 821; *Arab. Gram.*, S. 89 Anmerkung 5; Bauer-Leander, *Hist.Gram.* I, S. 524f., 529f.; Lidzbarski, *Ephemeris* III, S. 36ff.; Dalman, *Wb*, S. 419; Cantineau, *Nabatéen* I, S. 99; *Gram. du palm. epigr.*, S. 140; Höfner, *Gram.*, S. 173 u.ö.; Beeston, *Grammar*, §§ 37:3-6; 49:1; 57:4.

9 Vgl. Aartun, *WdO* IV,2 (1968), S. 294f.; anders z.B. de Moor, *AOAT* 16, S. 67f. (Daß in einem so wichtigen Text von einer sonst unbekannten Gottheit *Rdmn* (ein solcher Göttername ist auch einfach nirgends nachgewiesen) die Rede sei, ist reine Spekulation. Die Form *rdmn*, die das Subjekt bildet, ist grammatisch Singular(!), weist aber der Bedeutung nach auf eine Mehrheit hin. Vgl. besonders ibid.:1(!) (sowie die Gegensätze 137:23 und 137:27, :29). Ibid.:18ff. wird ein neues Subjekt eingeführt.)

10 In der Gezer-Inschrift ist hervorhebendes *-w* (tatsächlich schon mit determinativer Funktion) nur hinter dem Dual des Nomens (Plural nicht vorhanden) nach langem Vokal erhalten, im Singular wahrscheinlich schon intervokalisch elidiert oder mit dem vorhergehenden kurzen Vokal verschmolzen (Monophthongisierung); vgl. schon Lidzbarski, *Ephemeris* III, S. 36; Bauer-Leander, *Hist. Gram.* I, S. 34. – In den übrigen semitischen Sprachen finden sich nur vereinzelte plausible Reminiszensen des alten betonenden *-w* am Nomen, namentlich

Ferner ist belegt, ebenso einmal dichterisch: Verbum = dem Energicus + hervorhebendem *-w*: 607:61 *bḥrn pnm trǵnw* "dem Ḥrn das Antlitz sie (die Göttin Špš) zerschlägt o.ä."[1]. Zu ähnlichen (, schon längst erstarrten) Kombinationen von Verbformen + hervorhebendem *-w* im Semitischen resp. im Altsüdarabischen vgl. die Grammatiken.

Endlich kommt vor, und zwar einmal in der Prosa: Partikel = der Präposition *k* + hervorhebendem *-w*: 2062:B:6-7 *aḫd kw* (:6) *sg*/*'t* (:7) "er ergriff (es) gleich einer Erbeutung/Eroberung o.ä." (vgl. Krt:111, :214); vgl. sonst *k*, *k-m*, *k-m-t* (siehe unten). Zur Verbindung mit *-w* vgl. analog zu syrisch *'aḵ-wā-ṯ* "wie" (hervorhebendes *-w* ist syrisch auch bei anderen Präpositionen bezeugt); neusyrisch *kĕ-wā-ṯ* (verglichen mit ugaritisch *k-m-t* = mišnā-hebräisch *kĕ-mō-ṯ* < **kV-mā-t(V)*), *'aḵ-wā-ṯ* "wie"; ferner auch besonders die häufige Verwendung von hervorhebendem *-w* bei Präpositionen im qatabanischen Dialekt des Altsüdarabischen[2].

Weiter erscheint 3) vom Stamm *y*: *-y* (= *-y* + Vokal[3]) (ebenso wahrscheinlich morphologisch ungleicher Struktur; vgl. unten). Zur Etymologie und Morphologie vgl. hebräisch *-y*, *-ē* <**-a-y(V)*, *-ī* < **-u/a/i-y(V)*; aramäisch *-y*, *-yā*, *-ā* < **-yā*, *-ē* < **-a-y(V)*; arabisch *-y*, *-ya-*, *-ā* < **a-y(V)*; amharisch *-y*; tigrē *-y*; altsüdarabisch *-y*; usw.[4].

In der ugaritischen Überlieferung wird *-y* zur Hervorhebung von Wörtern aller Hauptkategorien gebraucht.

Recht ausgedehnt ist schon der Gebrauch von hervorhebendem *-y* am Nomen. Belege sind, dichterisch: (Status constructus Dual des Nominativs + hervorhebendem *-y*) 52:60 *aṯty il*[5] *ylt* "die beiden Frauen des Il haben geboren"[6]; vgl. dagegen die Parallelen ibid.:42 u.ö. ohne hervorhebende Partikel; ferner (Status

in erstarrten Eigennamen und z.T. hinter Status constructus-Formen, d.h. in Fällen, wo keine funktionelle Verwechslung mit anderen Endungen, namentlich sekundär entwickelten Formen der Personalsuffixe, möglich war. Solche Beispiele sind z.B. hebräisch (Nominativ): *gašmū* < **gašmu-w* < **gašmu-w(V)* "n.pr. eines Mannes" Neh 6:6 (neben *gæšæm* ohne hervorhebendes *-w* Neh 2:19 u.ö.); ebenso *bōḵĕrū* (sehr alter Name, reflektierend vorhebräisch **ā* > *ō*; zum Typus vgl. Birkeland, *Akzent und Vokalismus*, S. 11f.) 1 Ch 8:38, 9: 44; *mĕlūḵū* Neh 12:14 Qr.; ebenso (Akkusativ): *ḥayṯō* < **ḥayyata-w* < **ḥayyata-w(V)* (Status constructus!) "Tier" Gn 1:24 u.ö.; ferner *ma'yĕnō* (St. cstr.) (mit vorangestellter Bekräftigungspartikel(!); siehe oben) "Quelle" Ps 114:8; *bĕnō* (St. cstr.) "Sohn" Nu 23:18 u.ö. Zu eventuellen Genitivformen auf *-ī* < **-i-w(V)* im Hebräischen siehe unten zu *-ī* < **-i-y* < **-i-y(V)*. Im Arabischen taucht nach allem das ursprüngliche hervorhebende *-w* im Eigennamen *'Amrū*/*'Amrī*/*'Amrā* (alle Formen sind *'mrw* geschrieben) auf. (Vgl. Brockelmann, *Arab.Gram.*, S. 89 Anmerkung 5 (gegen Wright I, S. 12 C)). Vgl. ferner Eigennamen + *-w* in nabatäischen Inschriften (siehe Cantineau, *op.cit.*). In dieser Weise erklärt sich auch wahrscheinlich äthiopisch: Vokativ + *-ō* < **-ā* (= Merkmal des Anrufs) + hervorhebendem **-w(V)* (in analoger Weise wie arabisch: Vokativ + *-an* < **-ā* + hervorhebendem **-n*) (vgl. Brockelmann, *Grundriß* II, S. 33f.; vgl. auch den eben genannten Wechsel zwischen *-w* und *-n* im Ugaritischen). (Ein Wurzelkonsonant ist dagegen *-w* (**-w*) in Fällen wie altsüdarabisch *fnwt*; äthiopisch *fĕnōt* < **fVnawt* (vgl. noch *fĕnā*); usw.) (vgl. Höfner, *Gram.*, S. 156; Dillmann, *Lex.*, S. 1370f.).

1 Dagegen Virolleaud, *Ugaritica* V, S. 571 (die Konjunktion *w* "redoublée par erreur"). Zur Bedeutung des Verbs vgl. Aartun, *Neue Beiträge*.

2 Siehe die Verweise S. 43, Anmerkung 8.

3 Vgl. Gordon, *Textbook*, S. 31 (§ 5.18).

4 Siehe Brockelmann, *Grundriß* I, S. 498f.; *Lex.syr.*, S.68, 361, 821; Dalman, *Gram.*, S. 399f.; Macuch, *Handbook*, S. 235; Aartun, *Act.Or.* XXIV, 1-2 (1959), S. 5-14; Wright I, S. 287 C, 290 B, 294 D usw.; Dillmann, *Gram.*, S. 335f.; Rundgren, *Bildungen*, S. 224; Beeston, *Grammar*, an mehreren Stellen; Bauer-Leander, *Hist. Gram.* I, S. 525f.; Gesenius-Buhl, *Hw*, S. 25f., 474, 876; usw.

5 Die Lesart Largements, *Naissance*, S. 24: *att y il* kann sprachlich nicht in Frage kommen. Vgl. schon Herdner, *Corpus*, S. 100; Gordon, *Textbook*, S. 175.

6 Vgl. auch schon Gordon, *Ug.lit.*, S. 61; Aistleitner, *Texte*, S. 61; *Wb*, S. 128 und andere; dagegen z.B. Driver, *Myths*, S. 123 "my two wives". Letztere Deutung ist aber kontextlich nicht möglich. Blau und Loewenstamm, *UF* 2, S. 29f. fassen *-y* hier – gegen die Schriftpraxis der Ugariter – als Mater lectionis auf.

absolutus Singular des Akkusativs (modaler Akkusativ) + hervorhebendem *-y*) 51:IV:47 *any lyṣḥ ṯr il abh* "kräftig (wörtlich: mit Kraft), fürwahr, ruft aus der Stier-Gott, sein Vater"; so auch ʻnt:V:43[1]; vgl. die gleich gebildeten Syntagmen mit *g-m* statt *an-y* 49:I:15-16; usw. (siehe unten)[2]; ebenso (Status absolutus Dual des Akkusativs (direktes Objekt) + hervorhebendem *-y*) 52:60 *ilmy*[3] *nʻmm* "die beiden lieblichen Götter (haben sie geboren)"[4]; schließlich (Status absolutus Singular des Genitivs + hervorhebendem *-y*) 67:II:15-16 *mk ksu* (:15) *ṯbty* (:16) "siehe, (das, d.h. Hmry, ist) der Thron des Sitzes". Vgl. dagegen die Parallele ibid.:16 sowie die sonstigen Parallelstellen (51:VIII:12-13 u.ö.) ohne hervorhebendes *-y* (statt dessen aber mit *-h* = dem Personalsuffix als besonderem Merkmal des Nachdrucks)[5]; aus der Prosa: (Status constructus Plural des Nominativs + hervorhebendem *-y*) 1015:4-5 *ily* (:4) *ugrt tǵrk* (:5) "die Götter von Ugarit mögen dich behüten!" (gegen die ugaritische Schrifttradition wird auch hier *-y* (vgl. oben S. 44, Anmerkung 6)) von Blau und Loewenstamm (*UF* 2, S. 25) als Mater lectionis gedeutet)[6]. Zum angeführten Gebrauch der Partikel *-y* vgl. besonders analog zu Nomen + hervorhebendem *-yā/-ā* < **-yā* im Aramäischen (*malkay-yā/malk-ā* < **malk-yā* = Status emphaticus/determinatus) (schon erstarrte Verbindungen)[7].

Nur in einem Fall findet sich der Gebrauch von hervorhebendem *-y* nach dem freistehenden Pronomen; so mit vortretendem *-h*: *m-h-y* (substantivisches und sächliches Fragepronomen + hervorhebendem *-h* (vgl. oben) + hervorhebendem *-y*)[8]. Der einzige Beleg dieser Kombination kommt aus der Prosa (das erweiterte Pronomen bildet das Objekt): 138:9 *mhy r!gmt* "was hast du gesagt? "; vgl. sonst *m*, *m-h* (siehe schon oben zu *-h*)[9]. Wiederholt tritt aber im Material hervorhebendes *-y* hinter Pronomen suffixum = dem genitivischen Suffix, wie dichterisch: ʻnt:V:41-42 *klnyy qšh* (:41) *nbln klnyy nbl ksh* (:42) "alle beide wollen wir seinen großen Krug bringen, alle beide wollen wir seinen Becher bringen"; vgl. die Parallele 51:IV:45-46 mit hervorhebendem *-n* (siehe unten); 128:V:18-20 *ʻrb špš lymǵ* (:18) *krt ṣbia špš* (:19) *bʻlny* (:20) "zum Untergang der Sonne, fürwahr, ge-

---

1 Die Beispiele 51:IV:47; ʻnt:V:43, verglichen mit Stellen wie 49:I:15-16, beweisen, daß *an* etymologisch mit hebräisch *ʼōn* < **ʼān-* "Kraft" zu identifizieren ist. Vgl. sonst Aartun, *WdO* IV,2 (1968), S. 279f.

2 Anders al-Yasin, *Lex.rel.*, S. 144 (sprachlich und kontextlich nicht aufrechtzuerhalten).

3 Gewöhnlich wird das *-y* hier – ganz arbiträr – als ein Schreibfehler betrachtet; so z.B. Herdner, *Corpus*, S. 100; vgl. auch Virolleaud, *Syria* XIV (1933), S. 135; Gordon, *Textbook*, S. 175 und andere.

4 Siehe auch schon Driver, *Myths*, S. 122f. und andere.

5 De Langhe (siehe Driver, *Myths*, S. 104 unten); Gordon, *Ug.lit.*, S. 40; Herdner, *Corpus*, S. 34 und andere lesen schlechthin – rein arbiträr – an der angeführten Stelle *-h* statt *-y*. Dussaud, *Mythe*, S. 41 liest zwar *-y*, faßt aber – gegen den Zusammenhang – die Endung als Possessivsuffix der 1. Person Singular auf.

6 Unklar ist noch *mnt-y* 607:9 neben *mnt* 607 passim. Als reine Nominalbildungen zu betrachten sind dagegen: *brky* (67:I:16) neben *brkt* (604 obv.6) "Teich"; *mnḫy(-k)* (137:38) neben *mnḫ* (120:1, :4) "Geschenk"; *nʻmy* (49:II:19 u.ö.) neben *nʻm* (Krt:145 u.ö.) "Lieblichkeit"; *Rḥmy* (52:16; 128:II:6) neben *Rḥm* (52:13); ferner *Dmgy* (75:I:16); *Ybrdmy* (77:29); *Pdry* (51:I:17 u.ö.); *Ṯrty* (609 rev.6); usw. (vgl. Brockelmann, *Grundriß* I, S. 405ff. sowie die oft belegten entsprechenden Formbildungen von denselben Wurzeln in den verwandten Sprachen (siehe die Lexika)). Ferner sind wohl auch als einfache Nominalbildungen anzusehen (nach dem Muster: *qtl* (Stamm) + *-n* + *-y* (Derivationsmorpheme)): *ulny* "stark", *ʻẓmny* "mächtig" (68:5) (vgl. Brockelmann, *Grundriß* I, S. 400). Zur vermuteten Form *šbʻny* (52:64) siehe besonders Driver, *Myths*, S. 124f.; Herdner, *Corpus*, S. 100 mit Verweisen.

7 Siehe näher Aartun, *Act.Or.* XXIV, 1-2 (1959), S. 5-14. – Im Hebräischen liegt das hervorhebende *-y* am Nomen höchstwahrscheinlich noch im sogenannten *y*-compaginis des Status constructus und des durch den bestimmten Artikel determinierten Status absolutus vor (siehe Bauer-Leander, *Hist. Gram.* I, S. 525f.): *-ī* < **-i-y* < **-i-y(V)*. Vgl. dazu die analoge Entwicklung des Personalsuffixes der 1. Person Singular **-ya* am Nomen: *-ī* < **-i-y* < **-u/a/i-ya* (Brockelmann, *Grundriß* I, S. 188f., 306ff.). Durch den lautlichen Zusammenfall der beiden Endungen wurde erstere nur da ungefährdet erhalten, wo keine funktionelle Verwechslung mit dem Personalsuffix bestand. Vgl. auch oben zu *-ī* < **-i-w* < **-i-w(V)*.

8 Vgl. schon Aistleitner, *Wb*, S. 179.

9 Das *-y* der Form *my* (62:6-7; 126:V:14-15 (vgl. Dt 4:7; 1S 22:14)) ist dagegen offenbar als Derivationsmorphem zu betrachten (*my* "wer? " : *m* "was? ").

langte Krt, zum Sinken der Sonne unser Herr"; vgl. dagegen die Parallele ibid.:21 ohne hervorhebende Partikel[1]; vgl. sonst Personalsuffix + hervorhebendem *-m*, *-n* (vgl. schon oben), *-t* (siehe unten). Zum betreffenden Gebrauch der Partikel *-y* am Pronomen vgl. analog z.B. zu arabisch *ma-h-ya-m* neben *mǟ*, *ma-h* (Fragepronomen); zu tigrē *-yē* < **-ya-y(V)* (Genitivsuffix) (vgl. auch amharisch hinter Verbum(!) *-yē* < **-ya-y(V)* neben *-ya*)[2].

Beim Verb wird hervorhebendes *-y* ebenso in verschiedenen Verbindungen gebraucht. Belegt ist so einmal dichterisch: *qtl* = Afformativform im Dual + hervorhebendem *-y*: 52:53 *yldy šḥr wšl(m)* "geboren sind Šḥr und Šl(m)"[3]; vgl. dazu 49:II:25 u.ö., d.h. *qtl* = Afformativform im Dual, ohne *-y*; ferner erscheint auch einmal dichterisch: *qtl* = Imperativ Singular (f.) + hervorhebendem *-y*: ʿnt:III:11-12 *qryy barṣ* (:11) *mlḥmt* (:12) "bringe o.ä. in die Erde . . . !"; ebenso ibid.:IV:52[4]; vgl. dagegen ibid.:66-67, :71-72 (*aqry*); vgl. auch 75:I:14 u.ö. *qtl* = Imperativ Singular (f.) ohne *-y*; weiter kommt vor einmal in der Prosa: *yqtl* = Kurzform im Dual(/Plural) + hervorhebendem *-y*: 1012:30-32 *hn hm yrgm mlk* (:30) *bʿly tmǵyy*[5] *hn* (:31) *alpm ššwm hnd* (:32) "siehe, wenn der König, mein Herr, es befiehlt (wörtlich: sagt), sollen sie dahin kommen, siehe, die (geforderten) 2000 Pferde" (zur Syntagmastruktur siehe unten zu *hn* (*hnd*)); vgl. dagegen 67:II:16/128:III:17-18 u.ö. zu *yqtl* = Kurzform im Dual/Plural ohne *-y*. Zur respektiven Verbindung mit *-y* vgl. vor allem die entsprechenden altsüdarabischen Kombinationen: *qtl-y*/*yqtl-y* = Dual des Verbs + *-y* (schon erstarrte Kombinationen)[6].

Ebenso wird in ziemlich weitem Umfang hervorhebendes *-y* zur Verstärkung von Partikeln verwendet:

An Adverbien – vorläufig jedoch nur an Frageadverbien – angehängt erscheint in den vorliegenden Texten hervorhebendes *-y*, dichterisch: 49:IV:28-29 *iy aliyn bʿl* (:28) *iy zbl bʿl arṣ* (:29) "wo (ist) Aliyn Baʿl? Wo (ist) der Fürst, der Herr der Erde?"; ebenso ibid.:39-40; vgl. dagegen 67:IV:6, :7 ohne hervorhebendes *-y*; ferner in der Prosa: 1010:5-6 *iky*[7] *aškn* (:5) *ʿṣm* (:6) "wie soll ich die Holzstämme festsetzen (wörtlich: auferlegen)?"; 138:6-7 *iky lḥt* (:6) *spr* (:7) "wie (steht es) mit den Brieftafeln?"; weiter 118:8 (zerstörter Text); daneben finden sich *ik*, *ik-m* (= *ik* + hervorhebendem *-m* (siehe unten)). Zum angeführten Gebrauch von *-y* vgl. ebenso bei Frageadverbien z.B. hebräisch *mā-ṯa-y*; arabisch *ma-tā* (geschrieben *mty*) usw. < **ma-ta-yV*[8].

Der Bekräftigungspartikel *k* affigiert ist hervorhebendes *-y* – im vorläufigen Textmaterial – einmal in der Prosa: 2060:17-19 *w lḥt akl ky* (:17) *likt ʿm špš* (:18) *bʿlk* (:19) "und eine Speise-Tafel hast du, fürwahr, an die Sonne, deinen Herrn, geschickt"; vgl. dagegen die Parallelen 2009:5; 2064:22 ohne hervorhebende Parti-

---

[1] Zu *ulny*, *ʿẓmny* (68:5) siehe oben S. 45, Anmerkung 6.

[2] Siehe Barth, *Pronominalbildung*, S. 39, 129. Vgl. ferner auch bekannte Kombinationen (, die typologisch sehr altertümlich sind,) in neuarabischen Dialekten wie *ʾanā-ya* "ich"; *ʾantā-ya* "du"; usw. (siehe Barth, ibid., passim). Ugaritische Fälle wie *aḫdy* (51:VII:49); *ḫtny* (77:32); *mʿmsy*||*spu* (2Aqht:II:20-21); *bʿly* (1012:22); *bny* (2061:12); usw. sind alle Nominative + dem unkontrahierten Suffix der 1. Person Singular. Zum Vorkommen von kontrahierten und nichtkontrahierten Formen desselben Suffixes – in gleichen Positionen – auch in mehreren anderen semitischen Sprachen vgl. Brockelmann, *Grundriß* I, S. 307ff.; Wright I, S. 21 C-D, 101 D; usw.

[3] Vgl. schon unter anderen Driver, *Myths*, S. 123, 166. Gewöhnlich wird jedoch die Form *yldy* entweder = Verbum + Suffix der 1. Person Singular (so Virolleaud, *Syria* XIV (1933), S. 135) oder = Substantiv im Dual + Suffix der 1. Person Singular (so z.B. Gordon, *Ug.lit.*, S. 61) gefaßt. Keine dieser Deutungen kann aber kontextlich unterstützt werden.

[4] Auch hier betrachten Blau und Loewenstamm, *UF* 2, S. 27 *-y* – gegen die traditionelle ugaritische Orthographie – als Mater lectionis; ebenso de Moor, *AOAT* 16, S. 103. Zu anderen Auffassungen und der ebenso berechtigten Kritik derselben siehe Blau und Loewenstamm, a.a.O.

[5] Blau und Loewenstamm, *UF* 2, S. 27 betrachten *-y* hier isoliert als Schreibfehler.

[6] Siehe Beeston, *Grammar*, §§ 21:2, 21:3.

[7] Hoftijzer, *UF* 3, S. 360 betrachtet *iky* als eine Kontraktion von *ik* + *hy* "how is it, how is that?" (analogielos und dem Kontext nicht entsprechend).

[8] Hierzu vgl. z.B. Koehler, *Lex.*, S. 582; Wright I, S. 287 C; usw.

kel. Zur betreffenden Anwendung von *-y* vgl. analog z.B. zu aramäisch *lĕway/lĕwē* (auch mišnā-hebräisch) < **lV-wa-yV* "o daß doch" (< "fürwahr") (vgl. Reckendorf, *Synt.Verh.*, S. 692)[1].

Weiter wird an mehreren Prosastellen die Präposition *b* durch hervorhebendes *-y* unterstrichen: 2059: 13-14 *mtt by* (:13) *gšm adr* (:14) "es (das Schiff) ist bei einem gewaltigen Regen untergegangen"; 2059:24-25 *w anyk ṯt* (:24) *by ʿky ʿryt* (:25) "und dein zweites Schiff ist in ʿKy angekommen"[2]; vgl. dagegen ibid.:21, :27 die nackte Form *b*; ferner (zerstörter Text): 100:7 *by šnt mlit* "in einem ganzen Jahr"[3]; sonst finden sich neben *b* (vgl. schon oben) *b-h* (siehe oben), *b-m*, *b-n* (siehe unten). Zur genannten Anwendung von *-y* vgl. zunächst zu altsüdarabisch *bʾy* = *b-ʾ-y*, *bhy* = *b-h-y*, *b tḥt-y*, *b qdm-y*, usw., ferner aber auch zu hebräisch *ʾaḥărē* < **ʾaḥra-y(V)*, *bēnē-* < **bayna-y(V)*, *taḥtē-* < **taḥta-y(V)*; aramäisch *bayna-y/bēnē*, *taḥta-y/tĕḥōṯa-y/tōḥtē/tōṯē/ (a)tutia*, *ʿillāwē*, usw.; amharisch *ʾĕnta-y*, *ʾĕnka-y* neben *ʾĕnta*, *ʾĕnka*; usw.[4].

Endlich wird auch hervorhebendes *-y* an gewisse Konjunktionen angehängt. Erstens erscheint *k* = "daß" + hervorhebendem *-y*. Die Belege dieser Kombination kommen ebenfalls alle aus der Prosa: 1015:7-8 *ky ʿrbt* (:7) *lpn špš* (:8) "(meine Mutter weiß/soll wissen,) daß ich zum Sonnenkönig (wörtlich: zur Sonne) Eintritt hatte"; 2061:9-10 *ky lik bny* (:9) *lḥt akl ʿmy* (:10) "daß mein Sohn eine Speise-Tafel an mich geschickt hat, ..."; 2060:19-20 *ky akl* (:19) *b ḫwtk inn* (:20) "(und eine Speise-Tafel hast du, fürwahr, an die Sonne, deinen Herrn, geschickt), daß keine Speise in deinem Haus/Gebiet (siehe schon oben zu *inn* (Negation)) ist". Vgl. ferner 1021: 13 (zerstörter Text). Zur selben Konjunktion ohne hervorhebendes *-y* vgl. 1012:21 u.ö. Zu diesem Gebrauch von *-y* vgl. z.B. zu altsüdarabisch *ś+k-ʾ-y* neben *ś+k-ḏ*, *ś+k-m* "daß"[5].

Ferner findet sich an einer zerstörten Prosastelle *uky* (1018:5). Wahrscheinlich ist letzterer Ausdruck = der Konjunktion *u* < **ʾaw* "oder" + hervorhebendem *-k* (siehe unten) + hervorhebendem *-y*. Vgl. sonst ohne *y*-Erweiterung *u*, *u-k* (siehe unten).

Ferner kommt vor 4) vom Stamm *k*: *-k* (, *-ku*, *-k-*) (zur anzunehmenden variierten Struktur vgl. unten). Zur Etymologie und Morphologie vgl. hebräisch *-ḵā*, *-ḵī*; moabitisch *-k*; phönizisch-punisch *-k*, *-ky*, *-ch* < **-k*; aramäisch *-ḵ*, *-kā*, *-kĕ-n* < **-kV-n(V)*, *-kē-ṯ* < **-ka-y-t(V)*; arabisch *-ka*; altsüdarabisch *-k*; äthiopisch *-k*, *-ka*; akkadisch *-ku*, *-kâ*, *-ka(-m)*, *-kī-ʾa-m* usw.[6]

---

1 Siehe sonst unter anderen Dalman, *Gram.*, S. 401; *Hw*, S. 215. (Im Akkadischen ist die ursprüngliche Bedeutung "fürwahr" neben der sekundären Funktion als Wunschpartikel noch bewahrt (vgl. von Soden, *AHw*, S. 558f.)).

2 Siehe Aartun, *Neue Beiträge.*

3 Gordon, *Textbook*, S. 370, 417 faßt in Fällen wie die letzteren, in Analogie mit u.a. der traditionellen hebräischen Schrift, das *-y* als Mater lectionis auf. Vgl. auch Blau und Loewenstamm, *UF* 2, S. 25. Wie schon mehrfach oben betont, reflektiert aber das ugaritische Schriftbild (wie ursprünglich auch das hebräische) nur die Konsonanten. An dieser Stelle sei noch hinsichtlich der belegten ugaritischen Orthographie folgendes bemerkt: Gelegentlich entstanden in der Praxis Doppelschreibungen, nämlich was den Konsonanten ʾ betrifft. *Intervokalisch* konnte nämlich ʾ zweimal angegeben werden: ʾ (= Vokal + ʾ) + ʾ (= ʾ + Vokal). Dadurch entstanden scheinbare Matres lectionis, wie *ṣbia* 128:V:19; *mria* 51:VI:41-42 u.ö.; *yraun* 67:II:6. Bei Formen wie z.B. *šlyṭ* 67:I:3 u.ö.; *pḫyr* Krt:25 u.ö. (neben *pḫr* mit anderer Bedeutung! 128:III:4 u.ö.) ist das *-y* ein Derivationsmorphem (also konsonantisch). Zu Nominaltypen mit *-y(y)-* nach dem zweiten Radikal im Semitischen siehe z.B. Brockelmann, *Grundriß* I, S. 353.

4 Siehe die Verweise S. 44, Anmerkung 4.

5 Vgl. oben S. 44, Anmerkung 4. Zur Auffassung von *-y* auch hier = Mater lectionis (so z.B. Gordon) vgl. oben Anmerkung 3.

6 Siehe Brockelmann, *Grundriß* I, S. 318f., 323; *Lex.syr.*, S. 8; Gesenius-Buhl, *Hw*, S. 29, 54; Beeston, *Grammar*, §§ 40:10, 43:4; Dillmann, *Lex.*, S. 823; *Gram.*, S. 334, von Soden, *GAG*, § 113 b; *AHw*, S. 52; vgl. auch besonders Barth, *Pronominalbildung*, S. 81f., 108; Rundgren, *Bildungen*, S. 224, 231, 317f.; Aartun, *UF* 3, S. 1-7.

Genau wie in den übrigen semitischen Sprachen wird auch im Ugaritischen hervorhebendes *-k* nur bei Pronomina und Partikeln angewandt.

Bei den Pronomina findet sich zuallererst die Verbindung: *an-k* (selbständiges Personalpronomen der 1. Person Singular + hervorhebendem *-k*). In einem viersprachigen Wörterverzeichnis wird diese Kombination des Ugaritischen = *a-na-ku* vokalisiert[1]. Wegen der z.T. ungleichen Lautung der Partikel *-k* bei den parallelen Kombinationen im Semitischen, – und zwar z.T. sogar innerhalb einer und derselben Sprache (vgl. unten), – können jedoch auf dieser Grundlage keine endgültigen Schlüsse für die in allen belegten Fällen realisierte Morphologie der unvokalisierten Endung *-k* des ugaritischen Pronomens gezogen werden. Des Näheren siehe Aartun, *UF* 3, S. 1-7. Im Material begegnet nun *an-k*, dichterisch: (in Verbalsätzen) 49:III:18 *aṯbn ank* "ich will mich setzen"; ebenso 2Aqht:II:12; 67:I:5 *ipdk ank* "ich verzehre dich"; ferner (in Nominalsätzen, mit verbalem Prädikat) 126:V:25-26 [*a*]*nk* (:25) *iḥtrš* (:26) "[i]ch zaubere"; 1002:36 *ank iphn* "ich sehe/sehe ihn"; ʿnt:III: 25-26 *wank* (:25) *ibǵyh* (:26) "und ich zeige es (wörtlich: suche es)"; ebenso ʿnt pl.. IX:III:16; 130:21; 2Aqht: VI:32-33 *ap a!nk aḥwy* (:32) *aqh*[*t ǵz*]*r* (:33) "auch verleihe ich Aqh[t, dem Hel]den, (ewiges) Leben"; 3Aqht obv.26-27 *mh!rh ank* (:26) *laḥwy* (:27) "seinen . . . lasse ich nicht am Leben"; (mit nominalem (d.h. einem Nominalsatz als) Prädikat) 129:19 *ank in bt* [*ly k*]*ilm* "ich [habe] kein Haus [wie] die Götter"; Krt:137-138 *lm ank* (:137) *ksp wyrq ḫrṣ* (:138) "was soll ich mit dem Silber und dem Gelb des Goldes (wörtlich: warum ich das Silber und das Gelb des Goldes)?"; ebenso ibid.:282-283; so auch (mit einem Partizip als Prädikat) 137: 28 *wank ʿny mlak ym* "und ich antworte den Boten des Ym"; (mit Voranstellung des partizipalen Prädikats) 49:II:21-22 *ngš ank aliyn bʿl* (:21) *ʿdbnn ank* [*k*]*imr bpy* (:22) "ich traf Aliyn Baʿl, ich behandelte ihn [wie] ein Schaf in meinem Munde"; 51:IV:60 *pʿdb ank aḫd ulṯ* "und (bin) ich ein Sklave (wörtlich: ein Zubereiter o.ä.), der eine Kelle hält?"; (statt *ʿdb* lesen Driver, *Myths*, S. 96; Aistleitner, *Wb*, S. 224, Herdner, *Corpus*, S. 26 *ʿbd*; dagegen (mit dem Keilschrifttext) z.B. Gordon, *Manual*, S. 141 u.ö.; van Zijl, *AOAT* 10, S. 98 und andere: *ʿdb* (vgl. auch ibid.:7, :12, :59)); vgl. die Parallele ibid.:59 ohne *-k*; in der Prosa: (in Nominalsätzen, mit verbalem Prädikat) 95:13-14 *w ap ank* (:13) *nḫt* (:14) "und ich bin auch zur Ruhe gekommen"; 1010:7-8 *pank atn* (:7) *ʿṣm lk* (:8) "und ich gebe dir die Holzstämme"; 2065:16-17 *w ank* (:16) *aštn . . . l iḫy* (:17) "und ich stelle es meinem Bruder (zur Verfügung)"; 2065:18-19 *w ap ank mnm* (:18) [*ḫ*]*s*[*r*]*t* (:19) "und was auch immer mir mangelt (wörtlich: gemangelt hat (und auch jetzt mangelt))"[2]; 2009:10-11 *k ank* (:10) *aḥš mǵy* (:11) "daß ich die Ankunft beschleunige"; (mit nominalem (d.h. einem nominal flektierten infiniten Verb als) Prädikat, und zwar mit Voranstellung desselben) 1021:6-7 *wtbʿ ank*(:6) *ʿm mlakth* (:7) "und ich gehe fort zusammen mit seiner Botschaft"; 2059:23 *w ṯṯb ank lhm* "und ich gab ihnen (die Ladung) zurück". Vereinzelt findet sich auch beim selben Pronomen die Kombination: *an-k-n* (d.h. *an* + hervorhebendem *-k* + hervorhebendem *-n* (vgl. unten)); so an der Prosastelle 2008 obv.6 *ankn rgmt l bʿly* "ich habe meinem Herrn gesagt"; daneben erscheint *an* (vgl. schon oben). Zur angeführten Anwendung von *-k* (*-ku*, *-k-*) vgl. zunächst akkadisch *anā-ku*, ferner auch hebräisch *ʾānō-ḵī* < **ʾanā-kī*; EA *a-nu-ki* < **ʾanā-kī*; moabitisch *ʾn-k*(!); phönizisch *ʾn-k*/*ʾn-ky*, punisch *ʾn-k*/*ʾn-ky*, *ane-ch* < **ʾanī-kV* sowie ägyptisch *ỉn-k*, koptisch *ano-k* nebst dem aramäischen Typus *dikkēn* < **ḏī-n-kV-n(V)*[3].

Zerstörte bzw. unklare Beispiele mit *an-k* sind: 6:10; 2Aqht:VI:44-45; 3Aqht obv.21-22, :40, rev.26; ʿnt pl. X:IV:18; 1002:5, :14, :15, :21, :37-38, :45, :50, :54 (poetische Texte); 13 obv.7-8, rev.2; 1012:11, :15; 1015:13; 2008 rev.12; 2010:11; 2059:18; 2126:6; 2128:8, :14 (Prosatexte).

Ferner findet sich bei den Pronomina die Kombination: *mn-k* (substantivisches und persönliches Fragepronomen *mn* + hervorhebendem *-k*). Nur ein Beleg in einem verstümmelten poetischen Text ist vorhanden (das

---

1 Siehe Gordon, *Textbook*, S. 362.
2 Vgl. Aartun, *Tempora*, S. 40f.
3 Vgl. die Verweise S. 47, Anmerkung 6.

durch *-k* verstärkte Pronomen bildet das Objekt): 67:V:3 *mnk ššrt* "wen hast du bekämpft o.ä.?"[1]; vgl. aber ibid.: IV:23 u.ö. dasselbe Pronomen ohne hervorhebendes *-k*. Außerdem finden sich bei anderen Pronominalformen von derselben Wurzel die Verbindungen: *mn-k/mn-k-m* (substantivisches und persönliches Indefinitpronomen + hervorhebendem *-k* bzw. + hervorhebendem *-k* + hervorhebendem *-m* (vgl. unten)). Die in Frage kommenden Belege stammen alle aus der Prosa (in allen Fällen werden die erweiterten Formen als Subjekt verwendet): 1005:12-14 *wmnkm lyqḥ* (:12) *spr mlk hnd* (:13) *byd ṣṭqšlm* (:14) "und niemand nehme (wörtlich: und irgend jemand nehme nicht) dieses königliche Schreiben aus der Hand des Ṣṭqšlm" (zum wörtlichen Sinn des ganzen Syntagma siehe schon oben zu *l* (Negation); vgl. ferner unten zu *b* (Präposition)); 1009:12-15 *mnk* (:12) *mnkm l yqḥ* (:13) *bt hnd bd* (:14) [*ʿb*]*dmlk* (:15) "niemand, niemand nehme [ʿB]dmlk dieses Haus ab"[2]; vgl. ferner die zerstörte Stelle 43:4; ebenso: *m-h-k/m-h-k-m* (substantivisches und sächliches Indefinitpronomen + hervorhebendem *-h* (siehe oben) + hervorhebendem *-k* ohne/mit nachfolgendem hervorhebendem *-m* (vgl. unten)) (die letztgenannten Langformen des Pronomens werden nur als Objekt angewandt): 2059:26-27 *w aḫy mhk* (:26) *b lbh al yšt* (:27) "und mein Bruder soll sich nichts (wörtlich: nicht irgend etwas) zu Herzen nehmen"; 1013:22-24 *w ap mhkm* (:22) *b lbk al* (:23) *tšt* (:24) "und auch sollst du dir nichts zu Herzen nehmen"[3]. Zu diesen Kombinationstypen vgl. zunächst im Altsüdarabischen (d.h. der Schrift nach) *m-h k-*(!), *m-h-m k-*(!)[4].

Bei den Partikeln tritt hervorhebendes *-k* zunächst hinter das demonstrative Adverb *id* "dann". Die so verstärkte Adverbialform, die besonders häufig zur Anwendung kommt, begegnet, wie schon oben bemerkt, nur dichterisch in der festen Syntagmaformel: *id-k*[5] + *l* bzw. *al* (Versicherungspartikel) + Verbum finitum (von *ytn*) + Nomen (*pnm*) + Präposition (*ʿm*) mit dem Regierten bzw. Richtungsakkusativ: 49:I:4-5 [*id*]*k lttn pnm ʿm* (:4) [*i*]*l* (:5) "[da]nn, fürwahr, begab sie sich (wörtlich: wandte sie ihr Antlitz) zu [I]l"; ebenso 51:IV:20-21; 2Aqht: VI:46-47; ʿnt:V:13-14; 49:IV:31-32 *idk lttn pnm* (:31) *ʿm nrt ilm špš* (:32) "dann, fürwahr, begab sie sich zur Leuchte der Götter, Špš"; 51:V:84-85 *idk lttn pnm* (:84) *ʿm bʿl* (:85) "dann, fürwahr, begab sie sich zu Baʿl"; ferner 3Aqht rev. 20-21 *idk lttn* [*pnm*] (:20) [*ʿm*]*aqht ǵzr* (:21) "dann, fürwahr, begab sie sich zu Aqht, dem Helden"; ʿnt pl. IX:III:21-22 *idk lyt* [*n pnm ʿm ltpn*] (:21) *il dpid* (:22) "dann, fürwahr, bega[b er sich zu dem Freundlichen], zu Il, dem Mitleidigen"; 76:II:8-9 *idk lytn pnm* (:8) *tk aḫ šmk* (:9) "dann, fürwahr, begab er sich auf die Wiese Šmk (wörtlich: in die Mitte der Wiese Šmk)"; 67:I:9-10 *idk* (:9) *lytn pnm ʿm bʿl* (:10) "dann, fürwahr, begaben sie sich (die Götter Gpn und Ugr) zu Baʿl"; 67:II:13-14 *idk* (:13) *lytn pn*[*m*] *ʿm bn ilm mt* (:14) "dann, fürwahr, begaben sie sich zum Sohn des Il, Mt"; (mit syntagmatischer Verschiebung des Objektes) Krt:301-303 *idk pnm* (:301) *lytn ʿmm pbl* (:302) *mlk* (:303) "dann, fürwahr, begaben sie sich (die Boten des Krt) zum König Pbl"; 607:63 *idk pnm lytn tk aršḫ rbt* "dann, fürwahr, begab er sich nach Aršḫ dem großen (wörtlich: in die Mitte von Aršḫ dem großen)"; – 51:VIII:1-2 *idk al ttn pnm* (:1) *ʿm ǵr trǵzz* (:2) "dann, fürwahr, sollt ihr euch (die Götter Gpn und Ugr) zum Berge Trǵzz begeben"; 51:VIII:10-11 *idk al ttn* (:10) *pnm tk qrth* (:11) "dann, fürwahr, sollt ihr euch in seine Stadt (die Stadt des Mt) begeben"; ʿnt:VI:12-13 *idk al ttn* (:12) *pnm tk ḥqkpt* (:13) "dann, fürwahr, sollt ihr euch ins Innere von Ḥqkpt begeben"; (mit syntagmatischer Verschiebung des Objektes) 67:V:11-13 *idk* (:11) *pnk al ttn tk ǵr* (:12) *knkny* (:13) "dann, fürwahr, sollst du dich (der Gott Baʿl) nach dem Berg Knkny begeben"; 137:13-14 [*idk pnm*] (:13) *al ttn ʿm pḫr* (:14) "[dann], fürwahr, sollt ihr euch (die Boten des Gottes Ym) zur Versammlung (der Götter) begeben"; daneben erscheint vereinzelt *id* (611:1). Zu dieser Verbindung mit *-k* (bei einem Demonstrativadverb) vgl. entsprechend z.B. ara-

---

1 Vgl. Gordon, *Textbook*, S. 179; anders Virolleaud, *Syria* XV (1934), S. 326. Wie der Keilschrifttext (Virolleaud, ibid., S. 308) deutlich zeigt, geht der Worttrenner dem Wort *mnk* voran.

2 Anders z.B. Virolleaud, *PU* II, S. 17f., 22. Vgl. die parallele Ausdrucksweise 1008:16-18 mit *bnš bnšm*, worauf schon Virolleaud, ibid., S. 22, aufmerksam macht.

3 Vgl. schon z.B. Virolleaud, *PU* V, S. 83; Blau und Loewenstamm, *UF* 2, S. 31; anders unter anderen Gordon, *Textbook*, S. 431 (ohne Etymologie).

4 Siehe Beeston, *Grammar*, §§ 40:10, 43:4.

5 Zur gewöhnlichen, namentlich sprachlich unhaltbaren, Identifizierung der betreffenden Form *id-k* mit arabisch *ʾiḏḏāka* = *ʾiḏ ḏāka* siehe oben zu *id/idk* (Adverb).

mäisch *hāydī-k̲* neben *hāydī-n* (NB! letztere Kombination entspricht typologisch gänzlich dem dem ugaritischen *id-k*(!) verwandten arabischen Ausdruck *'iḏa-n* (siehe oben)) "damals, dann", vgl. auch entsprechend zu äthiopisch *kaḥa-ka, kaḥa-k* neben *kaḥa* "dort"; akkadisch *anna-ka(m), anni-kâ, anni-kī-'a-m* "hier"; usw.[1].

Ferner wird hervorhebendes *-k* bisweilen hinter selbständige Hervorhebungspartikeln affigiert. Belegt ist einmal dichterisch die Partikel *hl* + hervorhebendem *-k*: 2Aqht:V:12 *hlk qšt ybln* "siehe, den Bogen bringt er (Kṯr und Ḫss)"[2]; vgl. die Parallele ibid.:12-13 ohne hervorhebende Partikel[3]; vgl. sonst neben *hl*: *hl-h* (siehe oben), *hl-m, hl-n* (siehe unten). Ferner erscheint einmal in der Prosa *hnk* = der Partikel *hn* + *nV* (siehe unten) + *-k*: 1012: 23-24 *lm škn hnk* (:23) *l'bdh alpm š[šw]m* (:24) "warum hat er (der Hethiterkönig), siehe, seinem Diener (dem König von Ugarit) 2000 Pf[er]de auferlegt?"; ebenso findet sich vereinzelt dieselbe Kombination mit *t*-Erweiterung (vgl. unten): 2061:12-14 *w bny hnkt* (= *hn-nV-k-t*) (:12) *yškn anyt* (:13) *ym* (:14) "und mein Sohn, siehe, er soll Schiffe des Meeres liefern" (zur Syntagmastruktur siehe unten zu *hn*)[4]; daneben kommen vor: *hn, hm* < **hn-m, ht* < **hn-t* (siehe unten). Zu diesem Gebrauch von *-k* vgl. analog z.B. arabisch *hāka* = *hā* + *-ka* (mit Personalsuffix *hākahā*) (das *-ka* wurde aber hier offenbar von der späteren Sprache als Personalsuffix gefaßt)[5].

Schließlich ist auch bezeugt das Anhängen von *-k* an einzelne Konjunktionen. Zuerst ist zu beachten: *apnk* = der Konjunktion *ap* + hervorhebendem *-nV* (siehe unten) + hervorhebendem *-k*. Immer am Satzanfang stehend, begegnet dieser Kombinationstypus vorläufig nur dichterisch: 49:I:28-29 *apnk 'ṯtr 'rẓ* (:28) *y'l bṣrrt ṣpn* (:29) "und dann (wörtlich: und auch o.ä.) stieg 'Ṯtr, der Furchtbare, auf die Höhe des Ṣpn"; 67:VI:11-12 *apnk lṭpn il* (:11) *dpid yrd lksi* (:12) "und dann stieg der Freundliche, Il, der Mitleidige, vom Thron herab" (zum wörtlichen Sinn des Syntagma siehe unten zu *l* (Präposition)); 125:46-47 *apnk ǵzr ilḥu* (:46) *[m]rḥh yiḫd byd* (:47) "und dann nimmt Ilḥu, der Held, seine [La]nze in die Hand"; 128:II:8-9 *[ap]nk krt ṯ' '[ ]r* (:8) *bbth yšt* (:9) "[und da]nn legt Krt von Ṯ' . . . in sein Haus"; 1Aqht:38-39 *apnk dnil mt* (:38) *rpi yṣly* (:39) "und dann betet Dnil, der Rpu-Mann"; 2Aqht:V:28-29 *apnk mṯt dnty* (:28) *tšlḥm* (:29) "und dann gibt die Frau Dnty zu essen". Besonders häufig steht der betreffende Ausdruck *ap-n-k*, namentlich im Aqht-Gedicht, in Parallele zu nachfolgendem *ap(-)hn*, welches eine weitere Emphase markiert (vgl. unten zu *hn*), wie 1Aqht:19-21 *apnk dnil* (:19) *[m]t rpi ap[h]n ǵ[z]r* (:20) *[mt hrn]my ytšu* (:21) "und dann erhebt sich Dnil, der Rpu-Mann, ja (wörtlich: auch o.ä.), siehe, der He[l]d, [der Mann aus Hrn]my"; ebenso 2Aqht:V:4-6, 2Aqht:II:27-30 *apnk dnil* (:27) *mt rpi ap hn ǵzr mt* (:28) *hrnmy alp yṭbḫ lkṯ* (:29) *rt* (:30) "und dann schlachtet Dnil, der Rpu-Mann, ja, siehe, der Held, der Mann aus Hrnmy, ein Rind für die Kṯrt"; 2Aqht:V:13-15 *apnk dnil* (:13) *mt rpi aphn ǵzr mt* (:14) *[h]rnmy gm latth kyṣḥ* (:15) "und dann, fürwahr, ruft Dnil, der Rpu-Mann, ja, siehe, der Held, der Mann aus [H]rnmy, laut zu seiner Frau"; 2Aqht:V:33-35 *apnk dnil m[t]* (:33) *rpi aphn ǵzr mt* (:34) *hrnmy qšt yqb[ ]* (:35) "und dann . . . Dnil, der Rpu-Ma[nn], ja, siehe, der Held, der Mann aus Hrnmy, den Bogen". Vereinzelt findet sich auch in einem schwer beschädigten dichterischen Text die Verbindung: *ap-n-n-k* (d.h. mit Wiederholung des hervorhebenden *-n* (siehe unten)): 122:5 *apnnk yrp[ ]* "und dann . . ."; daneben treten auf: *ap, ap-n* (siehe unten). Sonst erscheint auch zweimal in einem verstümmelten Prosatext die Konjunktion *u* + hervorhebendem *-k*: 2060: 6-8 *uk škn* (:6) . . . . *uk nǵr* (:8) "sei es der . . . . , sei es der Hüter (wörtlich: oder . . . . , oder . . . .)"; vgl. Virolleaud, *PU* V, S. 84f.[6]. Dieselbe Form *uk* begegnet aber auch einmal – ebenso in einem zerstörten Prosatext – mit *y*-Erweiterung (vgl. oben): 1018:5 *uky* "oder"[7]; daneben erscheint: *u* (siehe unten). Zum Gebrauch

---

[1] Vgl. die Verweise S. 47, Anmerkung 6.

[2] Vgl. schon Gordon, *Ug.lit.*, S. 89; Ginsberg, *ANET*, S. 151; Driver, *Myths*, S. 53; de Moor, *AOAT* 16, S. 89 und andere; dagegen z.B. Virolleaud, *Danel*, S. 203; Jirku, *Mythen*, S. 120; Aistleitner, *Texte*, S. 70; *Wb*, S. 87.

[3] Krt:92, :180 ist zweideutig: 1. *hlk* = *hl* + *-k* "siehe!" 2. *hlk* = *hlk* "gehen".

[4] Vgl. dagegen Gordon, *Textbook*, S. 392 (Nomen); Virolleaud, *PU* II, S. 28 (Nomen); *PU* V, S. 149 (Pronomen); Aistleitner, *Wb*, S. 92; Rainey, *UF* 3, S. 160 mit Verweis auf Loewenstamm und Virolleaud (Pronomen).

[5] Vgl. besonders Brockelmann, *Grundriß* I, S. 503.

[6] Vgl. ebenso Gordon, *Textbook*, S. 356.

[7] Zum Text siehe besonders Virolleaud, *PU* II, S. 34. Vgl. ferner Gordon, *Textbook*, S. 356.

von hervorhebendem *-k* bei Konjunktionen vgl. analog z.B. zu syrisch *'awkēṯ* < **'aw-ka-y-t(V)* (neben *'aw*) "sive" (vgl. auch unten)[1].

Weiter begegnet 5) vom Stamm *m*: *-m* (, *-m-*) (ebenso wahrscheinlich von abwechselnder morphologischer Struktur; vgl. unten). Zur Etymologie und Morphologie vgl. althebräisch *-m*, *-mō* < **-mā*, mišnā-hebräisch *-mō* < **-mā*, *-mōṯ* < **-mā-t(V)*; phönizisch-punisch *-m*; aramäisch sowie arabisch *-m*, *-mā*; äthiopisch (Gĕʿĕz) *-ma*, tigrē *-mā*, tigriña und amharisch *-m*; altsüdarabisch *-m-*, *-m*; mehri *-m(e)*; akkadisch *-m*, *-m-ma*, *-mā* (und weitere Varianten); usw.[2].

Im Ugaritischen ist – zum Unterschied vom Tatbestand in den übrigen nordwestsemitischen Idiomen – *-m* die charakteristischste hervorhebende Partikel dieser Art. Der Gebrauch betrifft alle Wortkategorien.

Außerordentlich häufig ist ugaritisch die Anwendung von hervorhebendem *-m* beim Nomen[3]. Schon liegen Kombinationen von *-m* mit Nominalformen sämtlicher Kasus vor. Beispiele dieser Art sind:

1. Nomen im Nominativ + hervorhebendem *-m*. Meist verbindet sich hier *-m* mit dem Status absolutus Singular; so dichterisch: (Subjekt + hervorhebendem *-m*) 68:32 *bʿlm yml[k]* "Baʿl herr[scht]"[4]; 2Aqht:VI:39-40 *qštm* (:39) *[qšt? m]hrm*[5] (:40) "der Bogen (ist) [eine Waffe für H]elden"; 62:47-48 *ʿdk ilm hn mtm* (:47) *ʿdk kṯrm ḥbrk* (:48) "dein Zeuge (ist) Il/der Gott, siehe, Mt; dein Zeuge (ist) Kṯr, dein Genosse"[6]; ferner 49:I:23-24 (vgl. de Moor, *AOAT* 16, S. 202f.); ʿnt pl. X:IV:8 (zerstörte Stelle); (ebenso Subjekt im Akkusativ + hervorhebendem *-m* nach *hn*; hierzu siehe näher unten); (Prädikat (Partizip bzw. Adjektiv) + hervorhebendem *-m*) 52:40 *ymt mt nḥtm ḫṭk mmnnm mṭ ydk* "o Mann, Mann, deine "Rute" sinkt herab, es müht sich ab der "Stab" deiner "Hand""[7]; ebenso ibid.: 43-44, :46-47; 2Aqht:VI:34-35 *dm lġzr* (:34) *šrgk ḫḫm* (:35) "siehe, für einen Helden (ist) dein Lügen einfältig o.ä."[8]; in der Prosa (in kultischen Texten): (Subjekt + hervorhebendem *-m*) 610 obv. 7 *yrḫm kṯy* "Yrḫ aus Kṯ"[9]; vgl. die Parallele 614:A:14 ohne hervorhebende Partikel; 609 obv.3 *bʿlm alp wš* "Baʿl: ein Rind und ein Schaf"; ebenso ibid.:4; vgl. ferner auch ibid.:11-12[10]. Seltener findet sich hier

---

1 Vgl. Nöldeke, *Syr. Gram.*, S. 98; Brockelmann, *Lex.syr.*, S. 7f.

2 Siehe Barth, *Pronominalbildung*, S. 129f., 170f.; Brockelmann, *Grundriß* I, S. 474, 496f.; Gesenius-Buhl, *Hw*, S. 403, 913; Bauer-Leander, *Hist. Gram.* I, S. 529, 639, 651; Friedrich, *Gram.*, S. 47 Anmerkung 1, 116 (2. Aufl. 1970, S. 48, 127); Wright II, S. 192f., 215, 224 C-D; Nöldeke, *ZGr*, S. 60f.; Dillmann, *Gram.*, S. 338; Höfner, *Gram.*, S. 56ff., 114ff.; von Soden, *GAG*, S. 46, 80f., 177 f. u.ö.; Hummel, *JBL* 76 (1957), S. 85-105.

3 Zur Kategorie des Nomens werden, wie üblich, aus praktischen Gründen auch die nominal flektierten Formen des Verbalstamms d.h. der Infinitiv und das Partizip gerechnet.

4 Ganz willkürlich faßt Aistleitner, *Wb*, S. 176 *-m* hier als "kopulatives *-m*: "und""auf. De Moor, *UF* 2, S. 219, 226 (*AOAT* 16, S. 135 mit Verweis auf Rainey, *IEJ* 19 (1969), S. 108f.) erklärt *bʿlm* (sowie andere maskuline Götternamen auf *-m*) – ebenso arbiträr – als Pluralis majestatis, d.h. isolierte Betrachtung der maskulinen Götternamen mit Vernachlässigung der femininen Typen auf *-m* samt anderen Nominalformen (Substantiven bzw. Adjektiven) auf *-m*. (Pluralis majestatis ist in der Tat als solcher semitisch unbekannt. Die scheinbaren Fälle sind – dem Ursprung nach – grammatische d.h. formelle und reelle Plurale.)

5 Vgl. Gordon, *Textbook*, S. 249; vgl. ferner Herdner, *Corpus*, S. 83 Anmerkung (19).

6 Vgl. schon Gordon, *Ug.lit.*, S. 48 u.ö. (dem engeren Kontext entsprechend); anders Driver, *Myths*, S. 115; Jirku, *Mythen*, S. 76; de Moor, *AOAT* 16, S. 240f. und andere.

7 Aistleitner, *Wb*, S. 175 – nebst mehreren anderen Ugaritisten – erklärt *-m* hier als "adverbiales *-m*" (ebenso isolierte d.h. arbiträre Betrachtung).

8 Vgl. Herdner, *Corpus*, S. 83; Aartun, *Neue Beiträge*.

9 Vgl. schon Astour, *JAOS* 86 (1966), S. 282; dagegen unter anderen de Moor, *UF* 2, S. 312ff. (sprachlich nicht möglich).

10 Jedoch kann hier die Auffassung des Ausdrucks als Plural = grammatischem Plural (gegen de Moor, *UF* 2, S. 219 u.ö.) (vgl. Ri 2:11; 8:33; usw.: *habbĕʿālīm*; vgl. auch oben Anmerkung 4) nicht ausgeschlossen werden.

die Kombination von hervorhebendem *-m* mit dem Status constructus Singular, wie dichterisch: (Subjekt + hervorhebendem *-m*) 77:25-26 *lḫtn* (:25) *m b'l trḫ pdry b[t ar]* (:26) "o Schwiegersohn des Ba'l, heirate Pdry, die To[chter des Lichtes]!"; (vgl. auch oben zur Vokativpartikel *-m*); (Prädikat + hervorhebendem *-m*) 125:9-10 *ap* (:9) *[k]rt bnm il* (:10) "doch (wörtlich: auch) (ist) [K]rt der Sohn des Il"; vgl. auch ibid.:110 (zerstört). Zum angeführten Gebrauch von *-m* vgl. vor allem zu akkadisch *-m*, *-m-ma*; zu arabisch *-mā*; zu altsüdarabisch *-m* (*-m-*) (z.T. schon erstarrte Gebräuche)[1].

2. Nomen im Akkusativ + hervorhebendem *-m*. Auch bei diesem Gebrauch tritt *-m* meist an den Status absolutus Singular, wie dichterisch: (Subjekt im Akkusativ nach der Hervorhebungspartikel *hn* + hervorhebendem *-m*) 62:47 *'dk ilm hn mtm* "dein Zeuge (ist) Il/der Gott, siehe, Mt"[2] (zur syntaktischen Frage vgl. näher unten zu *hn*); (direktes Objekt + hervorhebendem *-m*) 49:V:2-3 *rbm ymḫṣ bktp* (:2) *dkym ymḫṣ bṣmd* (:3) "den Großen schlägt er mit der Klinge, den Kräftigen (wörtlich: den voll Entwickelten o.ä.)[3] schlägt er mit der Keule"[4]; Krt:98-99 *zbl 'ršm* (:98) *yšu* (:99) "der Kranke trägt das Bett"[5]; ebenso ibid.: 186-187; 'nt: I:10-11 *ytn ks bdh* (:10) *krpnm bklat ydh* (:11) "man gab (ihm) einen Becher in die Hand, einen Krug in seine beiden Hände"; vgl. dagegen die Parallele 'nt pl. X:IV:9-10 ohne Hervorhebungspartikel; 77:22-23 *atn šdh krmm* (:22) *šd ddh ḫrnqm* (:23) "ich will machen ihr "Feld" zu einem Weingarten, das "Feld" ihrer Liebe zu einem Fruchtgarten"; 127:8 *t'mt 'ṭrptm* "es (das Zauberwesen Š'tqt) schlägt die Krankheit o.ä."; 'nt:III:36 *lklt nhr il rbm* "fürwahr, ich habe dem großen Fluß-Gott ein Ende bereitet"; 1Aqht:190 *wt'n pǵt ṯkmt mym* "und es antwortete Pǵt, die das Wasser auf der Schulter trägt"; ebenso ibid.:198-199; vgl. aber die Parallele ibid.:50, :54-55 ohne hervorhebende Partikel (die morphologisch mögliche Deutung von *mym* als Dual/Plural ist durch die Variante *my* ausgeschlossen); (Akkusativ des Stoffes + hervorhebendem *-m*):[6] Krt:205-206 *ṯnh k!spm* (:205) *atn wṯlṯh ḫrṣm* (:206) "ich gebe den doppelten (Preis) (wörtlich: das Doppelte davon) (an) Silber, und den dreifachen (wörtlich: das Dreifache davon) (an) Gold"; 49:III:7 *nḫlm tlk nbtm* "die Bäche fließen (wörtlich: flossen) (von) Honig"; ebenso ibid.:13; 'nt:V:10-11 *[ašhlk] šbth dmm šbt dqnh* (:10) *[mm'm]* (:11) "[ich lasse] sein Grau (in) Blut [fließen], das Grau seines Bartes (in) [Blutgerinsel]"; ebenso ibid.: 32-33; 3Aqht rev.11-12[7]; (Akkusativ des Mittels + hervorhebendem *-m*):[8] 127:8 *ḫṭm t'mt 'ṭrptm* "(mit) einem Stab (wörtlich: einen Stab) schlägt sie (Š'tqt) die Krankheit o.ä."; vgl. auch 601 obv.8 (Loewenstamm, *UF* 1, S. 74; de Moor, *UF* 1, S. 168; *UF* 2, S. 349; anders Rüger, *UF* 1, S. 203; Margulis, *UF* 2, S. 132f.); 'nt:II:15-16 *mṭm tgrš* (:15) *šbm* (:16) "(mit) dem (Wurf)speer o.ä.[9] vertreibt sie ('Anat) die Angreifer"[10]; 1001 obv.16 *ylm b[n ']nk ṣmdm* "er schlägt deine [Sti]rne (wörtlich: er schlägt zwi[schen] deine [Au]gen) (mit) der Keule"; 49:I:15 *gm yṣḥ il* "laut (wörtlich: die Stimme = (mit) der Stimme) ruft Il"; ebenso 49:III:22; 51:II:29, :47, :VII:52-53, Frag. VII:53-58:5-6; 62:10-11; 128:IV:2; 1Aqht:49; 2Aqht:V:15; Krt:237-238; 'nt pl. X:IV:2; (vgl. sonst besonders Gordon, *Manual*, S. 85; Labuschagne, *Stud. Bibl. et Sem.*, S. 194f.); Krt:16-17 *mṯlṯt kṯrm tmt* (:16) *mrb't*

---

1 Siehe von Soden, *GAG*, S. 80ff., 180ff. u.ö.; Nöldeke, *ZGr*, S. 60; Höfner, *Gram.*, S. 57 u.ö.; vgl. auch Brokkelmann, *Grundriß* II, S. 571f.

2 Vgl. schon oben S. 51, Anmerkung 6.

3 Siehe Aartun, *Neue Beiträge.*

4 Aistleitner, *Wb*, S. 176f. faßt mit Recht die in Frage kommenden Formen als Singulare auf (vgl. auch Gordon, *Ug.lit.*, S. 47; Ginsberg, *ANET*, S. 141; van Zijl, *AOAT* 10, S. 213 und andere), interpretiert aber *-m* genauer als "determinierende Mimation" (ebenfalls isolierte Betrachtung; vgl. oben). Dahood, *Psalms* II, S. 341; de Moor, *AOAT* 16, S. 227 betrachten die respektiven Formen auf *-m* als Plurale (kontextlich wie sprachlich fernliegend).

5 Zur Deutung vgl. auch schon Gordon, *Ug.lit.*, S. 69; Aistleitner, *Wb*, S. 177; Sauren und Kestemont, *UF* 3, S. 197; usw.; dagegen z.B. Jirku, *Mythen*, S. 88; usw.

6 Vgl. oben S. 51, Anmerkung 7.

7 Zur Syntax vgl. Brockelmann, *Grundriß* II, S. 286f.; Pope, *JCS* 5 (1951), S. 126f.

8 Vgl. oben S. 51, Anmerkung 7.

9 Vgl. Aartun, *WdO* IV,2 (1968), S. 296f.

10 Vgl. ebenso Aartun, *WdO* IV,2 (1968), S. 296f.

zblnm (:17) "ein Drittel starb (bei) der Geburt[1], ein Viertel (durch) Krankheit"; 51:III:43 [*tšty k*]*rpnm yn* "[sie tranken] (aus) einem [K]rug Wein"; desgleichen ibid.:VI:58; 67:IV:15; vgl. dazu die Parallele 67:IV:16 *b-ks* sowie 51:IV:37 *b-krpnm* || *b-k*[*s*]; vgl. auch unten zu *b*[2]; (Zeitakkusativ + hervorhebendem *-m*):[3] Krt:118-119 *whn špšm* (:118) *bšb'* (:119) "und siehe, (bei) Sonnenaufgang am siebenten (Tage)"; ebenso ibid.:107-108, :221; ibid.:195-196 *aḫr* (:195) *šp*[*š*]*m b*[*ṯ*]*lṯ* (:196) "dann, (bei) Son[nen]aufgang am dr[it]ten (Tage)"; vgl. auch ibid.:209[4]; (Zustandsakkusativ beim Partizip + hervorhebendem *-m*):[5] 126:V:10-12 [*my*] (:10) *bilm* [*ydy mrṣ*] (:11) *gršm z*[*bln*] (:12) "[wer] unter den Göttern [kann die Krankheit entfernen (d.h.: wie üblich im Semitischen, steht *yqtl-* hier für den sogenannten *Potentialis*; vgl. die Grammatiken)], das L[eiden] vertreiben (wörtlich: das L[eiden] vertreibend d.h. indem er das L[eiden] vertreibt)?"; ebenso ibid.:14-15, :17-18, :20-21; vgl. vielleicht auch ibid.:27-28 (anders Herdner, *Corpus*, S. 76; de Moor, *AOAT* 16, S. 243); 51:VI:13 [*y*]*qlṣn wpṯm* "er (Ba'l) ist heftig[6] (und) spuckt"[7]; in der Prosa: (Subjekt im Akkusativ nach der Hervorhebungspartikel *hn* + hervorhebendem *-m*) 1012:27 *w hn ibm šṣq ly* "und siehe, der Feind bedrängt mich"; vgl. die Parallelen ibid. passim ohne *-m*. Für die Syntax vgl. unten zu *hn*. Nur vereinzelt wird hier *-m*, namentlich dichterisch, mit dem Status absolutus Dual verbunden (die in Frage kommende altererbte Dualform ist ugaritisch atypisch[8], wie (Akkusativ des Mittels + hervorhebendem *-m*)[9] Krt:161 *lla klatnm* "(er nahm) ein Zicklein (in) beide (Hände)"; ebenso ibid.:66-68[10]. Ferner wird bisweilen hier hervorhebendes *-m* an den Status constructus Singular bzw. Plural angehängt; so dichterisch: (direktes Objekt + hervorhebendem *-m*)[11] Krt:74-75 *rkb* (:74) *ṯkmm ḥm*[*t*] (:75) "reite (auf) der Schulter der Mau[er]!"; ebenso ibid.:166-167[12]; 49:VI:10-11 *phn aḫym ytn b'l* (:10) *spuy*[13] *bnm umy klyy* (:11) "und siehe, meine Brüder hat Ba'l mir zu essen (wörtlich: zu meinem Essen), die Söhne meiner Mutter mir zu verzehren (wörtlich: zu meinem Verzehren) gegeben"; ebenso ibid.:14-16; (Zeitakkusativ + hervorhebendem *-m*):[14] 51:VII:16 *kṯr bnm 'dt* "(ich will (das Fenster) anbringen, Kṯr, an diesem Tage (wörtlich: den Sohn des Tages (*bn ym*)),) Kṯr, in dieser Stunde (wörtlich: den Sohn der Zeit)"[15]. Zu die-

[1] Vgl. besonders *kṯrt* 2Aqht:II:26 u.ö.; vgl. auch schon Gordon, *Ug.lit.*, S. 67; *Ug. and Min.*, S. 102; anders z.B. Aistleitner, *Texte*, S. 89; Jirku, *Mythen*, S. 85.

[2] Zur Syntax (ohne Präposition) vgl. Brockelmann, *Grundriß* II, S. 305ff.

[3] Vgl. oben S. 51, Anmerkung 7.

[4] Zur Syntax vgl. Brockelmann, *Grundriß* II, S. 341ff.

[5] Auch hier faßt Aistleitner, *Wb*, S. 176 – vollkommen arbiträr – *-m* als "kopulatives *-m*: "und"" bzw. als "adverbiales *-m*" auf.

[6] Vgl. Aartun, *Neue Beiträge*.

[7] Zur Syntax vgl. Brockelmann, *Grundriß* II, S. 503.

[8] An sich könnte die Form auch als Singular aufgefaßt werden (vgl. oben). In allen anderen semitischen Sprachen treten aber die entsprechenden Bildungen derselben Wurzel nur in Dual (oder Plural) auf. Vgl. akkadisch *kilallān, kilallū(n)* (m.), *kilattān, kilaltān*, (f.); arabisch *kilā-, kiltā-* "beide"; hebräisch *kil'ayim* "zweierlei"; äthiopisch *kĕl'ē* "zwei"; usw. (siehe die Grammatiken und Lexika). Zum regulären Dual im Ugaritischen vgl. Gordon, *Manual*, S. 43 u.ö. (ein ähnlicher Wechsel zwischen verschiedenen grammatischen Morphemen derselben Funktion – in einer und derselben Sprache – (die sparsam belegten Varianten oft nur als Relikte bewahrt) ist mehrfach bezeugt im Semitischen; siehe Brockelmann, *Grundriß* I, an mehreren Stellen; Bauer-Leander, *Hist.Gram.* I, S. 516f., 519f.).

[9] Vgl. schon oben.

[10] Vgl. dieselbe Form im Status constructus im Genitiv nach *b* ohne *n*-Morphem 67:I:19 u.ö.

[11] Vgl. schon oben.

[12] Wie z.B. im Arabischen usw. ist auch im Ugaritischen das Verb *rkb* transitiv.

[13] Zur Lesart vgl. Herdner, *Corpus*, S. 42; de Moor, *AOAT* 16, S. 229. Zum sonstigen Gebrauch von Kasus adverbialis vgl. unten.

[14] Vgl. schon oben.

[15] Vgl. syrisch: *bar yawmā* "Sohn des Tages"/*bar yawmeh* "Sohn seines Tages" = "eodem die"; *bar lēlyā* "Sohn der Nacht"/*bar lēlyeh* "Sohn seiner Nacht" = "eadem nocte"; *bar šā'ṯeh* "Sohn seiner Zeit" = "statim"; hebräisch: *bin laylā* "Sohn einer Nacht"; siehe Brockelmann, *Lex.syr.*, S. 92; Jon 4:10; vgl. auch schon Gaster, *Thespis* (1950), S. 181, 448 (; *JAOS* 70 (1950), S. 14); Driver, *Myths*, S. 101; zu anderen Deutungen vgl. besonders de Moor, *AOAT* 16, S. 160ff. Zur Bedeutung der Form *'dt* (von *'wd*) "Zeit" < "Rückkehr" vgl. z.B. hebräisch *'ōḏ* "noch, noch immer" < **'awd-* "Rückkehr" (Gesenius-Buhl, *Hw*, S. 569); arabisch *'awdun, 'awdatun* "Rückkehr" (Kazimirski, *Dictionnaire* II, S. 400); dazu analog z.B. arabisch (von *fy'*) *fay'un* "Rückkehr, (Nachmittags-)Schatten", *fī'atun* "Rückkehr, Zeit" (Kazimirski, *Dictionnaire* II, S. 651).

sem Gebrauch vgl. ebenso zu akkadisch *-m*, *-m-ma*; zu arabisch *-mā*; zu altsüdarabisch *-m*, *-m-*[1].

3. Nomen im Genitiv + hervorhebendem *-m*. Auch bei dieser Anwendung tritt *-m* größtenteils an den Status absolutus Singular. Derartige Fälle sind, dichterisch. (Genitiv nach Nomen regens + hervorhebendem *-m*)[2] 49:I:22 *dq anm* "(er ist) schwach (an) Kraft"[3]; Krt:84 *mǵd ṯdṯ yrḫm* "(backe Brot für den fünften,) . . . für den sechsten Monat!"[4]; ebenso ibid.:175 (zerstört); vgl. dagegen den ähnlichen Fall 2Aqht:II:37 ohne hervorhebende Partikel; 51:III:13-14 *wywpṯn btk* (:13) *p[ḫ]r bn ilm* (:14) "und sie speien an ihn (/mich) mitten in der Ver[samm]lung der Söhne des Il"; 52:13 *wšd šd ilm šd aṯrt wrḥm* "und das "Feld" (ist) das "Feld" des Il, das "Feld" der Aṯrt-und-Rḥm"; ebenso ibid.:28; 77:24-26 *l* (:24) *n'mn ilm lḫtn* (:25) *m b'l trḫ pdry b[t ar]* (:26) "o Liebling des Il[5], o Schwiegersohn des Ba'l, heirate Pdry, die To[chter des Lichtes]!"; 'nt:III:40 *mḫšt mdd ilm ar* "ich habe erschlagen den Liebling des Il, Ar"; ibid.:42 *mḫšt klbt ilm išt* "ich habe erschlagen die Hündin des Il, Išt"; vgl. dagegen die Parallelen ibid.:41, :43 ohne hervorhebende Partikel; ferner besonders häufig in der festen Formel: *bn ilm mt*, wie 49:II:13 *w'n bn ilm mt* "und es antwortet(e) der Sohn des Il, Mt"; ebenso 604 obv.1-2; 49:V:9-10 *w[ ] bn ilm mt* (:9) *'m aliyn b'l* (:10) "und . . . der Sohn des Il, Mt, gegen Aliyn Ba'l"; 67:II:20 *šmḫ bn ilm mt* "es freute sich der Sohn des Il, Mt"; 49:VI:30 *yru bn il[m] mt* "es fürchtet sich der Sohn des Il, Mt"; 49:VI:23-24 *šm' m'* (:23) *lbn ilm mt* (:24) "höre, o Sohn des Il, Mt!"; 67:II:19 *bhṯ bn ilm mt* "heil (wörtlich: empfange mich freundlich o.ä.), o Sohn des Il, Mt!"; 49:II:30-31 *tiḫd* (:30) *bn ilm mt* (:31) "sie ergreift den Sohn des Il, Mt"; 49:II:25 *la šmm byd bn ilm mt* ". . . die Himmel (Dual)[6] in der Hand (= wegen) des Sohnes des Il, Mt"; 67:II:13-14 *idk* (:13) *lytn pn[m] 'm bn ilm mt* (:14) "dann, fürwahr, begaben sie sich (wörtlich: wandten sie das Antlitz) zum Sohn des Il, Mt"; 67:I:12-13 *ṯḥm bn ilm* (:12) *mt* (:13) "eine Botschaft des Sohnes des Il, Mt"; 67:I:6-7 *lyrt* (:6) *bnpš bn ilm mt* (:7) "möchtest du in den Schlund des Sohnes des Il, Mt, hinabsteigen!"; 51:VII:45-46 *dll al ilak lbn* (:45) *ilm mt* (:46) "einen huldigenden (Diener) will ich nicht zum Sohn des Il, Mt, senden"; 51:VIII:15-17 *al* (:15) *tqrb lbn ilm* (:16) *mt* (:17) "ihr sollt euch nicht dem Sohn des Il, Mt, nähern", 51:VIII:29-30 *wrgm* (:29) *lbn ilm mt* (:30) "und saget dem Sohn des Il, Mt!"; ebenso 67:II:8; vgl. ferner 49:VI:7, :9; 604 rev.15-16 (zerstörte Stellen); vgl. vielleicht auch 'nt:III:10-11; (Genitiv nach Präposition + hervorhebendem *-m*)[7] 51:IV:36-37 *št(y)* (:36) *bkrpnm yn* (:37) "trin(k) aus dem Kruge Wein!" (zum wörtlichen Sinn des Syntagma siehe unten zu *b* (Präposition)); vgl. die Parallele ibid.:37 ohne hervorhebende Partikel; Krt:214-215 *s't bšdm ḥṭb* (:214) *wbgrnm ḥpšt* (:215) "nimm gefangen o.ä. auf dem Felde den Holzhauer, auf der Tenne die Sammlerin!"; ebenso ibid.:111-112; aus der Prosa: (vorläufig nur Genitiv nach Präposition + hervorhebendem *-m*) 89:6-11 *l p'n* (:6) *adty* (:7) *šb'd* (:8) *w šb'id* (:9) *mrḥqtm* (:10) *qlt* (:11) "zu Füßen meiner Herrin bin ich siebenmal und siebenmal in der Ferne (wörtlich: aus der Ferne (siehe unten)) niedergefallen"; ebenso 1014:5-7; 2063:5-8; 2115 rev.5-8; 95:5-7 *l p'n adtny* (:5) *mrḥqtm* (:6) *qlny* (:7) "zu Füßen unserer Herrin sind wir in der Ferne niedergefallen"; 54:11-12 *w yd* (:11) *ilm p kmtm* (:12) "und die Hand der Götter (lastet) hier wie der Tod". Ferner wird z.T. hervorhebendes *-m* hier auch dem Status constructus Singular bzw. Plural angefügt, wie dichterisch: (Genitiv nach Nomen regens + hervorhebendem *-m*)[8] 49:IV:26 *pl 'nt šdm il* "rissig sind die Furchen der Felder des Il geworden"; ebenso

---

[1] Siehe von Soden, *GAG*, S. 80ff., 95f., 162, 178, 184f.; Nöldeke, *ZGr*, S. 60; Höfner, *Gram.*, an mehreren Stellen. Beachte auch sonst im Semitischen nach allem zu vergleichende erstarrte Typen mit ursprünglichem hervorhebendem *-m*, wie hebräisch *yōmā-m* "bei Tage", *'umnā-m* "fürwahr", *ḥinnā-m* "gratis", *rēqā-m* "leer"; jüdisch-aramäisch *yĕmā-m*, syrisch *īmā-m* (urspr. (abgeschwächter) Stat. emph. + hervorhebendem *-m*!) "bei Tage"; usw. (siehe Brockelmann, *Grundriß* I, S. 474).

[2] Auch hier betrachtet Aistleitner, *Wb*, S. 175f. *-m* isoliert als "adverbiales *-m*" bzw. "determinierende Mimation" (vgl. oben S. 51, Anmerkung 7; S. 52, Anmerkung 4.

[3] Zur Syntax vgl. Brockelmann, *Grundriß* II, S. 252f.

[4] Vgl. schon Gordon, *Ug.lit.*, S. 69; Jirku, *Mythen*, S. 87; Aistleitner, *Wb*, S. 136f. und andere; dagegen z.B. Sauren und Kestemont, *UF* 3, S. 197 "six mois" (nicht übereinstimmend mit dem ugaritischen Sprachausdruck).

[5] Weniger wahrscheinlich: "Liebling der Götter".

[6] Anders Rainey, *IEJ* 19 (1969), S. 109 (für den vorliegenden Fall nicht beweiskräftig).

[7] Vgl. oben **Anmerkung 2.**

[8] Vgl. oben.

ibid.: 37; 62:17-18 *tštnn bḫrt* (:17) *ilm arṣ* (:18) "sie legt ihn in die Höhle der Götter der Erde"; ebenso 67: V:5-6; 1Aqht:112, :126-127, :140-141; 126:III:3 *sblt 'ṣm arṣ* ". . . der Bäume der Erde"; (Genitiv nach Präposition + hervorhebendem *-m*)[1] 1Aqht:67 *tštk bqrbm asm* "könnte sie (die Hand des Aqht) dich in die Mitte des Speichers legen!"; ebenso ibid.:74; 51:VIII:8-9 *tspr by* (:8) *rdm arṣ* (:9) "ihr werdet gerechnet werden unter diejenigen, die in die Erde hinabsteigen"; ebenso 67:V:15-16; 601 obv.22[2]; in der Prosa: (nur vereinzelt Genitiv nach Präposition + hervorhebendem *-m*) 1110:2 *w ṯlṯ ktnt bdm tt* "und drei Röcke (sind) in der Hand des Tt"; vgl. die Parallelen 300 passim usw. ohne hervorhebende Partikel. Zu diesem Gebrauch vgl. auch vor allem zu akkadisch *-m, -m-ma* und zu arabisch *-mā*[3].

4. Nomen im Lokativ-Adverbial + hervorhebendem *-m*. Bei diesem Gebrauch findet sich vorläufig nur die Verbindung von *-m* mit dem Status absolutus Singular. Fälle dieser Art sind, dichterisch: (adverbial gebrauchter Infinitivus absolutus vor Verbum finitum + hervorhebendem *-m*)[4] 128:II:18-19 *brkm ybrk* (:18) *[il]* (:19) "wahrlich, es segnete (ihn) [Il]"; 75:I:38 *b'l ḥmdm yḥmdm* "Ba'l wahrlich entbrennt vor Begierde"; vgl. auch ibid.:II:9 (zerstört); 2Aqht:VI:38 *wan mtm amt* "und ich werde wahrlich sterben"; aus der Prosa: 1013:19-20 *wlakm* (:19) *ilak* (:20) "und ich werde (dir) wahrlich schicken d.h. (dir) Nachricht davon bringen"; 2060:14 *yd'm l yd't* "wahrlich, du hast mich nicht anerkannt"[5]; vgl. dagegen Parallelstellen ohne hervorhebendes *-m*, wie 51:IV:34 (*ǵmu ǵmit*); 127:3 (*bu tbu*); 2060:10 u.ö. (*[yd]' l yd't*); usw.[6]. Mögliche sonstige, schon zu Adverbien erstarrte Nomina im Lokativ-Adverbial mit hervorhebendem *-m* sind z.B. *'l-m* (vgl. arabisch *'alu*) u. dgl.; siehe näher unten. Zum letztangeführten Gebrauch vgl. besonders zu akkadisch *-m, -m-ma*[7].

In weitem Umfang vorkommend ist so ferner auch schon ugaritisch die Verwendung von hervorhebendem *-m* beim Pronomen. Wie gewöhnlich überwiegt in den vorhandenen Fällen die Verbindung mit selbständigen Formen. In Betracht kommt von dieser Art zunächst bei freistehenden Pronominaltypen die Kombination: *d-m/dt-m* (Demonstrativpronomen *d/dt* + hervorhebendem *-m*)[8]. Nur vereinzelte dichterische Belege sind vorhanden (die erweiterten Pronominalformen beziehen sich auf den Genitiv bzw. Akkusativ): 75:II:47-48 *klbš km lpš dm a[ḫh]* (:47) *km all dm aryh* (:48) "denn er ist wie in das Kleid [seiner] Brü[der], wie in den Mantel seiner Verwandten (wörtlich: wie in das Kleid, das [seiner] Brü[der], wie in den Mantel, den seiner Verwandten,) gekleidet"; vgl. daneben *d* ohne hervorhebende Partikel passim (vgl. auch schon oben). Zu *d-m* als Hervorhebungspartikel siehe näher unten; 51:VI:37-38 *hkly dtm* (:37) *ḫrṣ* (:38) "meinen Tempel aus Gold (wörtlich: den aus Gold) (habe ich gebaut)"; vgl. dagegen die Parallele ibid.:37 u.ö. ohne hervorhebende Partikel. Ferner erscheint von dieser Art: *mn-m* (adjektivisches Fragepronomen *mn* + hervorhebendem *-m*)[9]. Schon vorhandene Belege sind, dichterisch (das durch *-m* hervorgehobene Pronomen bezieht sich auf das Subjekt): 'nt:IV:48 *mnm ib yp' lb'l* "welcher Feind zeigt sich gegen Ba'l?"; vgl. dagegen die Parallele 'nt:III:34 ohne Hervorhebungspartikel; aus der Prosa (sich immer auf das Subjekt beziehend, findet sich das erweiterte Pronomen häufig in dem festen Syntagma: *mnm šlm*): 1015:16-18 *wmnm* (:16) *šlm 'm* (:17) *umy* (:18) "und (ist) jedermann bei meiner Mut-

---

1 Vgl. oben.

2 Vgl. Ps 28:1 u.ö.; vgl. sonst regelmäßig die Konstruktion: *yrd b* + Regiertem (außer in Verbindung mit *bt* "Haus").

3 Siehe von Soden, *GAG*, S. 80ff., 178 u.ö.; Nöldeke, *ZGr*, S. 60f.; vgl. ferner auch Brockelmann, *Grundriß* II, S. 571f., 574; usw.

4 Vgl. schon Aistleitner, *Wb*, S. 176.

5 Vgl. Huffmon und Parker, *BASOR* 184 (1966), S. 37.

6 Für eventuelle weitere Belege von Infinitivus absolutus im Lokativ-Adverbial + hervorhebendem *-m* in imperativischer Funktion siehe unten.

7 Siehe von Soden, *GAG*, S. 87f.; vgl. auch Brockelmann, *Grundriß* I, S. 474 (unter anderem zu hebräisch *piṯ'ŏm* "plötzlich"); usw.

8 Vgl. schon Aistleitner, *Wb*, S. 176 und andere.

9 Aistleitner, *Wb*, S. 187 hat das *-m* hier, ebenso wie gewöhnlich isoliert, – in diesem Fall sogar im Widerspruch mit dem Sinn des übergeordneten Wortes – als "verallg. *-m*" erklärt. Zu dieser Deutung vgl. sonst die unmittelbar nachfolgende Anmerkung.

ter wohlauf? (wörtlich: und welches Wohlergehen (ist/gibt es) bei meiner Mutter?)"; ferner (mit Nachstellung des Subjektes) 89:12-13 *ʿm adty* (:12) *mnm šlm* (:13) "(ist) bei meiner Herrin jedermann wohlauf?"; vgl. auch 2115 rev.8-10; 1014:11 (zerstört); ebenso 117:11-12 *ṯmny ʿm u[my]* (:11) *mnm šlm* (:12) "(ist) dort bei [meiner] Mut[ter] jedermann wohlauf?"; desgleichen 95:14-16; 1013:9-10; 2009:7-8; 2059:7-8; 2061:7-8. Ebenso kommt vor: *mn-m* (substantivisches und persönliches bzw. sächliches sowie adjektivisches Indefinitpronomen *mn* + hervorhebendem *-m*)[1]. Von diesen Typen kommen die verstärkten substantivischen Formen nur vereinzelt in der Prosa (als Subjekt bzw. Objekt) vor: 1161:5 *w mnm šalm* "und irgend jemand fragt?"; 2065:18-19 *w ap ank mnm* (:18) *[ḫ]s[r]t* (:19) "und auch ich, was auch immer ich [br]au[ch]e". Mehrfach begegnet dagegen die verstärkte adjektivische Form, wie dichterisch (mit Bezug auf das Objekt): 51:I:39-41 *dmla* (:39) *mnm dbbm d* (:40) *msdt arṣ* (:41) "(einen göttlichen Tisch,) der voll ist von allerlei Tieren der Grundfesten der Erde"; in der Prosa (mit Bezug auf das Subjekt): 54:16-17 *w mnm* (:16) *rgm* (:17) "und welches auch das Wort (ist)"; 2065: 15 *mnm irštk* "welcher auch dein Wunsch (ist)". Ferner findet sich: *mn-k-m* (substantivisches und persönliches Indefinitpronomen *mn* + hervorhebendem *-k* (siehe oben) + hervorhebendem *-m*)[2]. Davon kommen bisher nur zwei Belege aus der Prosa vor (die verstärkte Pronominalform bildet in beiden Fällen das Subjekt): 1005:12-14 *wmnkm lyqḥ* (:12) *spr mlk hnd* (:13) *byd ṣtqšlm* (:14) "und niemand nehme (wörtlich: und irgend jemand nehme nicht) Ṣtqšlm dieses königliche Schreiben weg"; 1009:12-15 *mnk* (NB! nur mit hervorhebendem *-k* (vgl. oben)) (:12) *mnkm l yqḥ* (:13) *bt hnd bd* (:14) *[ʿb]dmlk* (:15) "niemand, niemand nehme [ʿB]dmlk dieses Haus ab". Endlich erscheint: *m-h-k-m* (substantivisches und sächliches Indefinitpronomen *m* + hervorhebendem *-h* (siehe oben) + hervorhebendem *-k* (siehe oben) + hervorhebendem *-m*)[3]. Von diesem Kombinationstypus liegt nur ein Beispiel aus der Prosa vor (die verstärkte Pronominalform bildet das Objekt): 1013:22-24 *w ap mhkm* (:22) *b lbk al* (:23) *tšt* (:24) "und auch sollst du dir nichts (wörtlich: nicht irgend etwas) zu Herzen nehmen"; vgl. dazu die Parallele 2059:26 ohne hervorhebendes *-m*. Nur in einigen wenigen Fällen hebt schließlich *-m* das pronominale Suffix, vorläufig nur das Genitivsuffix, hervor[4]; so dichterisch: 137:37 *bn dgn asrkm* "der Sohn des Dgn (ist) dein Gefangener"; vgl. die Parallele ibid.:36 ohne Hervorhebungspartikel; 49:VI:10-11 *phn aḫym ytn bʿl* (:10) *spuy*[5] (:11) "und siehe, meine Brüder hat Baʿl mir zu essen (wörtlich: zu meinem Essen) gegeben"; vgl. die Parallele ibid.:11 ohne hervorhebende Partikel; 1Aqht:152 *y lkm qr mym* "weh dir, Qr Mym!"; vgl. die Parallelen ibid.:157, :165 ohne hervorhebende Partikel; daneben erscheinen: Personalsuffix (Genitivsuffix) + hervorhebendem *-y* (siehe oben), *-n*, *-t* (siehe unten). Zum Gebrauch von hervorhebendem *-m* beim Pronomen vgl. analog z.B. zu mehri *dō-m(e)* < **ḏā-mV*, *dī-m(e)* < **ḏī-mV*; akkadisch *ʾayyu-m*, *mannu-m*; äthiopisch *mannū-ma* sowie Genitivsuffix + *-ma* (verglichen mit punisch *-m*)[6]; altsüdarabisch: Indefinitpronomina + *-m* (oft neben solchen mit anderen angehängten hervorhebenden Partikeln(!)); tigrē: Indefinitpronomen + *-mā*, tigriña und amharisch: dasselbe + *-m*; arabisch: dasselbe + *-mā*; ebenso akkadisch: dasselbe + *-ma* (schon erstarrte Kombinationen); usw.[7].

Sehr verbreitet ist auch ugaritisch die Anwendung von hervorhebendem *-m* beim Verbum[8]. Die Kombination berührt in der gleichen Weise die meisten Formtypen. Es ist aber dieser Gebrauch vorläufig nur dichterisch nachweisbar. Schon liegt im einzelnen vor:

---

1 Wie üblich in der Semitistik (siehe die Grammatiken zu den Erklärungen der auch sonst semitisch vorkommenden entsprechenden Kombinationen) hat Aistleitner, *Wb*, S. 187 auch hier das *-m* (vgl. die unmittelbar vorangehende Anmerkung) – isoliert – als "verallg. *-m*" gedeutet. Dem sonstigen Gebrauch gemäß hebt aber das angefügte *-m* als *solches* auch in dieser Kombination einfach die Bedeutung des übergeordneten Wortes hervor.

2 Zu anderen Deutungen vgl. oben. Vgl. sonst besonders Aistleitner, *Wb*, S. 187.

3 Zu anderen Erklärungen vgl. oben. Vgl. sonst vor allem Aistleitner, *Wb*, S. 179; Blau und Loewenstamm, *UF* 2, S. 31.

4 Vgl. schon Aistleitner, *Wb*, S. 176 und andere.

5 Zur Lesart vgl. Herdner, *Corpus*, S. 42; de Moor, *AOAT* 16, S. 229. Vgl. ferner oben S. 53.

6 Vgl. Friedrich, *Gram.*, S. 47 Anmerkung 1 (2. Aufl. 1970, S. 48, 127).

7 Siehe die Verweise S. 51, Anmerkung 2.

8 Aistleitner, *Wb*, S. 176 faßt auch hier – arbiträr – *-m* als "kopulatives *-m*"; vgl. schon oben S. 51, Anmerkung 4.

qtl (Afformativform) + hervorhebendem *-m*: 1Aqht:191 *qrym ab dbḥ lilm* "dargebracht hat mein Vater ein Opfer für die Götter"[1]; vgl. die Parallele ibid.:192 ohne Hervorhebungspartikel; ferner *yqtl-* (Präformativform = der Langform des Indikativs) + hervorhebendem *-m*: 52:16 *tlkm rḥmy* "Rḥmy geht"; vgl. die Parallele ibid.:16 ohne Hervorhebungspartikel; 51:I:28-29 *ḫrṣ yṣq* (:28) *m lrbbt* (:29) "das Gold gießt er zu Zehntausenden"; vgl. die Parallelen ibid.:26-28, :30 ohne hervorhebende Partikel; 51:IV:16 *qdš yuḫdm šb'r* "Qdš beginnt zu leuchten"; 68:28 *bšm tg'rm 'ṯtrt* "bei Namen schilt 'Ṯtrt"; 128:II:24-25 *wṯmn ṯṯmnm* (:24) *lk* (:25) "und einen achten (Sohn) wird sie dir als achten schenken"; vgl. die Parallele ibid.:23 ohne hervorhebende Partikel; 75:I:38-39 *b'l ḥmdm yḥmdm*[2] (:38) *bn dgn yhrrm* (:39) "Ba'l wahrlich entbrennt vor Begierde, der Sohn des Dgn heftig begehrt"; 1001 obv.5 *hm tqrm lmt* "wenn du Mt sagst o.ä."; 51:VII:15 *aštm kṯr* "ich bringe an (= ich lasse anbringen) (ein Fenster am Palast), Kṯr"; 67:I:6 *amtm* "ich werde sterben"; ebenso 121:I:3; vgl. ferner 129:14 (zerstörte Stelle); *yqtl(-)* (Präformativform = dem Jussiv bzw. dem Subjunktiv) + hervorhebendem *-m*: 52:33 *tirkm yd il kym* "die "Hand" des Il werde lang wie das Meer"[3]; 77:18-19 *t'rbm bbh* (:18) *th* (:19) "sie (Nkl-Ib) trete in seinen Palast (d.h. werde seine Frau)"; 137:19 *arṯm pḏh* "ich soll erwerben sein Gold"; ebenso ibid.:35; *qtl* (Imperativ) + hervorhebendem *-m*: 51:IV:35 *lḥm hm štym* "iß, siehe, trink!"; *qtl* (Imperativ/Infinitivus absolutus)[4] + hervorhebendem *-m*: 67:I:24-25 *wlḥmm*[5] *'m aḫy lḥm* (:24) *wštm 'm a[ḫy] yn* (:25) "und iß Brot mit meinen Brüdern und trink Wein mit [meinen] Brü[dern]!"; vgl. die Parallele ibid.:23 ohne Hervorhebungspartikel; 'nt:III:25 *atm*[6] "komm!"; vgl. die Parallele 'nt pl. IX:III:16 ohne Hervorhebungspartikel. Zu den ebenso belegten Kombinationstypen: Infinitiv bzw. Partizip (nominale Formen des Verbalstamms) + hervorhebendem *-m* siehe schon oben. Als Analogien des letztangeführten Gebrauchs vgl. zunächst zu akkadisch *-ma*; zu altsüdarabisch *-m-*; usw.[7].

Ebenso ist ugaritisch die Anwendung von hervorhebendem *-m* bei den Partikeln in beträchtlichem Umfang bezeugt. Es tritt auch hier *-m*, – wenn auch mit sehr ungleicher Frequenz, – hinter den verschiedensten Formtypen der Kategorie auf[8].

Merhfach wird schon hervorhebendes *-m* an Adverbien angehängt, so öfters an von Demonstrativstämmen abgeleitete Formen, wie dichterisch: (Frageadverb + hervorhebendem *-m*) 125:20-21 *ikm yrgm bn il* (:20) *krt* (:21) "wie kann gesagt werden: "Krt (ist) der Sohn des Il?"" Zu *ik* + hervorhebendem *-y* siehe oben; vgl. ferner unten; (Demonstrativadverb + hervorhebendem *-m*) 51:VII:42 *bkm* (< **b-kn-m*; vgl. schon oben) *yṯb b'l lbhth* "dann kehrte Ba'l in seinen Palast zurück"; 125:112 *bkm t'rb [l abh]* "dann/darauf trat sie (Ṯtmnt, die Tochter des Krt) ein [zu ihrem Vater]"; 1Aqht:57-59 *bkm tmdln 'r* (:57) *bkm tṣmd pḥl bkm* (:58) *tšu abh tštnn lbmt 'r* (:59) "dann sattelt sie (Pǵt, die Tochter des Dnil) das Eselsfüllen; dann schirrt sie den Esel an; dann hebt sie ihren Vater auf, setzt ihn auf den Rücken des Eselsfüllens"; 'nt pl. X:V:7 *bkm y'n* "dann antwor-

---

1 Vgl. schon Driver, *Myths*, S. 65; Jirku, *Mythen*, S. 135; Aistleitner, *Texte*, S. 81 und andere; dagegen Virolleaud, *Danel*, S. 174; Gordon, *Ug.lit.*, S. 100; usw. (Imperativ).

2 Beachte die Konstruktion: Infinitivus absolutus (zur Verstärkung des nachfolgenden finiten Verbs) + hervorhebendem *-m* + Verbum finitum + hervorhebendem *-m.*

3 Vgl. Gordon, *Ug.lit.*, S. 60; *Ug. and Min.*, S. 95; Jirku, *Mythen*, S. 82; usw.; anders z.B. Hammershaimb, *Verb*, S. 251; Driver, *Myths*, S. 123; Aistleitner, *Texte*, S. 60.

4 Vgl. oben.

5 Wenn diese Verbform mit dem Imperativ (*lVḥVm*) identisch ist (so Aistleitner, *Wb*, S. 169 und andere), zeigt dieses Beispiel die lose Anknüpfung des hervorhebenden *-m* beim Verb im Ugaritischen.

6 Aistleitner, *Wb*, S. 39 und andere (siehe besonders van Zijl, *AOAT* 10, S. 59, 61) fassen den Ausdruck als Imperativ (Sg. f.) + hervorhebendem *-m* auf. Zur – wie es scheint – unregelmäßigen Erhaltung des dritten Radikals dieses Verbs im Ugaritischen vgl. ebenso Aistleitner, ibid. (beachte auch *'tw*||*'ty*; vgl. auch arabisch *'tw*||*'ty* (Kazimirski, *Dictionnaire* I, S. 8f.); usw.).

7 Siehe von Soden, *GAG*, an mehreren Stellen; Höfner, *Gram.*, S. 57 u.ö.

8 Vgl. schon besonders Aistleitner, *Wb*, S. 176.

tet er"[1]; vgl. die Parallele *bkt* < **b-kn-t* 127:4 (siehe unten zu *-t*); vielleicht gehört hierher auch *hl-m* 1Aqht: 214; siehe oben; in der Prosa: (Frageadverb + hervorhebendem *-m*) 26:10 *w ikm kn w*[ ] "und wie . . .?"; vgl. oben. Ferner wird hervorhebendes *-m* auch mehrfach an von Begriffswurzeln derivierte Formen gehängt, wie dichterisch: 52:15 *w'l agn šb'dm dǵ*[ ] "und auf dem Flammenherd (wörtlich: auf dem Feuer) siebenmal . . ."; vgl. die Parallele ibid.:12, :14 ohne hervorhebende Partikel; in der Prosa: 5:9-10 *'lm t'rbn gṯrm* (:9) *bt mlk* (:10) "oben (auf der Höhe des Palastes) treten die *gṯr-m* in das Haus des Königs ein"; vgl. vielleicht auch 3:8 (zerstört); 612:A:7 *'lm tzǵ bǵb ṣpn* "darüber hinaus (wörtlich: obendrauf o.ä.): *tzǵ* auf *ǵb* des Ṣpn"; vgl. ibid.:B:3; ibid.:B:7 *'lm lršp mlk* "darüber hinaus: für Ršp Mlk"; ibid.:B:11-12 *š 'lm* (:11) *lkṯr* (:12) "ein Schaf auch für Kṯr"; vgl. auch ibid.:B:12-13; 613:32 *'lm 'lm gdlt lb'l* "darüber hinaus, darüber hinaus:[2] eine Färse für Ba'l"[3]; vgl. sonst 1Aqht:208 u.ö. das bloße Adverb *'l* sowie 51:I:38 u.ö. dasselbe + hervorhebendem *-n* (vgl. schon oben); 2060:3-4 *'m špš kll midm* (:3) *šlm* (:4) "bei der Sonne (dem Sonnenkönig) (ist) alles in bester Ordnung"; vgl. die Parallele 95:10-12 ohne hervorhebende Partikel. Als Analogien vgl. besonders zu akkadisch *-m(V)*; äthiopisch *-ma*; hebräisch und aramäisch *-m*, usw.[4].

Als Verstärkung von Negationen findet sich hervorhebendes *-m* nur in ein paar Fällen[5]; so einmal in der Poesie: 1001 obv.8 *alm qḥny* "nein (wörtlich: (das soll) nicht (sein o.ä.)! nimm uns beide!"; daneben *al* passim; ebenso einmal in der Prosa: 2065:13 *inm 'bdk hwt* "du dienst ihm (dem Feind) nicht (wörtlich: das Nichtsein deines Dienens ihm)"; daneben erscheinen: *in, in-n* (vgl. unten). Zum Gebrauch von *-m* vgl. zunächst zu arabisch *lam* < **lā + -m(V), lammā = lam* < **lā + -m(V) + -mā* (neben *lāta = lā + -ta* (vgl. unten)); usw.[6]

Mit der Bekräftigungspartikel *iṯ* verbunden erscheint hervorhebendes *-m* einmal in der Poesie:[7] 67:III: 24 *iṯm mui* "es gibt . . ."; vgl. sonst *iṯ, iṯ-t* (siehe oben). Zum Gebrauch von *-m* vgl. zu akkadisch *išû(m)*[8].

Besonders beliebt ist die Affigierung von hervorhebendem *-m* an selbständige Hervorhebungspartikeln[9]. Sämtliche der vorhandenen Belege sind jedoch der Dichtung zu entnehmen. Beispiele sind: *dm = d + -m* (vgl. unten):[10] 67:III:9 *dm mt aṣḥ* "siehe, Mt, ich rufe"; ebenso ibid.:18, :25; 127:1-2 *[m]t dm ḫt š'tqt dm!* (:1) *li* (:2) "[M]t, siehe, sei geschlagen (wörtlich: sei gebrochen), Š'tqt, siehe, sei stark!"; ebenso ibid.:13-14; 2Aqht: VI:34-35 *dm lǵzr* (:34) *šrgk ḫḫm* (:35) "siehe, für einen Helden (ist) dein Lügen einfältig"; 'nt:III:17-18 *dm rgm* (:17) *iṯ ly* (:18) "siehe, ich habe ein Wort"; ebenso 'nt pl. IX:III:12; Krt:114 *dm ym wṯn* "siehe, einen Tag und einen zweiten"; ebenso Krt:218; vgl. die Parallele mit *hn* 127:21-22 u.ö.[11]; - *hlm = hl + -m* (vgl. unten): 51:IV:27 *hlm il kyphnh* "siehe, Il, fürwahr, sie bemerkt"; 125:53 *hlm aḫh tph* "siehe, ihren Bruder sie bemerkt"; 137:21-22 *hlm* (:21) *ilm tphhm* (:22) "siehe, die Götter sie (die Boten des Gottes Ym) bemerken"; 'nt:III:29 *hlm 'nt tph ilm* "siehe, 'Anat bemerkt die Götter"[12]; 607:6 *hlm yṯq nḥš* "siehe, . . . die Schlange";

---

1 Zur näheren Begründung dieser Deutung siehe Aartun, *BiO* XXIV, 5/6 (1967), S. 288f.

2 Zur Wiederholung vgl. z.B. 1009:12-13; 67:I:18; usw.

3 Vgl. schon Virolleaud, *Ugaritica* V, S. 588f.; Gordon, *Textbook (Supplement)*, S. 554; dagegen Gazelles, *VT* 19 (1969), S. 505 (*'lm* = hebräisch *'ōlā* (vor allem morphologisch nicht möglich)); de Moor, *UF* 2, S. 318ff.: *'lm = 'l ym* "on the following day" (zunächst syntagmatisch bzw. syntaktisch nicht aufrechtzuerhalten (semitisch analogielos)).

4 Siehe die Verweise S. 51, Anmerkung 2.

5 Vgl. schon Gordon, *Textbook*, S. 359 und andere.

6 Siehe Wright I, S. 287 B-C; Aartun, *BiO* XXVIII, 1/2 (1971), S. 126f.

7 Vgl. schon Gordon, *Textbook*, S. 369; Aistleitner, *Wb*, S. 40 und andere.

8 Vgl. von Soden, *AHw*, S. 402; *CAD*, "I-J", S. 289ff. (*išû(m)*: Verb bzw. Kopula).

9 Vgl. schon Aistleitner, *Wb*, an mehreren Stellen; ferner Gordon, *Textbook*, S. 385 u.ö.; Driver, *Myths*, S. 137; Sauren und Kestemont, *UF* 3, S. 212; de Moor, *AOAT* 16, S. 124 u.ö.; van Zijl, *AOAT* 10, S. 107, 203; usw.

10 Zum Typus vgl. ausdrücklich Pope, *JCS* 6 (1952), S. 135 (mit Verweisen); Aistleitner, *Wb*, S. 73; vgl. auch unten.

11 Vgl. dagegen de Moor, *AOAT* 16, S. 106f. mit Verweisen (*dm* = "for"); Sauren und Kestemont, *UF* 3, S. 199 (*dm* = "attends"), 202 (*dm* = "il attendit"), 218-219 (*dm* = "demeure/demeura"); usw.

12 In den vorhandenen Fällen wird die Partikel *hl-m*, wie man sieht, syntagmatisch meist in Verbindung mit einem Nomen + einer Verbform vom Stamm *ph* gebraucht.

ebenso ibid. passim[1]; daneben kommen vor: *hl, hl-h* (vgl. oben), *hl-k* (vgl. oben), *hl-n* (vgl. unten); - ***hm* < **hn*** + *-m* (vgl. unten): 51:II:24-25 *hm [m]ḫṣ* (:24) *bny* (:25) "siehe, der (die) meine Söhne schlägt (schlagen)"; 51:III:31-32 *hm ǵẓtm* (:31) *bny bnwt* (:32) "(habt ihr den Stier-Gott, den Mitleidigen, gebeten,) siehe, den Erzeuger der Geschöpfe angefleht? "; 51:IV:34-35 *hm ǵmu ǵmit* . . . (:34) *lḥm hm šṯym* (:35) "(du hast Hunger . . .,) siehe, du hast wahrlich Durst. . . . Iß, siehe, trink!"; 51:V:73 *hm bt lbnt y'msnh* "(ein Haus aus Zedern wird er vollenden,) siehe, ein Haus aus Ziegeln wird er aufrichten"; 51:IV:38-39 *hm yd il mlk* (:38) *yḫssk* (:39) "siehe, die Liebe des Il, des Königs, erregt dich"; 51:IV:61-62 *hm amt aṯrt tlbn* (:61) *lbnt* (:62) "siehe, die Magd der Aṯrt soll formen Ziegeln"; 52:39 *hm aṯtm tṣḥn* "siehe, die beiden Frauen rufen"; ebenso ibid.: 42-43; 76:II:23 *hm b'p* "siehe, im Flug"; Krt:41-43 *mlk [ṯ]r abh* (:41) *yarš hm drk[t]* (:42) *kab adm* (:43) "begehrt er die Königsmacht des [Stie]res, seines Vaters, siehe, die Herrsch[aft] gleich der des Vaters der Menschheit? "; 137:13 *aphm tb' ǵlm[m]* "ja (wörtlich: auch), siehe, gehet Diener!"; vgl. die Parallelen *ap hn* 2Aqht:II: 28 u.ö.; *ap ht* < **ap hn-t* 13 rev. 5 (siehe unten); vgl. ferner auch 67:I:15-22; 604 obv.7-11; 608:11[2]; daneben erscheinen: *hn, hnk = hn-nV-k, hnkt = hn-nV-k-t, ht* < **hn-t* (vgl. unten). (Zu *hm* = "wenn" (Konjunktion) siehe unten.) Zu diesem Gebrauch von *-m* vgl. z.B. analog zu arabisch *'inna-mā* (neben *'in(-na)*); akkadisch *enma, allû(-mV)* mit Varianten[3].

Ebenso sehr beliebt ist, wie in den verwandten Sprachen, ugaritisch die Anwendung von hervorhebendem *-m* bei den Präpositionen[4]. Im besondern realisiert sich dieser Gebrauch bei den proklitischen Formen. Beispiele sind: *b* + *-m*, aus der Dichtung: 51:III:17 *bm ṯn dbḥm šna b'l* "zwei Opfer haßt (wörtlich: hat gehaßt/haßte)[5] Ba'l"[6]; 75:I:12-13 *il yẓḥq bm* (:12) *lb wygmḏ bm kbd* (:13) "Il lachte in (seinem) Herzen und er lächelte in (seiner) Leber"; ähnlich 1Aqht:34-35; 76:II:6-7 *qšthn aḫd bydh* (:6) *wqṣ'th bm ymnh* (:7) "seinen Bogen nahm er in die Hand und seine Armbrust in die Rechte"; vgl. 125:42, :48; 128:II:17-18; 137:39; 2001:13; 1Aqht:74 *tštk bm qrbm asm* "möge sie dich in die Mitte des Speichers legen"; 124:5 *ṯkm bm ṯkm aḫm* "Schulter an Schulter die Brüder"; 126:III:9-10 *n'm lḥṯt b'n* (:9) *bm nr- ksmm* (:10) "lieblich (ist der Regen) für den Weizen in der Feldflur, (für) den Emmer im frisch gebrochenen Land"[7]; 602 obv. 4-5 *bm* (:4) *rqdm* (:5) "unter den Tänzern"; 52:51 *bm nšq whr* "beim Küssen (entsteht) Schwangerschaft (, bei der Umarmung Empfängnis) (wörtlich: beim Küssen und Schwangerschaft (ist da) usw.)"[8]; ebenso 52:56; 2Aqht:I:40 *bm nšq aṯth* "beim Küssen seiner Frau"; Krt:31 *bm bkyh* "bei seinem Weinen"; aus der Prosa: 117:14-15 *bm ṯy ndr* (:14) *iṯt 'mn mlkt* (:15) "ich bin bei der Königin mit dem gelobten Geschenk"; daneben finden sich: *b, b-h, b-y* (siehe oben), *b-n* (siehe unten); - ***k* + *-m***, aus der Dichtung: 51:V:89-91 *ybn* (:89) *bt lk km aḫk wḥẓr* (:90) *km aryk* (:91) "es soll für dich ein Haus gebaut werden wie für deine Brüder und eine Wohnstätte wie für deine Verwandten"; 62:4-5 *ṯḥrṯ km gn* (:4) *aplb* (:5) "sie pflügt wie einen Garten die Brust"; 68:13-14 *trtqṣ bd b'l km nš(:13)r buṣb'th* (:14) "du sollst herabstoßen (wörtlich: springen, tanzen o.ä.) von der Hand Ba'ls, wie ein Adler von seinen Fingern" (zum wörtlichen Sinn des ganzen Syntagma siehe unten zu *b* (Präposition)); ebenso ibid.:20-21; vgl. auch ibid.:15-16, :23-24; 75:I:7-8 *km šḥr* (:7) . . . *km qdm* (:8) ". . . wie die

---

1 Zu anderen Deutungen siehe vor allem Gordon, *Textbook*, S. 390; Aistleitner, *Wb*, S. 89. Die hervorhebende Funktion der Partikel wird aber außer durch die Etymologie besonders durch die Kontexte bzw. die Analogien gesichert. Vgl. ferner die Verweise S. 58 Anmerkung 9.

2 Vgl. schon besonders Driver, *Myths*, S. 137 mit Verweis auf Virolleaud; Aistleitner, *Wb*, S. 90; van Zijl, *AOAT* 10, S. 107, 203 und andere; dagegen z.B. Gordon, *Ug.lit.*, S. 30; *Textbook*, S. 391; Ginsberg, *ANET*, S. 132; Jirku, *Mythen*, S. 40; Sauren und Kestemont, *UF* 3, S. 195; usw.: *hm* = "oder"/"wenn". (Zum Ausdruck der Disjunktion im Ugaritischen (Semitischen) vgl. unten zu *u* (Konjunktion)). De Moor, *UF* 1, S. 201f. deutet *hm* in allen Fällen = "wenn". Die stilistische Steigerung der betreffenden Syntagmen sowie die Syntax nebst den Analogien fordern aber in allen angeführten Belegen eine hervorhebende Bedeutung der Form.

3 Siehe Wright I, S. 284 D f.; von Soden, *AHw*, S. 37, 218; *CAD*, "A" I, S. 358; "E", S. 169 mit Verweis.

4 Vgl. schon Driver, *Myths*, an mehreren Stellen (mit Verweisen); Aistleitner, *Wb*, S. 176; usw.

5 Vgl. besonders Aartun, *Tempora*, S. 68ff. (*qtl* in Erfahrungssätzen).

6 Zum Syntagma vgl. arabisch *šani'a/šana'a + bi-*.

7 Zum Syntagma vgl. Aartun, *WdO* IV,2 (1968), S. 293.

8 Zur Konstruktion vgl. Brockelmann, *Grundriß* II, S. 464f.

Morgenröte, . . . wie der Osten"; 75:I:11 *ṯdn km mrm tqrṣn* "sie nagen am schweren (Organ) wie am Proviant"[1]; 75:II:47-48 *klbš km lpš dm a[ḫh]* (:47) *km all dm aryh* (:48) "denn er ist wie in das Kleid [seiner] Brü[der] gekleidet, wie in den Mantel seiner Verwandten"; Krt:28-29 *tntkn udmʿth* (:28) *km ṯqlm arṣh* (:29) "seine Tränen werden vergossen wie Seqel zur Erde"; ähnlich 1Aqht:82-83; 608:37-38 *ybky km nʿr* (:37) *[wydmʿ k]m ṣġr* (:38) "er weint wie ein Knabe [und vergießt Tränen w]ie ein Junge"; ebenso ibid.:40-41; 3Aqht obv. 23-26 *špk km šiy* (:23) *dm km šḫṭ lbrkh tṣi km* (:24) *rḥ npšh km iṯl brlth km* (:25) *qṭr baph* (:26) "vergieße wie einer, der (Wasser o.ä.) ausschöpft (aus einem Brunnen), Blut, wie ein Schlächter (, der Blut ausgießt) auf seine Knie![2]. Seine Seele soll entweichen wie der Wind, sein (Lebens)odem wie . . . , wie Rauch aus seiner Nase" (zum wörtlichen Sinn siehe unten zu *b* (Präposition)); ebenso ibid.:34-37; Krt:103-105 *kirby* (:103) *tškn šd* (:104) *km ḥsn pat mdbr* (:105) "wie Heuschrecken bedecken sie das Feld, wie Grillen die Ränder der Wüste"; ebenso ibid.:192-193; 3Aqht obv. 17-18 *aštk km nšr bḥb[šy]* (:17) *km diy btʿrty* (:18) "ich stecke/mache dich wie einen Adler in [meine/meiner] Waffen[hülle], wie einen Raubvogel in meine/meiner Scheide"; vgl. auch 3Aqht obv. 28-29; 49:II:6-9 *klb ar[ḫ]* (:6) *lʿglh klb ṯa[t]* (:7) *limrh km lb ʿn[t]* (:8) *aṯr bʿl* (:9) "wie das Herz einer Ku[h] nach ihrem Kalb, wie das Herz eines Muttercha[fes] nach seinem Lamm, so (ist) das Herz (wörtlich: wie das Herz) der ʿAn[at] nach Baʿl"[3]; ebenso 49:II:28-30; 128:III:22-25 *mk bšbʿ šnt* (:22) *bn krt kmhm tdr* (:23) *ap bnt ḥry* (:24) *kmhm* (:25) "siehe, in sieben Jahren waren die Söhne des Krt da, wie sie versprochen wurden, auch die Töchter der Ḥry gleich ihnen"; 51:IV:50-51 *wn in bt lbʿl* (:50) *km ilm* (:51) "und Baʿl hat kein Haus wie die (anderen) Götter"; ebenso ʿnt:V:46; 51:IV-V:62-63; 51 Frag. VII:53-58:3-4; 2Aqht:I:19-20 *din bn lh* (:19) *km aḫh w šrš km aryh* (:20) "der keinen Sohn hat wie seine Brüder und einen Nachkommen wie seine Verwandten"; ebenso ibid.:II:14-15; 75:I:30-32 *bhm qrnm* (:30) *km ṯrm wgbṯt* (:31) *km ibrm* (:32) "sie haben Hörner wie Stiere und Buckel wie Wildrinder"; 127:35 *km aḫt ʿrš mdw* "wie eine Schwester des Lagers (ist) die Krankheit"; ebenso ibid.:50-51; 128:VI:6-7 *km* (:6) *rgm ṯrm rgm hm* (:7) "wie die Sprache von Stieren (ist) ihre Sprache"; Krt:146 *km tsm ʿṯtrt ts[m]h* "wie die Schönheit der ʿṮtrt (ist) ihre Sch[ön]heit"; ebenso Krt:292-293; vgl. ferner 75:II:15, :40, :41, :54-56; 125:89-90; 601 obv. 5; 607:68-69, :73-74; 1001 obv. 11, :24-25; 2002:1; 1Aqht:222-223; 2Aqht:VI:14; ʿnt:III:5 (unklare bzw. zerstörte Stellen); aus der Prosa: 1005:2-4 *km špš* (:2) *dbrt kmt* (:3) *br ṣṭqšlm* (:4) "wie die Sonne, die frei (ist), so frei (ist) Ṣṭqšlm (wörtlich: wie die Sonne, die frei, wie frei Ṣṭqšlm)"; vgl. oben zu 49:II:6-9 und Anmerkung 3; ferner 3:55; 310:6 (zerstörte Stellen); daneben kommen vor: *k*, *k-w* (siehe oben), *k-m-t* (siehe unten); - *l* + *-m*, aus der Dichtung: 128:IV:21-22 *bt krt tbun* (:21) *lm mṯbh* [ ] (:22) "in das Haus des Krt kommen sie, nach seinem Wohnsitz (sie gelangen)"; Krt:101-103 *ybʿr lṯn* (:101) *aṯth lm nkr* (:102) *mddth* (:103) "er bringe (bringt) zu einem andern seine Frau, zu einem Fremden seine Geliebte"[4]; 123:14 (zerstört); aus der Prosa: 1076:6 *[n]ḥlh lm iytlm* "sein [E]rbe gehört (wörtlich: (ist) für) Iytlm"; daneben begegnen: *l*, *l-n* (siehe unten). Bei nicht-proklitischen Formen ist die Anwendung von hervorhebendem *-m* bisher nur einmal dichterisch bezeugt: *ʿm* + *-m*:[5] Krt:301-303 *idk pnm* (:301) *lytn ʿmm pbl* (:302) *mlk* (:303) "dann, fürwahr, begaben sie sich (die Boten) zu Pbl, dem König"; daneben finden sich: *ʿm*, *ʿm-n* (siehe unten). Zu diesem Gebrauch von *-m* vgl. analog zu althebräisch *bĕ-mō* < **bV-mā*; *kĕ-mō* < **kV-mā*; *lĕ-mō* < **lV-mā*; mišnā-hebräisch *kĕ-mō* < **kV-mā*, *kĕ-mō-ṯ* < **kV-mā-t(V)*; phönizisch *k-m*; aramäisch *kĕ-mā*, *ʾayk-mā*; *lĕ-mā*; arabisch *bi-mā*; *ka-mā*; *ʿam-mā* < **ʿan-mā*; *mim-mā* < **min-mā*; usw.; altsüdarabisch *b-m*, *b-m-w*; usw.; äthiopisch (Gĕʿĕz) *ka-ma*; tigrē *kĕ-m*, akkadisch *kī-ma*; usw.[6].

---

1 Vgl. Aartun, *WdO* IV,2 (1968), S. 287f.

2 Vgl. Aartun, *WdO* IV,2 (1968), S. 293f.

3 Vgl. 1K 22:4 *kāmōnī ḵāmōḵā kĕʿammī ḵĕʿammǣḵā kĕsūsay kĕsūsǣḵā* "ich bin wie du, mein Volk wie dein Volk, meine Pferde wie deine Pferde (wörtlich: wie ich wie du usw.)".

4 Vgl. Gordon, *Ug.lit.*, S. 69; Ginsberg, *ANET*, S. 144; Aistleitner, *Texte*, S. 91; Sauren und Kestemont, *UF* 3, S. 198 und andere; anders z.B. Driver, *Myths*, S. 31; Jirku, *Mythen*, S. 88.

5 Vgl. schon Aistleitner, *Wb*, S. 233 und andere.

6 Siehe Barth, *Pronominalbildung*, an mehreren Stellen; Bauer-Leander, *Hist- Gram.* I, S. 639, 651; Friedrich, *Gram.*, S. 116; Dalman, *Gram*,, S. 239; *Hw*, S. 200; Brockelmann, *Lex.syr.*, S. 14; Wright II, S. 193 A; Dillmann, *Gram.*, S. 338; Beeston, *Grammar*, §§ 57:3 - 57:4; von Soden, *AHw*, S. 476.

Bisweilen findet sich auch in der Dichtung: Konjunktion + hervorhebendem *-m*[1]. Beispiele sind: *k* + *-m*: 124:10-11 *km tdd* (:10) *'nt ṣd* (:11) "als 'Anat auf die Jagd ging"; 3Aqht obv. 29 *aqht km yṯb llḥ[m]* "als Aqht sich zum Ess[en] gesetzt hat (setzte)"; vgl. auch ibid.:18-19; ferner 51:VII:6 (zerstörte Stellen); daneben erscheint: *k*; *- d* + *-m*: 128:VI:2 *'dm t[lḥ]m tšty* "bis daß sie ge[gess]en (und) getrunken hatten"; sonst findet sich: *'d*. Zu diesem Gebrauch von *-m* vgl. z.B. analog zu akkadisch *kī-ma* (neben *kī*); arabisch *'iḏ mā*; *'iḏā-mā* (neben *'iḏ*; *'iḏā*); usw.[2].

Ferner erscheint 6) vom Stamm *n*: *-n* (, *-n-*) (zur möglichen abwechselnden Struktur vgl. unten). Betreffs der Etymologie und der Morphologie vgl. hebräisch *-n*, *-nē*; phönizisch *-n*; aramäsich *-n*, *-nā*, *-n-*; arabisch *-n*, *-na*; altsüdarabsich *-n*; äthiopisch (Gĕ'ĕz) *-na*, *-nē*, tigriña und amharisch *-n*; akkadisch *-na*, *-ne*, *-ni*, *-(n)nu*; usw.[3]

Auch hervorhebendes *-n* kommt im Ugaritischen besonders häufig zur Anwendung. Schon dient auch letzteres zur Unterstreichung von Wortformen sämtlicher Hauptkategorien[4].

Beim Nomen wird im Material hervorhebendes *-n* (vgl. entsprechend oben zu *-y*, *-m*) auch bereits an Formen aller Kasus affigiert. Meist verbreitet ist dabei die Verbindung mit dem Nominativ. Belege sind, aus der Dichtung: (Status absolutus Singular + hervorhebendem *-n*) 125:39-40 *krtn dbḥ* (:39) *dbḥ* (:40) "Krt (ist) opfernd ein Opfer"[5]; vgl. daneben *krt* ohne hervorhebendes *-n* passim; 1Aqht:214-215 *wy'n yṭpn [mhr]* (:214) *št* (:215) "und es antwortete Yṭp, [der Kämpfer] der Dame (d.h. der 'Anat)"; ebenso ibid.:218-219; 3Aqht obv. 11 (vgl. auch 3Aqht obv. 27; siehe unten); vgl. dagegen die Parallelen 3Aqht obv. 7, :16 ohne hervorhebende Partikel; aus der Prosa: 2008 obv. 10 *mlkn b'ly ḫw[ ]* "der König, mein Herr . . ."; vgl. ibid.:1 die Parallele ohne *-n*; 2060:21 *špšn [ ]* "die Sonne (der Sonnenkönig) . . ."; vgl. ebenso ibid. passim die Parallelen ohne *-n*; 1099:4 *ṯlṯm dd kšmn l gzzm* "30 Maß Emmer (sind) für die Scherer"; vgl. 1:9 u.ö. denselben Ausdruck ohne hervorhebende Partikel. Ebenso hebt einmal in der Prosa *-n* den Status constructus Singular des Nominativs hervor: 2008 rev. 14 *mkrn mlk [ ]* "und der Kaufmann des Königs . . ."; vgl. die Parallele ibid.:12 ohne hervorhebende Partikel. Der Unterstreichung des Akkusativs dient *-n* nur einmal in der Dichtung (Status absolutus Singular + hervorhebendem *-n*): 3Aqht obv. 27 *tqḥ yṭpn mhr št* "sie (d.h. 'Anat) nimmt Yṭp, den Kämpfer der Dame"; vgl. schon oben zur Parallele im Nominativ[6]. Schon häufig dient dagegen *-n* zur Hervorhebung des Genitivs, namentlich vor Possessivsuffixen. Allein dichterische Belege sind vorhanden: (Status constructus Singular + hervorhebendem *-n*) 51:VIII:19-20 *klli bṯ!brn* (:19) *qnh* (:20) "(er behandle euch wie ein Lamm in seinem Mund,) wie ein Zicklein in seinem Schlund"; vgl. dagegen die Parallele 49:II:23 ohne hervorhebende Partikel; 129:20 *ard bnpšny* "ich steige nieder in meinen Schlund"; vgl. ebenso die Parallele 67:I:7 ohne hervorhebende Partikel; ferner (Status constructus Plural + hervorhebendem *-n*): 76:II:17 *lpnnh ydd* "er (d.h. Ba'l) eilte ihr (der Göttin 'Anat) entgegen"[7]; 'nt:IV:84 *šrḥq aṯt lpnnh* "er schickte ihr Frauen entgegen"; vgl. sonst *lpn(-)* ohne hervorhebende Partikel passim sowie *lpnwh* d.h. mit hervorhebendem *-w* 'nt:I:6 (siehe oben). An den ursprünglichen Kasus adverbialis (vgl. oben zu *-m*) gehängt wird endlich hervorhebendes *-n* einmal in der Poesie: (Infini-

---

1 Vgl. schon unter anderen Driver, *Myths*, S. 141, 145 mit Verweis auf Virolleaud; Aistleitner, *Wb*, S. 143, 226; usw.

2 Siehe von Soden, *AHw*, S. 468f., 476; *CAD*, "K", S. 316, 363; Wright I, S. 291 D f.

3 Siehe Barth, *Pronominalbildung*, S. 96f.; Brockelmann, *Grundriß* I, S. 502; Gesenius-Buhl, *Hw*, S. 185, 396; Friedrich, *Gram.*, S. 47, 102 u.ö.; Dalman, *Gram.*, S. 102 u.ö.; *Hw*, S. 181; Wright I, S. 234 D f., 284 B f., 293 A; Höfner, *Gram.*, S. 113f., 143f., 150f.; Dillmann, *Gram.*, S. 333ff.; von Soden, *GAG*, §§ 45 c, 83, 118-120, 123 u.ö.; usw.

4 Vgl. schon besonders Aistleitner, *Wb*, an mehreren Stellen.

5 Vgl. bereits Aartun, *UF* 3, S. 3. Ohne Analogie im Ugaritischen (Semitischen) wird *-n* hier gewöhnlich als Suffix der 1. Person Plural gefaßt (vgl. z.B. Gordon, *Ug.lit.*, S. 78; Driver, *Myths*, S. 41; Sauren und Kestemont, *UF* 3, S. 211; usw.).

6 Die Form *ksank* 75:I:18, die syntaktisch als Akkusativ (Status constructus + Suffix) zu fassen ist, entspricht wahrscheinlich (vgl. jedoch unten zum Genitiv) dem Nomen *ksan* + dem Suffix der 2. Person Singular (vgl. Gaster, *Thespis*[1], S. 450; Gordon, *Textbook*, S. 421; Aistleitner, *Wb*, S. 153; usw.).

7 Anders z.B. van Zijl, *AOAT* 10, S. 246f. mit Verweisen.

tivus absolutus an Stelle von Verbum finitum + hervorhebendem *-n*) 127:13-14 *š'tqt* (:13) *dm lan* (:14) "Š'tqt, siehe, sie war stark"; vgl. die Parallele ibid.:13 ohne hervorhebende Partikel. Als Analogien des angeführten Gebrauchs vgl. zunächst zu altsüdarabisch: Nomen + hervorhebendem *-n* (Status emphaticus/determinatus) (vgl. dazu entsprechend zu Nomen + hervorhebendem *-w* in der Gezer-Inschrift sowie zu Nomen + hervorhebendem *-y* im Aramäischen; siehe schon oben); vgl. ferner auch vereinzelte sonstige analoge Kombinationen, wie hebräisch: *Mĕgiddō-n* neben *Mĕgiddō*; *dayyækkā* < **dayyV-n-ka*; phönizisch: *'b-n-m*; jüdisch-aramäisch (im galiläischen Dialekt): *Yūḏā-n*, *Yūḏā-nā* neben *Yūḏā*; vgl. auch altarabisch: Nomen + hervorhebendem *-n* (sekundär d.h. im Verhältnis zum bloßen Nomen resp. *al* + Nomen) > Status indeterminatus; usw.[1].

Beim Pronomen hebt *-n* zunächst nur vereinzelt in der Prosa ein selbständiges Gebilde hervor: *an-k-n* (persönliches Pronomen der 1. Person Singular + hervorhebendem *-k* (siehe oben) + hervorhebendem *-n*) 2008 obv.6 *ankn rgmt l b'ly* "ich habe meinem Herrn gesagt"; daneben erscheinen: *an*, *an-k* (*a-na-ku*) (siehe oben). Schon mehrfach dient aber *-n* zur Unterstreichung des suffigierten Pronomens. Beispiele sind, dichterisch: (Genitivsuffix + hervorhebendem *-n*) 51:IV:45-46 *klnyn q[š]h nb[ln]* (:45) *klnyn nbl ksh* (:46) "alle beide wollen wir seine Tri[nk]schale brin[gen], alle beide wollen wir seinen Becher bringen"; vgl. die Parallele 'nt:V:41-42 mit hervorhebendem *-y* (siehe oben); 76:II:6 *qšthn aḫd bydh* "seinen Bogen nahm er in die Hand (wörtlich: in seine Hand)"[2]; vgl. dagegen die Parallele ibid.:7 ohne hervorhebende Partikel; ferner (Akkusativsuffix + hervorhebendem *-n*): 601 obv.18-19 *y'msn nn ṯkmn* (:18) *wšnm* (:19) "es tragen ihn Ṯkmn und Šnm"[3]; vgl. dazu den ähnlichen Fall 67:V:5 u.ö. ohne hervorhebende Partikel. Mehrdeutig sind dagegen Fälle wie 68:31; 1Aqht:147 u.ö.[4]; aus der Prosa: (Genitivsuffix + hervorhebendem *-n*) 2059:10-14 *anykn dt* (:10) *likt mṣrm* (:11) *hndt b ṣr* (:12) *mtt by* (:13) *gšm adr* (:14) "dein Schiff, das du nach Ägypten geschickt hast, siehe, dieses ist in Tyrus bei einem gewaltigen Regen untergegangen"; vgl. aber die Parallele ibid.:24 ohne hervorhebende Partikel[5]; vgl. sonst Personalsuffix + hervorhebendem *-y*, *-m* (siehe oben), *-t* (siehe unten). Zum hier besprochenen Gebrauch von *-n* vgl. analog zu biblisch-aramäisch *dikkēn* < **ḏī-n-kV-n(V)*; amharisch: Genitivsuffix + hervorhebendem *-n*; galiläisch-aramäisch: Akkusativsuffix + hervorhebendem *-n*; usw.[6].

Bisweilen dient auch *-n* zur Hervorhebung des Verbs. (Im einzelnen ist hier *-n*[7] nicht mit dem grammatischen Morphem, dem äußeren Merkmal des sogenannten Energicus auf *-an*, *-anna*, d.h. in Fällen wie *yaqtul-an, yaqtul-anna, uqtul-an, uqtul-anna, qātil-an, qātil-anna*, zu verwechseln.) In Frage kommende Belege letzterer Art sind: *Qtl* (Afformativform) + hervorhebendem *-n*; vorläufig nur einmal in der Prosa (kultischer Text) nachweisbar: 1:9-10 *wkšm ḫmš* (:9) *'šrh mlun* (:10) "und sie füllten 15 kšm bzw. 15 kšm sind voll"[8]; ferner *yqtl* (Präformativform = der Kurzform von der Vergangenheit) + hervorhebendem *-n*; vorläufig nur einmal dichterisch bezeugt: 51:VI:16 [ ] *bhth tbnn* ". . . erbaute man seinen Palast"; vgl. dagegen die Parallele ibid.:17 ohne hervorhebende Partikel (*trmm*)[9]. Zu diesem Gebrauch von *-n* vgl. analog z.B. zu aramäisch: Verbum fini-

---

1 Siehe die Verweise S. 61, Anmerkung 3.

2 Ginsberg, *Orientalia* 7 (1938), S. 6 betrachtet *-hn* an dieser Stelle isoliert als zwei zusammengestellte identische Suffixe.

3 Vgl. schon Loewenstamm, *UF* 1, S. 76 Anmerkung 22.

4 Die beiden letzteren Fälle können nämlich als Energicus auf *-n* (= *-anna*) + dem Personalsuffix *-n* (, das nach allem sprachgeschichtlich aus hervorhebendem *-n* + dem Personalsuffix *-h* entstanden ist (vgl. schon Aistleitner, *Acta Orientalia Hungarica* 7 (1957), S. 283-286; de Moor, *JNES* 24 (1965), S. 358f.),) aufgefaßt werden. Vgl. ähnlich Krt:110 *gr nn* = Verbform (Imperativ) + *-anna* + hervorhebendem *-n* (siehe unten).

5 Zu 1008:11-13 (= einem möglichem Fall vom Akkusativsuffix + hervorhebendem *-n*) vgl. die unmittelbar vorangehende Anmerkung.

6 Siehe Barth, *Pronominalbildung*, S. 45, 108; Dalman, *Gram.*, S. 110 u.ö.

7 Vgl. schon oben Anmerkung 4.

8 Vgl. Aistleitner, *Wb*, S. 184.

9 Diese Stelle wird von Gordon, *Ug.lit.*, S. 34 und anderen futurisch aufgefaßt. Wie aus dem Zusammenhang hervorgeht, sind aber die Formen *tbnn* ‖ *trmm* Teile eines konstatierenden ("historischen") Berichtes. Vgl. auch schon Ginsberg, *ANET*, S. 134; Jirku, *Mythen*, S. 49; Aistleitner, *Texte*, S. 43 und andere.

tum + hervorhebendem *-n*[1]. Zu Voluntativ-, Jussiv- sowie Imperativformen + hervorhebendem *-n* siehe unten zu satzhervorhebenden Partikeln[2].

Sehr ausgedehnt ist ugaritisch, ebenso wie in mehreren verwandten Sprachen, der Gebrauch von hervorhebendem *-n* bei den Partikeln[3].

Bei den Adverbien erscheint schon im vorliegenden Material hervorhebendes *-n* in Fällen, wie dichterisch (nur von Begriffswurzeln abgeleitete Adverbien + hervorhebendem *-n*): ʻnt:III:30 *bʻdn ksl ṯṯbr* "hinten "zerbricht" sie (die Göttin ʻAnat) die Lenden"; ebenso 51:II:17-18; 49:VI:22-23 *ʻln špš* (:22) *tṣḥ lmt* (:23) "oben Špš ruft zu Mt"; 51:I:38 *ʻln yblhm ḫrṣ* "an ihnen (den Schuhen) bringt er oben Gold an"; ʻnt:III:31 *ʻln pnh tdʻ* "oben ihr Antlitz schwitzt"; ebenso 51:II:18; ʻnt:V:22 *ʻln ṯ[ ]* "oben . . ."; vgl. die Parallelen *ʻl*, *ʻl-m* (siehe oben); aus der Prosa (Demonstrativadverb + hervorhebendem *-n*): 2065:19-20 *w uḫy* (:19) *[y]ʻmsn ṯmn* (:20) "und möge mein Bruder mir dort geben (wörtlich: mich dort beladen) (mit dem, was ich wünsche)"; vgl. auch 2171:3-4; daneben kommen vor: *ṯm*, *ṯmny*, *ṯm-t* (siehe schon oben; vgl. auch unten). Zu diesem Gebrauch von *-n* vgl. analog z.B. zu arabisch *'iḏa-n* (neben *'iḏā*); aramäisch *kaddū-n* (neben *kaddū*); *tammā-n* (neben *tammā*); usw.[4].

Bei den Negationen tritt ferner ugaritisch hervorhebendes *-n* öfters hinter der Form *in* auf. Alle Belege dieser Kombination kommen aus der Prosa: 306:1-2 *mḏ!rǵlm dinn* (:1) *mṣgm lhm* (:2) "Soldaten, die keine *mṣgm* haben"; 2071:1-2 *mdrǵlm dt inn* (:1) *bd tlmyn* (:2) "Soldaten, die nicht unter dem Befehl von Tlmyn stehen (wörtlich: die nicht in der Hand des Tlmyn sind)"; 1035:4-5 *bdl ar dt inn* (:4) *mhr lhm!* (:5) "*bdl* von Ar, die keinen *mhr* haben"; 1121:6-7 *w l ṯt mrkbtm* (:6) *inn uṯpt* (:7) "und die beiden Wagen haben keinen Köcher"; (mit Nachstellung der erweiterten Negation) 1006:16-17 *[u]nṯ inn* (:16) *l[h]m* (:17) "sie haben keinen [Fron]dienst zu leisten"; 1009:18 *[wu]nṯ in[n] bh* "[und Fron]dienst gibt es nicht dabei"; 2060:19-20 *ky akl* (:19) *b ḫwtk inn* (:20) "daß es nicht Speise in deinem Haus/Gebiet gibt"[5]; vgl. die Parallelen *in*, *in-m* (siehe oben). Zur Kombination mit *-n* vgl. besonders zu hebräisch *'ēnǣ-n-* (*'ēnǣ-n-nī*, *'ēnǣ-n-nū/ā*)[6].

In mehreren Fällen ist weiter ugaritisch die Verbindung von hervorhebendem *-n* mit selbständigen Hervorhebungspartikeln nachgewiesen. Belege dieser Art sind: *hl* + hervorhebendem *-n*;[7] bisher nur dichterisch bezeugt: ʻnt:II:5-6 *whln ʻnt tm* (:5) *tḫṣ* (:6) "und siehe, ʻAnat kämpft"; ʻnt:II:17 *whln ʻnt lbth tmǵyn* "und siehe, ʻAnat gelangt nach ihrem Haus"; vgl. sonst *hl*, *hl-h*, *hl-k*, *hl-m* (siehe oben); ferner: *hn* + hervorhebendem *-n*. Mit Sicherheit findet sich diese Kombination vor Demonstrativpronomina in der Prosa, wie 2059:10-14 *anykn dt* (:10) *likt mṣrm* (:11) *hndt* (= *hn-nV-dt*)[8] *b ṣr* (:12) *mtt by* (:13) *gšm adr* (:14) "dein Schiff, das du nach Ägypten geschickt hast, siehe, dieses ist in Tyrus bei einem gewaltigen Regen untergegangen"[9]; 1012:31-

---

1 Siehe Dalman, *Gram.*, S. 102 u.ö.

2 Nach Ausweis des Galiläisch-Aramäischen (Dalman, *Gram.*, S. 102) könnten jedoch – jedenfalls die belegten Imperative + hervorhebendem *-n* des Ugaritischen – von der eben behandelten Art sein.

3 Vgl. schon besonders Driver, *Myths*; Gordon, *Textbook*; Aistleitner, *Wb*, an mehreren Stellen.

4 Siehe Brockelmann, *Grundriß* I, S. 323; Wright I, S. 284 B; Dalman, *Gram.*, S. 102; Aartun, *Oriens* 18-19 (1967), S. 348.

5 In den drei letztgenannten Fällen kann das *-n* außerdem auch das Possessivsuffix der 3. Person Singular (d.h. *nn* < **-n-h* (vgl. oben S. 62, Anmerkung 4)) bezeichnen.

6 Siehe Bauer-Leander, *Hist. Gram.* I, S. 633 (vgl. auch S. 197); usw.

7 Vgl. schon Driver, *Myths*, S. 137; Gordon, *Textbook*, S. 390 und andere; dagegen z.B. Aistleitner, *Wb*, S. 87 u.ö.

8 Zur angeführten Zergliederung des Ausdrucks vgl. Gordon, *Textbook*, S. 32 (§ 5.22) (ugaritisch: durchgeführte regressive totale Assimilation von *n* in Kontaktstellung).

9 Anders Virolleaud, *PU* V, S. 149: *hndt* resp. *hnd* (vgl. unten) "pron. démonstr."; ebenso z.B. Gordon, *Textbook*, S. 39, 391; Aistleitner, *Wb*, S. 92 und andere. Gegen letztere Deutung sprechen jedoch vor allem die Syntax und die Analogien, aber auch die Etymologie und die Morphologie. Zum Sprachtypus vgl. analog z.B. Ct 2:8 *qōl dōḏī hinnē-zǣ bā* "die Stimme meines Geliebten, siehe, diese, kommt". (Auch die Auffassung Liveranis (*Elementi*, S. 9: *hnd* = Artikel (*hn*) + Demonstrativum (*d*)) kann ugaritisch nicht in Frage kommen.)

32 *tmǵyy hn*[1] (:31) *alpm ššwm hnd* (= *hn-nV-d*) (:32) "sie sollen dahinkommen, siehe, diese 2000 Pferde (wörtlich: siehe, die 2000 Pferde, siehe, diese (brieflich geforderten))"; 1005:12-14 *wmnkm lyqḥ* (:12) *spr mlk hnd* (:13) *byd ṣṭqšlm* (:14) "und niemand nehme dieses königliche Schreiben aus der Hand des Ṣṭqšlm (wörtlich: das Schreiben des Königs, siehe, dieses in der Hand des Ṣṭqšlm)"; vgl. 1009:13-15; 1005:8-9 *nqmd mlk ugrt* (:8) *ktb spr hnd* (:9) "Nqmd, der König von Ugarit, hat diesen Brief (wörtlich: den Brief, siehe, diesen) geschrieben"; 1006:1-4 *l ym hnd* (:1) *iwrk[l] pdy* (:2) *agdn bn nrgn*(?) (:3) *wynḥm aḫh* (4) "von diesem Tag an (wörtlich: in bezug auf den Tag, siehe, diesen) hat Iwrk[l] den Agdn Bn Nrgn(?) und Ynḥm, seinen Bruder, losgekauft"; vgl. 1008:1-5; 1009:1-5; 1012:33-36 *w mlk bʿly bnš* (:33) *bnny ʿmn* (:34) *mlakty hnd* (:35) *ylak ʿmy* (:36) "und der König, mein Herr, soll meinen Vertreter zusammen mit dieser meiner Botschaft (wörtlich: zusammen mit meiner Botschaft, siehe, dieser) zu mir senden"; 1005:10-11 *dtbrrt ṣṭqšlm* (:10) *ʿbdh hnd* (:11) "den (Brief) der Befreiung des Ṣṭqšlm, seines Dieners (wörtlich: seines Dieners, siehe, dieses (gegenwärtigen Dieners))"; ebenso mit *k*-Erweiterung (vgl. oben): 1012:23-24 *lm škn hnk* (= *hn-nV-k*)[2] (:23) *lʿbdh alpm š[šw]m* (:24) "warum hat er (der Hethiterkönig), siehe, seinem Diener (dem König von Ugarit) 2000 Pf[er]de auferlegt?"[3]; ferner auch mit *k-t*-Erweiterung (vgl. oben; siehe auch unten): 2061:12-14 *w bny hnkt* (= *hn-nV-k-t*)[4] (:12) *yškn anyt* (:13) *ym* (:14) "und mein Sohn, siehe, er soll Schiffe des Meeres liefern"[5]; daneben erscheinen: *hn*, *hm* < **hn-m* (siehe oben), *ht* < **hn-t* (siehe unten). Zum angeführten Gebrauch von *-n* vgl. z.B. analog zu hebräisch *hin-nē* (neben *hĕn* < **hin*); arabisch *ʾin-na*, *ʾin-na-mā* (neben *ʾin*); usw.[6].

Verbreitet ist auch ugaritisch die Verbindung von hervorhebendem *-n* mit Präpositionen. Hierhergehörige Beispiele sind: *b* + hervorhebendem *-n*[7]; nur dichterisch belegt: 51:VII:54-56 *bǵlmt* (:54) [*ʿmm*] *ym bn ẓlmt r*(:55)[*mt*] (:56) "in Dunkelheit (befindet sich) die Meeres[strecke][8], in Finsternis die Hö[hen]"[9]; ebenso Fragment VII:53-58:7-8 (*bn*(!) *ǵlmt* ‖ *bn ẓlmt*'; vgl. sonst neben *b*: *b-h*, *b-y*, *b-m* (siehe oben); - *l* + hervorhebendem *-n*[10]; auch nur dichterisch belegt: 137:25 *wln kḥṯ zblkm* "(warum liesset ihr sinken, Götter, eure Häupter auf eure Knie) und auf den Thron eures Fürstentumes?"; ebenso ibid.:27-28, :29; vgl. auch 126:IV:15; ferner 607 passim *ln-h*; daneben erscheinen: *l*, *l-m* (vgl. oben); - *ʿl* + hervorhebendem *-n*[11]; ebenso nur dichterisch bezeugt: 51:IV:44 *win dʿlnh* "und niemand (ist) über ihm"; vgl. die Parallele ʿnt:V:41 (*dʿln* d.h. mit Kontraktion); daneben finden sich: *ʿl*, *ʿl-t-* *ʿm* + hervorhebendem *-n*[12], dichterisch: 77:32 *ʿmn nkl ḫtny* "mit Nkl (ist) mein Heiraten"; ʿnt:III:21-22 *tant šmm ʿm arṣ* (:21) *thmt ʿmn kbkbm* (:22) "das Murmeln des Himmels mit der Erde, der Ozeane mit den Sternen"; 67:V:19-20 *škb* (:19) *ʿmnh šbʿ lšbʿm* (:20) "er lag mit ihr 77-mal"; aus der Prosa: 1013:12-14 *hlny ʿmn* (:12) *mlk b ṯy ndr* (:13) *iṯt* (:14) "ich bin hier bei dem König mit dem gelobten Geschenk"; vgl. auch 117:14-15; 118:11 [ ] *ʿmn šp*[*š mlk rb*] ". . . bei der Son[ne, dem großen König]; so auch ibid.:7; 1012:33-36 *w mlk bʿly bnš* (:33) *bnny ʿmn* (:34) *mlakty hnd* (:35) *ylak ʿmy* (:36) "und der König, mein Herr, soll meinen Vertreter zusammen mit dieser meiner Botschaft (wörtlich: zusammen mit meiner Botschaft, siehe, dieser) zu mir senden"; 1083:4-5 *ʿšt ʿšrh šmn* (:4) *ʿmn bn aǵlmn* (:5) "11 (Maß) Öl bei Bn Aǵlmn"; 1143:1 *mitm ksp ʿmn b*[*n*] *ṣdqn* "zweihundert (Seqel) Silber bei B[n] Ṣdqn"; 1143:3-4 *mit ksp*

---

[1] Ob diese Form *hn* oder *hn-nV* entspricht, ist nicht mehr zu entscheiden; vgl. unten.
[2] Vgl. oben S. 63, Anmerkung 8.
[3] Anders Virolleaud, *PU* II, S. 207; Aistleitner, *Wb*, S. 92 (Pronomen); Gordon, *Textbook*, S. 392 (Nomen); vgl. ferner oben S. 63, Anmerkung 9.
[4] Vgl. oben S. 63, Anmerkung 8.
[5] Anders Virolleaud, *PU* V, S. 149 (Pronomen); vgl. weiter oben S. 63, Anmerkung 9.
[6] Siehe Bauer-Leander, *Hist. Gram.* I, S. 653; Wright I, S. 284 D f.
[7] Vgl. schon Driver, *Myths*, S. 163 mit Verweis auf Dhorme.
[8] Siehe Aartun, *Neue Beiträge.*
[9] Vgl. außer Driver, *Myths*, S. 101 auch z.B. Jirku, *Mythen*, S. 52 usw.; dagegen z.B. Gordon, *Ug.lit.*, S. 37; *Textbook*, S. 464; Ginsberg, *ANET*, S. 135 und andere (sprachlich-kontextlich unhaltbar).
[10] Vgl. schon Driver, *Myths*, S. 158; Aistleitner, *Wb*, S. 162; Gordon, *Textbook*, S. 425; usw.
[11] Vgl. schon Driver, *Myths*, S. 141 mit Verweis auf Dhorme; Aistleitner, *Wb*, S. 231, usw.
[12] Vgl. schon Driver, *Myths*, S. 142 mit Verweis auf Virolleaud; Aistleitner, *Wb*, S. 233; Gordon, *Textbook*, S. 457; usw.

'mn (:3) *bn ulbtyn* (:4) "hundert (Seqel) Silber bei Bn Ulbtyn"; ebenso 1021:16 (zerstört); so vielleicht auch 1015:14-15 u.ö. (*'mny*)[1]; vgl. sonst *'m*, *'m-m* (siehe oben). Zu diesem Gebrauch von *-n* vgl. analog zu altsüdarabisch *b-n*, *l-n*, *'m-n* usw. usw.; äthiopisch *'ə̆ska-na*; usw.[2].

Mehrfach wird auch ugaritisch hervorhebendes *-n* an Konjunktionen angehängt. Beispiele dieser Art sind: *w* + hervorhebendem *-n*[3], dichterisch: 51:IV:50 *wn in bt lb'l* "und nicht hat Ba'l ein Haus"; ebenso 'nt:V:46; 129:22 *wn in aṯt* [ ] "und keine Frau(en) . . ."; 51:V:68 *wn ap 'dn mṭrh* "und auch die Zeit seines Regens"; 75:I:36 *wn ymǵy aklm* "und er kommt an die Fresser heran"; 77:30-31 *wy'n* (:30) *yrḫ nyr šmm wn 'n* (:31) "und es antwortete Yrḫ, die Leuchte des Himmels, indem er antwortete (wörtlich: und das Antworten)"; vgl. die Parallelen 49:I:25, :II:13 ohne hervorhebende Partikel; aus der Prosa: 93:9-11 *wn* (:9) *ḫmš 'šr sp* (:10) *lbnš tpnr* (:11) "und 15 *sp* für den Lakai des Tpnr"; 315:4 *prt wn š'rt* "Kühe und Haare"[4]; - *ap* + hervorhebendem *-n*[5]; nur dichterisch belegt: 'nt:I:23-25 *y'n pdry* (:23) *bt ar apn ṯly* (:24) [*bt*] *rb* (:25) "er (Ba'l) sieht Pdry, die Tochter des Lichtes, auch Ṯly, [die Tochter] des Regens"; 125:119 *apn* [ ] "auch . . ."; ebenso mit *k*-Erweiterung (vgl. oben): 49:I:28-29 *apnk* (= *ap-nV-k*)[6] *'ṯtr 'rẓ* (:28) *y'l bṣrrt ṣpn* (:29) "und dann (wörtlich: auch) stieg 'Ṯtr, der Furchtbare, auf die Höhe des Ṣpn"; 67:VI:11-12 *apnk lṭpn il* (:11) *dpid yrd lksi* (:12) "und dann stieg der Freundliche, Il, der Mitleidige, vom Thron herab" (zum wörtlichen Sinn des Ausdrucks siehe unten zu *l* (Präposition)); 125:46-47 *apnk ǵzr ilḥu* (:46) [*m*]*rḥh yiḫd byd* (:47) "und dann nimmt Ilḥu, der Held, seine [La]nze in die Hand"; 128:II:8-9 [*ap*]*nk krt ṯ'* '[ ]*r* (:8) *bbth yšt* (:9) "[und da]nn legt Krt von Ṯ' . . . in sein Haus"; 1Aqht:38-39 *apnk dnil mt* (:38) *rpi yṣly* (:39) "und dann betet Dnil, der Rpu-Mann"; 2Aqht:V:28-29 *apnk mṯt dnty* (:28) *tšlḥm* (:29) "und dann gibt die Frau Dṇty zu essen"; so auch vielfach im Aqht-Gedicht mit nachfolgendem *ap*(-)*hn*, wie 1Aqht:19-21 *apnk dnil* (19) [*m*]*t rpi ap*[*h*]*n ǵ*[*z*]*r* (:20) [*mt hrn*]*my ytšu* (:21) "und dann erhebt sich Dnil, der Rpu-[Ma]nn, ja (wörtlich: auch), [sie]he, der He[l]d, [der Mann aus Hrn]my"; ebenso 2Aqht:V:4-6; 2Aqht:II:27-30 *apnk dnil* (:27) *mt rpi ap hn ǵzr mt* (:28) *hrnmy alp yṭbḫ lkṯ* (:29) *rt* (:30) "und dann schlachtet Dnil, der Rpu-Mann, ja, siehe, der Held, der Mann aus Hrnmy, ein Rind für die *kṯrt*"; 2Aqht:V:13-15 *apnk dnil* (:13) *mt rpi aphn ǵzr mt* (:14) [*h*]*rnmy gm laṯth kyṣḥ* (:15) "und dann, fürwahr, ruft Dnil, der Rpu-Mann, ja, siehe, der Held, der Mann aus [H]rnmy, laut zu seiner Frau"; 2Aqht:V:33-35 *apnk dnil m*[*t*] (:33) *rpi aphn ǵzr mt* (:34) *hrnmy qšt yqb*[ ] (:35) "und dann . . . Dnil, der Rpu-Ma[nn], ja, siehe, der Held, der Mann aus Hrnmy, den Bogen"; ebenso vereinzelt mit Wiederholung des hervorhebenden *-n*: 122:5 *apnnk yrp*[ ] "und dann . . ."[7]. Zu diesem Gebrauch von *-n* vgl. analog z.B. zu tigriña *wə̄-n*; syrisch *dē-n* (< **day-n*); usw.[8].

Endlich findet sich 7) vom Stamm *t*: *-t* (auch nach allem nicht einheitlicher Struktur; vgl. unten). Zur Etymologie und Morphologie vgl. hebräisch *-tī*, *-ṯa-y*, *-ṯ*; phönizisch *-t*; aramäisch *-ṯ*; arabisch *-tu*, *-ti*, *-ta* (*-tā*); altsüdarabisch *-t*; äthiopisch (Gə̆'ə̆z) *-tū*, *-tī*, *-ta*, *-tē*; amharisch *-ta*, *-ta-y*; tigrē *-tē*; tigriña *-tī*, *-tā*; hararī *-ta*; akkadisch *-tta*, *-tti*, *-tī*, *-tē*; usw.[9].

---

[1] Vgl. Virolleaud, *PU* II, S. 31 (beachte besonders die Parallele ibid.:19 *'my*). Letzterer Ausdruck kann aber auch, wie gewöhnlich geschieht, als *'m* + *-ny* (Suffix der 1. Person Dual) gefaßt werden. Vgl. sonst 2059:6 u.ö. *'mn*.

[2] Siehe Beeston, *Grammar*, §§ 48:1, 48:2; Dillmann, *Gram.*, S. 333f.

[3] Vgl. schon Gordon, *Textbook*, S. 110f.

[4] Zu anderen Auffassungen von *wn* vgl. Driver, *Myths*, S. 165 mit Verweis auf Virolleaud: "*wn* (< *whn*) "and lo! so now!""; Obermann, *Ug. myth.*, S. 5, 30 (*wn* (= *wēn* < *wain*, mit Verweis auf aramäisch *wai*, arabisch *wail*) "wehe!"); Aistleitner, *Wb*, S. 95 (*wn* = Interjektion); vgl. ferner van Zijl, *AOAT* 10, S. 78f. Keine dieser Deutungen kann aber aus sprachlichen bzw. kontextlichen Gründen in Frage kommen.

[5] Vgl. schon Gordon, *Textbook*, S. 364.

[6] Vgl. oben S. 63, Anmerkung 8.

[7] Zu anderen rein hypothetischen Deutungen des letzteren Ausdrucks (*ap-n*, *ap-n-k*, *ap-n-n-k*) vgl. z.B. Driver, *Myths*, S. 136 mit Verweisen; Aistleitner, *Wb*, S. 31; usw.

[8] Siehe Brockelmann, *Grundriß* I, S. 324, 502; Nöldeke, *Syr. Gram.*, S. 98; usw.

[9] Siehe Barth, *Pronominalbildung*, S. 33, 85f., 87ff.; Brockelmann, *Grundriß* I, S. 323f., 496ff.; Gesenius-Buhl, *Hw*, S. 102, 474; Friedrich, *Gram.*, S. 115 (§§ 249,3; 250); Cantineau, *Nabatéen* I, S. 99; *Gram. du palm. epigr.*, S. 140; Wright I, S. 294 D; II, S. 87 D f.; Beeston, *Grammar*, § 42:2; Dillmann, *Gram.*, S. 336 u.ö.; Rundgren, *Bildungen*, S. 28f., 215f., 224, 231f., 276; von Soden, *GAG*, S. 163, 173 (§§ 113 k-m; 119 a-b); usw.

Auch hervorhebendes *-t* wird im überlieferten ugaritischen Material noch als verstärkendes Affix an die verschiedensten Wortformen der Sprache angehängt. Die Belege der ungleichen Gebräuche sind aber, wie sonst im Semitischen, meistenteils nicht allzu zahlreich.

Als betonendes Merkmal des Nomens dient ugaritisch hervorhebendes *-t* (, das nicht mit der Feminin-endung *-t* zu verwechseln ist,)[1] in folgenden Fällen: (Status absolutus Singular des Akkusativs + hervorhebendem *-t*) in der Prosa: 1008:15 *šḥr ʿlmt* "von diesem Morgen an auf ewig (wörtlich: die Morgenröte, die Ewigkeit)"; vgl. die Parallele ibid.:14 ohne hervorhebende Partikel (*ʿd ʿlm*); vgl. auch dichterisch 1Aqht:154 u.ö. *ʿlm-h* d.h. mit hervorhebendem *-h* (siehe oben); ferner (Status absolutus Singular des Genitivs + hervorhebendem *-t*), dichterisch: 51:VII:38 *ib hdt lm tḫš* "(o) Feinde des Hd, warum . . . ihr?"[2]; vgl. sonst *hd* passim; ebenso (Status constructus Singular des Genitivs + hervorhebendem *-t*), dichterisch: Krt:140-141 *ṯlṯ sswm mrkbt* (:140) *btrbṣt bn amt* (:141) "(nimm) drei Pferde (und) einen Wagen (, der sich) im Hofe des Sohnes der Magd (befindet)!"; vgl. die Parallelen ibid. passim ohne hervorhebende Partikel. Zum Gebrauch von *-t* vgl. zunächst analog zu arabisch: Nomen + hervorhebendem *-ta* (*-tā*), *-ti* (erstarrte Verbindungen); tigrē: Nomen + hervorhebendem *-tē*; usw.[3]

Einmal dichterisch dient ferner ugaritisch hervorhebendes *-t* der Unterstreichung des Pronomens, namentlich des Genitivsuffixes: 76:II:4 *hn bʿl bbhtht* "siehe, Baʿl (ist) in seinem Palast"; vgl. die Parallele ibid.:5 ohne Hervorhebungspartikel; vgl. sonst Personalsuffix + hervorhebendem *-y*, *-m*, *-n* (siehe oben). Zum Gebrauch von *-t* vgl. besonders zu äthiopisch Personalsuffix + hervorhebendem *-tV* (nur in erstarrten Verbindungen nach bestimmten Präpositionen)[4].

Sonst dient ugaritisch hervorhebendes *-t* noch in mehreren Fällen zur Unterstreichung von Partikeln.

Mit Adverbien verbunden steht *-t*, in der Dichtung (zusammengesetztes Demonstrativadverb + hervorhebendem *-t*): 127:4 *bkt* (< **b-kn-t*) (siehe oben) *tgly* "dann geht sie (d.h. Šʿtqt) fort"[5]; vgl. dieselbe Formbildung 51:VII:42 u.ö. mit hervorhebendem *-m* (*bkm* < **b-kn-m* (siehe oben)); in der Prosa (einfaches Demonstrativadverb + hervorhebendem *-t*): 54:16-18 *w mnm* (:16) *rgm d tšmʿ* (:17) *ṯmt* (:18) "und jedes Wort, das du dort vernimmst"; daneben erscheinen: *ṯm*, *ṯm-n*, *ṯmny* (siehe oben). Zum Gebrauch von *-t* vgl. analog zu arabisch *ṯamma-ta* (neben *ṯamma*), *ṯumma-ta* (neben *ṯumma*); altsüdarabisch *ṯm-t*; usw.[6].

Der Negation *bl* angehängt begegnet hervorhebendes *-t* vereinzelt dichterisch: 49:I:26 *blt nmlk ʿṯtr ʿrẓ* "wollen wir nicht ʿṮtr, den Furchtbaren, zum König machen?"[7]; vgl. die Parallele ibid.:20 ohne *t*-Erweiterung. Zum Gebrauch von *-t* vgl. analog zu hebräisch *bil-tī* < **bal-tī* (neben *bal*); phönizisch *bl-t* (neben *bl*); vgl. ferner arabisch *lā-ta* (neben *lā*); hararī *al-ta-m* neben *m-al-ta*; usw.[8].

---

1 Vgl. Virolleaud, *PU* II, S. 22.

2 Vgl. schon Driver, *Myths*, S. 129 Anmerkung 14); *OLZ* 60 1/2 (1965), S. 5; van Zijl, *AOAT* 10, S. 150.

3 Siehe Barth, *Pronominalbildung*, S. 85f., 88f.; Wright II, S. 87 D f.

4 Siehe Barth, *Pronominalbildung*, S. 86; usw.

5 Zu anderen Auffassungen vgl. Virolleaud, *Syria* XXIII (1943-1944), S. 1; Driver, *Myths*, S. 45; Gordon, *Ug. lit.*, S. 81; Gray, *Krt*, S. 27, 74f.; usw. (*bkt* von *bky* "weinen") (vor allem sprachlich unhaltbar); Ginsberg, *ANET*, S. 148; Aistleitner, *Wb*, S. 49 (*bkt* = einem Ortsnamen) (dagegen spricht entschieden der Kontext; kontextlich steht *bkt* nämlich nicht, wie von Ginsberg und Aistleitner angenommen, in Parallele zu *nṣrt* ibid.: 5); Sauren und Kestemont, *UF* 3, S. 218 (*bkt* = *b* (Präposition) + *kt* (Nomen = "chaudron") (auch zunächst aus kontextlichen Gründen unhaltbar).

6 Siehe Wright I, S. 293 B; Wehr, *Wb*, S. 94; Beeston, *Grammar*, § 42:2.

7 Zu der von mehreren Forschern vertretenen positiven Auffassung von *blt* siehe oben zu *blt* = Negation.

8 Siehe Gesenius-Buhl, *Hw*, S. 99, 102; Friedrich, *Gram.*, S. 114f.; Rundgren, *Bildungen*, S. 276; Aartun, *BiO* XXVIII, 1/2 (1971), S. 126f.

Besonders häufig tritt ferner hervorhebendes *-t* in Verbindung mit der selbständigen Hervorhebungspartikel *hn* auf[1]. Belege dieser Art sind, aus der Poesie: 49:I:11-12 *tšmḫ ht* (< **hn-t*)[2] (:11) *aṯrt wbnh* (:12) "es freuen sich, siehe, Aṯrt und ihre Söhne"; 68:8-9 *ht ibk* (:8) *b'lm ht ibk tmḫṣ ht tṣmt ṣrtk* (:9) "siehe, deinen Feind, o Ba'l, siehe, deinen Feind wirst du schlagen; siehe, du wirst deinen Gegner vernichten"; 2Aqht:VI:40 *ht tṣdn tinṯt* "siehe, gehen die Frauen auf die Jagd? "; 122:6 *ht alk* [ ] "siehe, ich gehe . . ."; aus der Prosa: 13 rev.5 *wap ht k/w*[ ] "und auch, siehe . . ."; vgl. dazu 2Aqht:II:28 u.ö. *ap hn* sowie 137:13 *aphm* <**aphn-m* (vgl. oben); 18:17-18 *ht yšm' uḫy* (:17) *lgy* (:18) "siehe, mein Bruder soll auf meine Stimme hören"; 54:8-10 *ht* (:8) *hm inmm* (:9) *nḫtu* (:10) "siehe, wenn nichts mehr (gehört wird), sind sie niedergeschlagen"; vgl. die Parallele 1012:30-31 ohne Hervorhebungspartikel (resp. mit hervorhebendem *-n* (vgl. oben)); 138:10-12 *wht aḫy*[3] (:10) *bny yšal* (:11) *ṯryl* (:12) "und siehe, mein Bruder, mein Sohn, soll Ṯryl fragen"; ebenso ibid.:15-17; 1013:14-15 *wht* (:14) [ ]*sny udrh* (:15) "und siehe, . . ."; 1021:4-5 *wht luk 'm ml*[*kt*] (:4) *tǵsdb* (:5) "und siehe, Tǵsdb ist zur König[in] gesandt worden"; 1021:9 *wht aby* [ ] "und siehe, mein Vater . . ."; 2008 rev.9 *ht lik*[*t 'm*] *mlk* "siehe, [ich habe zum] König gesandt"; 2009:6-7 *ht 'm*[*ny*] (:6) *kll šlm* (:7) "siehe, bei (mir/uns) (ist) alles wohlauf"; 2060:13 *ht* [ ] *špš b'lk* "siehe, . . . die Sonne, dein Herr"; 2063:13-14 *wht* (:13) *mlk syr* (:14) "und siehe, der König . . ."; vgl. auch 1012:11-12 (zerstört). Einmal in der Prosa kommt auch die Kombination *hnkt* = *hn-nV-k-t* (vgl. schon oben) vor: 2061:12-14 *w bny hnkt* (:12) *yškn anyt* (:13) *ym* (:14) "und mein Sohn, siehe, er soll Schiffe des Meeres liefern"[4]; vgl. ferner 1012:23 *hnk* ohne hervorhebendes *-t* (siehe oben). (Zur syntaktischen Struktur vgl. unten zu *hn*.) Vgl. sonst neben *hn* (= *hn*/*hn-nV*) *hm* < **hn-m* (siehe oben). Zur Kombination mit *-t* vgl. zu den übrigen Partikeln + hervorhebendem *-t*.

Schließlich tritt hervorhebendes *-t* zuweilen hinter Präpositionen auf. Vorhandene Belege sind: *'l* + hervorhebendem *-t*[5], in der Prosa: 2060:31 *ib 'ltn* "der Feind (ist) über uns (d.h. überfällt uns)"[6], vgl. sonst *'l*, *'l-n* (siehe oben); - *k* + hervorhebendem *-m* (siehe oben) + hervorhebendem *-t*, ebenso in der Prosa: 1005:2-4 *km špš* (:2) *dbrt kmt* (:3) *br ṣtqšlm* (:4) "wie die Sonne, die frei (ist), ebenso frei (ist) Ṣtqšlm (wörtlich: wie die Sonne, die frei (ist), wie frei Ṣtqšlm)". Zur Syntax vgl. oben S. 60, Anmerkung 3); vgl. übrigens neben *k* *k-w*, *k-m* (siehe oben). Zum letztgenannten Gebrauch von *-t* vgl. z.B. analog zu phönizisch *'l-t*; mišnā-hebräisch *kĕ-mō-ṯ* < **kV-mā-t(V)*; syrisch *bēṯ* < **bēn-t* (**bayn-t(V)*); nabatäisch und palmyrenisch *kĕ-wā-ṯ*, *lĕ-wā-ṯ*; usw.[7].

b) *Formen zur Hervorhebung des einzelnen Wortes bzw. des ganzen Satzes*

Von dieser Art kommt vor 1) vom Stamm *d* (< **ḏ*): *dm* = *d* (Stammbildung) + *-m* (hervorhebende Partikel (siehe oben)) "siehe!". Zur Etymologie vgl. arabisch *ḏā*; hebräisch *zǣ* < **ḏV* "da"[8].

---

[1] D.h. *ht* < **hn-t*. Vgl. schon Driver, *Myths*, S. 137 mit Verweis auf Obermann (*Ug. myth.*, S. 71 Anmerkung 81) sowie auf Virolleaud und Bauer; anders z.B. Aistleitner, *Wb*, S. 93 (Pronomen bzw. Präposition; sowohl sprachlich wie kontextlich unhaltbar); de Moor, *BiO* XXIV (1967), S. 209; *AOAT* 16, S. 126, 135 (Verwechslung der Hervorhebungspartikel *ht* = "siehe!" mit dem Adverb *ht* = "nun"; vgl. oben)).

[2] Zur Phonetik vgl. Gordon, *Textbook*, S. 32 (§ 5.22).

[3] Wie arabisch *'inna* (Wright II, S. 80 B f. u.ö.) setzt auch ugaritisch *ht* (ebenso wie *hn*!; siehe unten zu 1161:8) das unmittelbar nachfolgende Subjekt des Nominalsatzes in den Akkusativ. (Vgl. dagegen oben zu 18:17-18 mit Voranstellung des Prädikats: *uḫy* = dem Nominativ.) Vgl. ferner besonders Gordon, *Textbook*, S. 354.

[4] Zu anderen Auffassungen von *hnkt* vgl. schon oben mit Verweisen.

[5] Vgl. schon Gordon, *Textbook*, S. 457.

[6] Die Form *'ltn* als eine Verbalform von der Wurzel *'ly* + Suffix zu erklären (so Virolleaud, *PU* V, S. 86, 152) ist phonetisch nicht möglich.

[7] Siehe Friedrich, *Gram.*, S. 115; Nöldeke, *Syr. Gram.*, S. 99; Barth, *Pronominalbildung*, S. 89; Cantineau, *Nabatéen* I, S. 99; *Gram. du palm. epigr.*, S. 140.

[8] Siehe Gesenius-Buhl, *Hw*, S. 193; Wright II, S. 93 A; usw. Vgl. auch schon Aistleitner, *Wb*, S. 73.

Bisher wird die hervorhebende Partikel *dm*, die syntagmatisch immer voransteht, nur in der Dichtung angewandt. In den vorhandenen Fällen dient dieselbe nur ganz selten zur Hervorhebung des einzelnen Wortes, namentlich des Zeitakkusativs des Nomens, wie Krt:113-114 *s‘t bn[p]k šibt bbqr* (:113) *mmlat dm ym wṯn* (:114) "nimm gefangen o.ä. die Schöpfende am Br[un]nen, die Füllende an der Quelle, siehe, einen Tag und einen zweiten!"[1] ; ebenso ibid.:214-218. Zum Gebrauch vgl. entsprechend unten zu *hn* 2Aqht:V:3-4; Krt:118-120; *mk* Krt:107-108; usw.

Öfters dient aber schon *dm* der Hervorhebung des ganzen Satzes. Dabei unterstreicht es meistens den verbalen bzw. nominalen Aussagesatz, wie 67:III:9 *dm mt aṣḥ* "siehe, Mt, ich rufe"[2] ; ebenso ibid.:18, :25; 127:13-14 *mt dm ḫt š‘tqt* (:13) *dm lan* (:14) "Mt, siehe, er wurde geschlagen (wörtlich: wurde gebrochen), Š‘tqt, siehe, sie war stark"; vgl. auch unten[3] ; 2Aqht:VI:34-35 *dm lǵzr* (:34) *šrgk ḫḫm* (:35) "siehe, für einen Helden (ist) dein Lügen einfältig"[4] ; ‘nt:III:17-18 *dm rgm* (:17) *iṯ ly* (:18) "siehe, ich habe ein Wort"[5] ; ebenso ‘nt pl. IX:III:12[6] . Einzeln unterstreicht ferner *dm* den verbalen Aufforderungssatz: 127:1-2 *[m]t dm ḫt š‘tqt dm* (:1) *li* (:2) "[M]t, siehe, sei geschlagen (wörtlich: sei gebrochen), Š‘tqt, siehe, sei stark!"; vgl. oben zu 127:13-14[7] . Zu diesem Gebrauch vgl. ebenso vor allem analog zur funktionsverwandten Form *hn* (siehe unten).

Weiter finden sich 2) vom Stamm *hn*: *hn* (Stammbildung mit/ohne *n*-Erweiterung (wegen der mangelhaften Schrift ist die morphologische Struktur nicht mehr mit Sicherheit zu entscheiden; vgl. oben); *hnk* = *hn* + *-nV* (hervorhebende Partikel (siehe oben)) + *-k* (hervorhebende Partikel (siehe oben)); *hnkt* = *hn* + *-nV* + *-k* + *-t* (hervorhebende Partikel (siehe oben)); *hm* < **hn* + *-m* (hervorhebende Partikel (siehe oben)); *ht* < **hn* + *-t* "siehe!" Zur Etymologie und Morphologie vgl. hebräisch *hěn* (< **hin*), *hin-nē*; phönizisch *hn*; "jaudisch" *hn-w*; altsüdarabisch *hn*; akkadisch *en-ma* (vgl. ferner arabisch *'in*, *'in-na*, *'in-na-mā*) "siehe!"[8] .

Im Material werden die Formen vom Stamm *hn*, die auch alle vorangestellt auftreten, ungleich häufig, dazu auch z.T. in verschiedenen syntaktischen Verbindungen verwendet.

Am gebräuchlichsten erweist sich unter den letztgenannten Formtypen die einfache bzw. erweiterte Bildung *hn* (d.h. Stammbildung mit/ohne *n*-Erweiterung). Schon an mehreren Stellen dient diese der Unterstreichung des einzelnen Wortes. Dabei hebt sie z.T. das Nomen bzw. Pronomen als Subjekt hervor, wie dichterisch: 62:47 *‘dk ilm hn mtm* "dein Zeuge (ist) Il/der Gott, siehe, Mt"[9] ; 1Aqht:169 (am Rand) *whn bt* "und siehe,

[1] Vgl. schon Gordon, *Textbook*, S. 385; dagegen z.B. Virolleaud, *Keret*, S. 81 ("sang"); Ginsberg, *ANET*, S. 144 ("tarry"); Driver, *Myths*, S. 31 ("stay quiet"); Gray, *Krt*, S. 13 ("wait"); ebenso Jirku, *Mythen*, S. 88; Aistleitner, *Texte*, S. 91; Sauren und Kestemont, *UF* 3, S. 199; usw. Der Zusammenhang sowie die Parallelen fordern unbedingt einen hervorhebenden Sinn.

[2] Vgl. schon Jirku, *Mythen*, S. 59; Gordon, *Textbook*, S. 385; anders z.B. Virolleaud, *Syria* XV (1934), S. 322 (Imp. von *dmm*); Driver, *Myths*, S. 105 ("not"); de Moor, *AOAT* 16, S. 181 ("for"). Vgl. die unmittelbar vorangehende Anmerkung.

[3] Vgl. schon Jirku, *Mythen*, S. 112; ähnlich Driver, *Myths*, S. 45 ("truly"); dagegen z.B. Virolleaud, *Syria* XXIII (1942-1943), S. 3 (Verb); ebenso Aistleitner, *Wb*, S. 78; Sauren und Kestemont, *UF* 3, S. 219; Gordon, *Ug. lit.*, S. 82; *Textbook*, S. 385 ("on the one hand - - - on the other"); ferner Gray, *Krt*, S. 28 ("as for"); usw. Vgl. oben Anmerkung 1.

[4] Vgl. schon Jirku, *Mythen*, S. 123; Gordon, *Textbook*, S. 385; dagegen z.B. Virolleaud, *Danel*, S. 209, 213 (Verb im Imp.); Ginsberg, *ANET*, S. 151 ("for"); Driver, *Myths*, S. 55 ("not"); usw. Vgl. oben Anmerkung 1.

[5] Vgl. schon Jirku, *Mythen*, S. 29; Gordon, *Textbook*, S. 385; dagegen z.B. Virolleaud, *Déesse*, S. 35 ("sang"); Cassuto, *‘Anat*, S. 66, 80 (*Goddess*, S. 91, 127) (*lim‘ōnī*/"my abode"); Ginsberg, *JCS* 2 (1948), S. 142; *ANET*, S. 136 ("for"); ebenso Gaster, *JNES* 7 (1948), S. 189; Driver, *Myths*, S. 87; Aistleitner, *Texte*, S. 27; usw. Vgl. oben Anmerkung 1.

[6] Vgl. Pope, *JCS* 6 (1952), S. 135.

[7] Vgl. ferner oben Anmerkung 3.

[8] Siehe Gesenius-Buhl, *Hw*, S. 185; Friedrich, *Gram.*, S. 120, 162; Jean und Hoftijzer, *Dictionnaire*, S. 67; Höfner, *Gram.*, S. 173; von Soden, *AHw*, S. 218; *CAD*, "E", S. 169 mit Verweis; Wright I, S. 284 D f.

[9] Anders Driver, *Myths*, S. 115; Jirku, *Mythen*, S. 76; de Moor, *AOAT* 16, S. 240f. und andere; vgl. oben S. 51, Anmerkung 6.

das Haus"[1]; in der Prosa: 2:25-26 *ytšì ldr* (:25) *bn il lṯkmn* [*w*]*šnm hn ʿr* (:26) "es steige empor zum Geschlecht der Söhne des Il, zu Ṯkmn [und] Šnm, siehe, der Esel!"[2]; ebenso ibid.:34-35; vgl. auch 1012:10, :17 (zerstörte Stellen); 1012:31-32 *tmǵyy hn* (:31) *alpm ššwm hnd* (= *hn-nV-d*)[3] (:32) "sie sollen dahinkommen, siehe, diese 2000 Pferde (wörtlich: siehe, die 2000 Pferde, siehe, diese (geforderten))"; vgl. auch unten zur erweiterten Form *ht*; 2059:10-14 *anykn dt* (:10) *likt mṣrm* (:11) *hndt* (= *hn-nV-dt*; vgl. oben) *b ṣr* (:12) *mtt by* (:13) *gšm adr* (:14) "dein Schiff, das du nach Ägypten geschickt hast, siehe, dieses, ist in Tyrus bei einem gewaltigen Regen untergegangen"; ferner bisweilen den Zeitakkusativ des Nomens, wie dichterisch: Krt:118-119 *whn špšm* (:118) *bšbʿ* (:119) "und siehe, bei Sonnenaufgang (wörtlich: (bei) der Sonne) am siebenten (Tage)"; vgl. ebenso unten zu *mk*; 2Aqht:V:3-4 *whn šb*[ʿ] (:3) *bymm* (:4) "und siehe, am sieben[ten] Tage"; vgl. ebenso oben zu *dm*; ferner schon häufig das zum Nomen im Akkusativ bzw. Genitiv gehörige Pronomen, vorläufig jedoch nur in der Prosa: 1005:8-9 *nqmd mlk ugrt* (:8) *ktb spr hnd* (= *hn-nV-d*; vgl. oben) (:9) "Nqmd, der König von Ugarit, hat diesen Brief (wörtlich: den Brief, siehe, diesen) geschrieben"; ibid.:12-14 *wmnkm lyqḥ* (:12) *spr mlk hnd* (:13) *byd ṣṭqšlm* (:14) "und niemand nehme dieses königliche Schreiben aus der Hand des Ṣṭqšlm (wörtlich: und niemand nehme das Schreiben des Königs, siehe, dieses in der Hand (im Besitz) des Ṣṭqšlm)"; ebenso 1009: 12-15; 1006:1-4 *l ym hnd* (:1) *iwrk*[*l*] *pdy* (:2) *agdn bn nrgn(?)* (:3) *wynḥm aḫh* (:4) "von diesem Tag an (wörtlich: in bezug auf den Tag, siehe, diesen)[4] hat Iwrk[l] Agdn Bn Nrgn(?) und Ynḥm, seinen Bruder, losgekauft"; vgl. auch 1008:1-5; 1009:1-5; 1012:33-36 *w mlk bʿly bnš* (:33) *bnny ʿmn* (:34) *mlakty hnd* (:35) *ylak ʿmy* (:36) "und der König, mein Herr, soll den Vermittler zusammen mit dieser meiner Botschaft (wörtlich: zusammen mit meiner Botschaft, siehe, dieser) zu mir senden"; 1005:10-11 *d tbrrt ṣṭqšlm* (:10) *ʿbdh hnd* (:11) "den (Brief) der Befreiung des Ṣṭqšlm, seines Dieners, siehe, dieses (eben genannten Dieners)"; vgl. auch unten zu *hnk*; ferner 2064:6; 2127 a:4 (zerstörte Stellen). Zum angeführten Gebrauch vgl. u.a. analog zu hebräisch *hinnē* Gn 34:21; 42:22; usw. (*hinnē* + Nomen); Ct 2:8 (*hinnē* + Pronomen = *hinnē-zæ*); usw.

Ausgedehnt ist auch der Gebrauch von *hn* (Stammbildung mit/ohne *n*-Erweiterung; vgl. oben) zur Hervorhebung des ganzen Satzes. Ausnahmslos hebt es bei dieser Anwendung konstatierende – verbale bzw. nominale – Sätze hervor. Beispiele sind: *hn* + folgendem Verbalsatz mit *qtl* bzw. *yqtl(-)*, dichterisch: 49:VI:10-11 *phn aḫym ytn bʿl* (:10) *spuy* (:11) "und siehe, meine Brüder hat Baʿl mir zu essen (wörtlich: zu meinem Essen) gegeben"; ebenso ibid.:14-15; 51:VI:24-25 *hn ym wṯn tikl* (:24) *išt bbhtm* (:25) "siehe, einen Tag und einen zweiten frißt das Feuer am Palast"; 124:17 *hn ym yṣq yn* "siehe, einen Tag gießt er Wein"; 127:21-22 *hn ym* (:21) *wṯn yṯb krt lʿdh* (:22) "siehe, (nach) einem Tag und einem zweiten kehrt Krt zurück zu seiner Gewohnheit"; 2Aqht:II:32-33 *hn ym wṯn yšlḥm* (:32) *kṯrt* (:33) "siehe, einen Tag und einen zweiten gibt er (Dnil) den *kṯrt* zu essen"; 124:21 *hn ym wṯn tlḥm rpum* "siehe, einen Tag und einen zweiten aßen die *rpum*"; vgl. auch 49:V:23, :VI:37; 2Aqht:V:38; 602:1 (zerstörte Stellen); aus der Prosa: 2009 rev. (linker Rand) :1-2 *hn mrṯ d štt* (:1) *ašṣu* (:2) "siehe, den Wein, den du trankst, bringe ich heraus"; 1012:30-31 *hn hm yrgm mlk* (:30) *bʿly* (:31) "siehe, wenn der König, mein Herr, es befiehlt (wörtlich: sagt)"; vgl. die Parallele 54:8-9 mit der erweiterten Form *ht* (siehe unten); ferner: *hn* + folgendem (echtem bzw. zusammengesetztem) Nominalsatz, dichterisch: 52:50 *hn špthm mtqtm* "siehe, ihre Lippen (sind) süß"; ebenso ibid.:55; 76:II:4 *hn*[5] *bʿl bbhtht* "siehe, Baʿl (ist) in seinem Palast"; 77:45-46 *hn bpy sp*(:45)*rhn* (:46) "siehe, in meinem Munde (ist) ihre Zahl"; 52:46 *whn aṯtm tṣḥn* "und siehe, die beiden Frauen rufen"; vgl. die Parallelen ibid.:39, :42-43 mit *hm* (siehe unten); Krt:24 *hn*

---

1 Vgl. Gordon, *Manual*, S. 181; *Ug.lit.*, S. 99 und andere; anders Herdner, *Corpus*, S. 92; van Selms, *UF* 3, S. 235 (die letzteren lesen *dt* statt *bt*). Zur obigen Interpretation der Stelle vgl. – außer der keilschriftlichen Grundlage – auch besonders den Kontext, auf den sich die betreffende Randbemerkung bezieht.

2 Vgl. schon Gordon, *Ug.lit.*, S. 110; dagegen z.B. Aistleitner, *Wb*, S. 91; van Selms, *UF* 3, S. 242 (*hn* = Pronomen).

3 Vgl. S. 63, Anmerkungen 8 und 9.

4 Siehe näher unten zu *l* (Präposition). Zum Stil vgl. ähnlich akkadisch *ištu ūmim annî(m)* "von diesem Tag an" (Virolleaud, *CRAIBL* (1952), S. 131); vgl. auch von Soden, *AHw*, S. 402.

5 Zu anderer Lesart siehe Herdner, *Corpus*, S. 50.

šp̣ḥ yitbd "siehe, die Sippe ging zugrunde"; 2Aqht:I:6-8 *hn ym* (:6) [*wṯn uzr*] *ilm dnil* (:7) [*uzr ilm*] *ylḥm* (:8) "siehe, einen Tag [und einen zweiten] ißt Dnil [das *uzr*-Opfer] der Götter, [das *uzr*-Opfer der Götter]"[1]; so auch häufig in der Verbindung: *apnk . . . ap hn* (nur im Aqht-Gedicht): 1Aqht:19-21 *apnk dnil* (:19) [*m*]*t rpi ap*[*h*]*n ǵ*[*z*]*r* (:20) [*mt hrn*]*my ytšu* (:21) "und dann Dnil, der Rpu-[Ma]nn, ja (wörtlich: auch), siehe, der H[el]d, der [Mann aus Hrn]my, erhebt sich"; ebenso 2Aqht:V:4-6; 2Aqht:II:27-30 *apnk dnil* (:27) *mt rpi ap hn ǵzr mt* (:28) *hrnmy alp yṯbḫ lkṯ* (:29) *rt* (:30) "und dann Dnil, der Rpu-Mann, ja siehe, der Held, der Mann aus Hrnmy, schlachtet(e) den *kṯrt* ein Rind"; vgl. ferner 2Aqht:V:13-15, :33-35; (mit Voranstellung des Subjektes) Krt:20-21 *mṯbʿt hn bšlḥ* (:20) *ttpl* (:21) "ein Siebentel, siehe, es fiel durch den Speer"; aus der Prosa: 1012:27 *w hn ibm šṣq ly* "und siehe, der Feind bedrängt mich"; 1161:8-9 *hn hmt*[2] (:8) *tknn* (:9) "siehe, diese sind es"; ferner 608:33-34; 1012:8-9, :10-11, :17-18, :37-39; 2008 rev.11-12 (zerstörte Stellen). Zum hier angeführten Gebrauch von *hn* vgl. u.a. analog zu hebräisch *hēn*/*hinnē* Gn 3:22; 19:20; 20:16; 47:23; Ex 6:30; Jos 2:2; 1S 21:15; 26:24; 2S 12:18; usw.

Die erweiterte Form *hnk* wird vorläufig nur einmal in der Prosa zur Hervorhebung eines präpositionalen Ausdrucks (Präposition + Nomen) gebraucht: 1012:23-24 *lm škn hnk* (:23) *lʿbdh alpm š*[*šw*]*m* (:24) "warum hat er (der Hethiterkönig) seinem Diener (wörtlich: siehe, seinem Diener) (dem König von Ugarit) 2000 Pferde auferlegt?"[3] Zum betreffenden Gebrauch vgl. analog zu hebräisch *hinnē* Gn 42:28 u.ö.

Vorläufig auch nur einmal in der Prosa angewandt, dient die erweiterte Form *hnkt* der Unterstreichung eines verbalen Befehlssatzes (namentlich als des Prädikats eines zusammengesetzten Nominalsatzes (nach allem syntaktisch: *hnkt* + dem Indikativ)): 2061:12-14 *w bny hnkt* (:12) *yškn anyt* (:13) *ym* (:14) "und mein Sohn, siehe, er soll Schiffe des Meeres liefern (wörtlich: er liefert/wird liefern Schiffe des Meeres)"[4]. Zum Gebrauch vgl. analog z.B. zu hebräisch *hinnē* Ex 32:34 u.ö. (mit folgender Indikativform des Verbs)[5].

Die erweiterte Form *hm*, die bisher nur in der Dichtung zur Anwendung kommt, dient vereinzelt zur Unterstreichung des einzelnen Wortes (des Nomens als direkten Objekts); so Krt:41-43 *mlk* [*ṯ*]*r abh* (:41) *yarš hm drk*[*t*] (:42) *kab adm* (:43) "begehrt er die Herrschaft des [Stie]res, seines Vaters, siehe, die Mach[t] gleich der des Vaters der Menschheit?"[6]; vgl. ähnlich unten zu 51:III:30-32. Zum Gebrauch vgl. schon oben zu *hn*.

Häufig dient aber schon *hm* der Hervorhebung des ganzen Satzes. Beispiele dieser Art sind: *hm* + folgendem verbalem Aussagesatz mit *qtl* bzw. *yqtl(-)*: 51:III:30-32 *mgntm* (:30) *ṯr il dpid hm ǵẓtm* (:31) *bny bnwt* (:32) "habt ihr den Stier-Gott, den Mitleidigen, gebeten, siehe, den Erzeuger der Geschöpfe angefleht?"; vgl. ähnlich oben zu Krt:41-43; 51:IV:33-34 *rǵb rǵbt . . .* (:33) *hm ǵmu ǵmit* (:34) "du hast wahrlich Hunger . . . , siehe, du hast wahrlich Durst"[7]; 51:V:73 *hm bt lbnt yʿmsnh* "(ein Haus aus Zedern wird er vollenden,) siehe, ein Haus aus Ziegeln wird er aufrichten"; 67:I:21-22 *hm ks ymsk* (:21) *nhr* (:22) "siehe, den Becher mischt Nhr"; ebenso 604 obv.9-10; 608:11 *hm yasp ḥmt* "siehe, er sammelt das Gift"; 76:II:23-24 *hm bʿp* (:23) *nṭʿn*[8] *barṣ iby* (:24) "siehe, im Flug stießen wir zur Erde meine Feinde/ meinen Feind"; ferner: *hm* + folgendem (echtem bzw. zusammengesetztem) Nominalsatz konstatierender Art: 67:I:15-16 *hm brlt anḫr* (:15) *bym* (:16) "siehe, das Verlangen des Pottwals (ist) im Meere"; ibid.:18-19 *hm imt imt npš blt* (:18) *ḥmr* (:19)

1 Zur Deutung des Syntagma vgl. Virolleaud, *Danel*, S. 188; Driver, *Myths*, S. 48; anders z.B. Ginsberg, *ANET*, S. 150; Jirku, *Mythen*, S. 115; Gordon, *Ug.lit.*, S. 85; *Ug. and Min.*, S. 121; usw.

2 Zur Konstruktion: *hn* + dem Subjekt im Akkusativ (wie arabisch *ʾinna*) siehe schon oben S. 67 Anmerkung 3. Zu anderer Deutung der Stelle vgl. Rainey, *UF* 3, S. 159 (rein willkürliche Annahme).

3 Anders Virolleaud, *PU* II, S. 28, 207; Aistleitner, *Wb*, S. 92; Gordon, *Textbook*, S. 392. Vgl. schon oben zu *-k*, *-n*.

4 Anders z.B. Virolleaud, *PU* V, S. 88, 149; usw.; vgl. schon oben zu *-k*, *-n*, *-t*.

5 Zur Verbalsyntax vgl. besonders Aartun, *Tempora*, S. 108f.

6 Zu anderen Auffassungen vgl. schon oben zu *-m*.

7 Zur Verbalsyntax siehe Aartun, *Tempora*, S. 40f.

8 Kurzform von der Wurzel *ṭʿn*; vgl. 67:I:26.

"siehe, in Wahrheit, in Wahrheit mein Begehren (ist) das Verzehren des Lehmes"; ibid.:20-21 *hm šbʿ* (:20) *ydty bṣʿ* (:21) "siehe, sieben meiner Portionen (sind) in der Schale"; vgl. 604 obv.10-11; 51:IV:38-39 *hm yd il mlk* (:38) *yḫssk* (:39) "siehe, die Liebe des Il, des Königs, wird dich erregen"; 52:39 *hm aṯtm tṣḥn* "siehe, die beiden Frauen rufen"; ebenso ibid.:42-43; vgl. die Parallele ibid.:46 mit *hn* (siehe oben); 67:I:16-17 *hm brky tkšd* (:16) *rumm* (:17) "siehe, der Teich überwältigt die Wildochsen"; 604 obv.6-8 *brkt* [*m*]*šbšt* (:6) *krumm hm* (:7) *ʿn kdd aylt* (:8) "der Teich [über]mannt (wörtlich: verwirrt o.ä.) die Wildochsen, siehe, die Quelle die Herde der Hinden"; vgl. ferner 51:II:24-25 (zerstört); ebenso: *hm* + folgendem Aufforderungssatz mit Imperativ: 51: IV:35 *lḥm hm štym* "iß, siehe, trink!"; 137:13 *ap hm tbʿ ǵlm*[*m*] "ja (wörtlich: auch) siehe, gehet Diene[r]!"; vgl. oben zu *ap hn* und unten zu *ap ht*. Zu *hm* als Konjunktion der Bedingung siehe unten[1]. Zu diesem Gebrauch der Hervorhebungspartikel *hm* vgl. analog z.B. zu hebräisch *hinnē* Gn 12:19; 20:15-16; Jos 2:2; Sach 9: 9; Ps 7:15; usw.

In verschiedenen Textarten verwendet ist die erweiterte Form *ht*. Wie die Variante *hm* (siehe oben) wird diese nur einzeln zur Hervorhebung des einzelnen Wortes benutzt, wie dichterisch: (*ht* + dem Nomen als Subjekt) 49:I:11-12 *tšmḫ ht* (:11) *aṯrt wbnh* (:12) "es freuen sich, siehe, Aṯrt und ihre Söhne!"[2]. Zum Gebrauch vgl. ebenso oben zu *hn*.

Satzbetonend begegnet aber *ht* gleichfalls schon an zahlreichen Stellen. Belege sind: *ht* + folgendem verbalem Aussagesatz mit *qtl* bzw. *yqtl-*, dichterisch: 68:8-9 *ht ibk* (:8) *bʿlm ht ibk tmḫṣ ht tṣmt ṣrtk* (:9) "siehe, deinen Feind, o Baʿl, siehe, deinen Feind wirst du schlagen, siehe, deinen Gegner wirst du vernichten"; 122: 6 *ht alk* "siehe, ich gehe"; 2Aqht:VI:40 *ht tṣdn tinṯt* "siehe, gehen die Frauen auf die Jagd?"; aus der Prosa: 1021:4-5 *wht luk ʿm ml*[*kt*] (:4) *tǵsdb* (:5) "und siehe, Tǵsdb ist zur König[in] gesandt worden"; 2008 rev.9 *ht lik*[*t ʿm*] *mlk* "siehe, [ich habe zum] König gesandt"; 2060:13-14 *ht* [ ] *špš bʿlk* (:13) *ydʿm l ydʿt* (:14) "siehe, . . . die Sonne, deinen Herrn, hast du wahrlich nicht anerkannt"; so auch (im Sinne eines höflichen Befehls oder Bitte) 18:17-18 [*w*]*ht yšmʿ uḫy*[3] (:17) *lgy* (:18) "[und] siehe, mein Bruder wird (= soll) auf mich (wörtlich: auf meine Stimme) hören"[4]; ferner: *ht* + folgendem (echtem bzw. zusammengesetztem) Nominalsatz konstatierender Art, aus der Prosa: 2009:6-7 *ht ʿm*[*ny*] (:6) *kll šlm* (:7) "siehe, bei [mir/uns] (ist) alles wohlauf"; 54:8-9 *ht* (:8) *hm inmm* (:9) "siehe, wenn nichts (gehört wird)"; ebenso (in der Bedeutung eines höflichen Befehls oder Aufforderung) 138:10-12 *wht aḫy*[5] (:10) *bny yšal* (:11) *ṯryl* (:12) "und siehe, mein Bruder, mein Sohn, wird (= soll) Ṯryl fragen"[6]; ebenso ibid.:15-17; ferner 13 rev.5 (*ap ht*; vgl. oben zu *ap hn* und *ap hm*); 1012:11-12; 1013:14-15; 2060:11 (zerstörte Stellen)[7]. Zu diesem Gebrauch vgl. schon oben zu *hn, hnkt, hm*.

Zu dieser Kategorie gehört endlich auch 3) die Form *mk* "siehe!" Zur Etymologie vgl. ägyptisch *mk* "siehe!"; vgl. auch akkadisch *muk(u)* (neben *nuk(u)*) (Partikel zur Hervorhebung der zitierten direkten Rede)[8].

Auch die hervorhebende Partikel *mk*, die ebenso syntagmatisch voransteht, ist im vorliegenden Material nur in der Dichtung gebräuchlich. Als betonendes Mittel des einzelnen Wortes unterstreicht die Form bisher allein den Zeitausdruck des Nomens, wie Krt:107-109 *mk špšm* (:107) *bšbʿ wtmǵy ludm* (:108) *rbt* (:109) "siehe,

---

1 Zu *hm* = "siehe!" (selbständige Hervorhebungspartikel) siehe sonst schon oben zu *-m*.
2 Siehe schon Ginsberg, *Orientalia* 5 (1936), S. 195 mit Verweis auf Baneth ("*OLZ*. 1932, col. 449 below — L. 46"); siehe auch oben zu *-t*.
3 Vgl. oben S. 67, Anmerkung 3.
4 Zur Syntax vgl. oben zu *hnkt*.
5 Vgl. oben S. 67, Anmerkung 3.
6 Vgl. Anmerkung 4.
7 Zu anderen Deutungen von *ht* in den letztangeführten Fällen vgl. schon oben zu *-t*.
8 Siehe Gordon, *Textbook*, S. 433; Driver, *Myths*, S. 160 mit Verweis auf Albright; Haldar, *BiO* XXI (1964), S. 275; de Moor, *AOAT* 16, S. 231; vgl. auch von Soden, *GAG*, § 121 b.

bei Sonnenaufgang (wörtlich: (bei) der Sonne) am siebenten (Tage), und du wirst nach Udm dem großen gelangen"; ibid.:221-223 *mk špšm bšb'* (:221) *wl yšn pbl* (:222) *mlk* (:223) "siehe, bei Sonnenaufgang am siebenten, und nicht schläft Pbl, der König"; vgl. die Parallele ibid.:118-120 mit *hn* (siehe oben)[1]; so auch (*mk* + Präposition mit Regiertem) 2Aqht:I:16-18 *mk bšb' ymm* (:16) [*w*]*yqrb b'l bḫnth abynt* (:17) [*d*]*nil* (:18) "siehe, am siebenten Tage, [und] es nähert(e) sich Ba'l in seinem Mitleid mit dem Unglück des [D]nil"; vgl. auch unten; ferner 124:25 (zerstört)[2]. Zum angeführten Gebrauch vgl. oben zu *hn* mit Varianten.

Als satzbetonendes Merkmal unterstreicht *mk* konstatierende Sätze. Beispiele sind: *mk* + folgendem Verbalsatz mit *qtl* bzw. *yqtl(-)*: 2Aqht:II:39-40 *mk bšb*['] *ymm tb' bbth* (:39) *kṯrt* (:40) "siehe, am sieben[ten] Tage zogen die *kṯrt* fort aus seinem Haus" (zum wörtlichen Sinn des Syntagma siehe unten zu *b* (Präposition)); 51:VI:31-33 *mk* (:31) *bšb*['] *y*[*mm*] *td išt* (:32) *bbhtm* (:33) "siehe, am sieben[ten] Ta[ge] erlischt/erlosch (wörtlich: entfernt(e) sich o.ä.) das Feuer am Palast"; ferner: *mk* + folgendem echtem Nominalsatz: 128:III:22-23 *mk bšb' šnt* (:22) *bn krt kmhm tdr* (:23) "siehe, in sieben Jahren (waren) die Söhne des Krt (da), wie sie versprochen waren (wörtlich: (waren) die Söhne des Krt wie diejenigen (, die) versprochen waren)"; (mit Voranstellung des Subjektes) 51:VIII:12-13 *hmry mk ksu*[3] (:12) *ṯbth* (:13) "Hmry, siehe, (ist) der Thron seines Sitzes"; ebenso 67:II:15-16[4]. Zum Gebrauch vgl. ebenfalls oben zu *hn* mit Varianten.

c) *Formen zur Hervorhebung des ganzen Satzes*

Unter diese Gebilde gehört eine ganze Reihe von Formen, z.T. von weit verschiedener Funktion.

Vorhanden sind von dieser Art 1) vom Stamm *hl*: *hl* (Stammbildung), *hlh* = *hl* + *-h* (hervorhebende Partikel (siehe oben)), *hlk* = *hl* + *-k* (hervorhebende Partikel (siehe oben)), *hlm* = *hl* + *-m* (hervorhebende Partikel (siehe oben)), *hln* = *hl* + *-n* (hervorhebende Partikel (siehe oben)) "siehe!" Zur Etymologie vgl. hebräisch *hălō*; aramäisch *hlw*; arabisch *halā* (neben *'alā*) = verstärkenden Partikeln vor Sätzen. Vgl. auch akkadisch *allû(-mV)* mit Varianten[5].

Bisher sind die Formen vom Stamm *hl* nur dichterisch zu belegen. Syntagmatisch auch immer vorangestellt, dienen sie in allen Fällen dazu, konstatierende Sätze hervorzuheben.

Was zunächst die unerweiterte Form *hl* betrifft, so hebt diese nur vereinzelt den Verbalsatz hervor; so *hl* + folgendem Verbalsatz mit *yqtl-*: 2Aqht:V:12-13 *hl yš* (:12) *rb' qṣ't* (:13) "siehe, er bringt eine Armbrust herbei"; vgl. die Parallele ibid.:12 mit *hlk* (siehe unten)[6]. Sehr oft bezeugt ist aber die Kombination: *hl* + folgendem (echtem bzw. zusammengesetztem) Nominalsatz, wie (mit angehängtem Pronomen suffixum als dem Subjekt) 52:32 *hlh lšpl hlh trm* "siehe, die eine (liegt), fürwahr, unten, siehe, die andere darüber (wörtlich: sie-

---

[1] Zur Syntax vgl. Brockelmann, *Hebräische Syntax*, S. 9 (§ 13); Driver, *Myths*, S. 31 Anmerkung 13. Vgl. auch unten zu *w-* (Konjunktion).

[2] Zu anderen Auffassungen vgl. Virolleaud, *Keret*, S. 41, 49; *Danel*, S. 188; de Langhe, *Textes* II, S. 155; Driver, *Myths*, S. 31, 35, 48; Aistleitner, *Wb*, S. 184; Gray, *Krt*, S. 13, 16 und andere (gegen die Etymologie sowie die zu vergleichenden Analogien).

[3] Gegen Gordon, *Textbook*, S. 433 vertritt die Form *ksu* hier also nicht das Subjekt, sondern das Prädikat des Satzes. Vgl. oben zu *hn*/*ht*.

[4] Zu anderen Deutungen vgl. Virolleaud, *Danel*, S. 189; *Syria* XIII (1932), S. 146, 160; XV (1934), S. 315; XXIII (1942-1943), S. 154; de Langhe, *Textes* II, S. 155, Driver, *Myths*, S. 37, 51, 99, 103, 105; Aistleitner, *Wb*, S. 184 und andere (vgl. oben).

[5] Siehe Gesenius-Buhl, *Hw*, S. 374; Koehler, *Lex.*, S. 467; Jean und Hoftijzer, *Dictionnaire*, S. 65; Wright I, S. 294 C; 295 B; Wehr, *Wb*, S. 1; von Soden, *AHw*, S. 37; *CAD*, "A" I, S. 358.

[6] Ein Beispiel von *hl* + folgendem Verbalsatz findet de Moor (*AOAT* 16, S. 125) auch 137:47 (zerstörter Text).

he, sie (ist), fürwahr, Tiefliegendes/Unterbefindliches o.ä., siehe, sie ist hoch)"; ibid.:32-33 *hlh tṣḥ ad ad* (:32) *whlh tṣḥ um um* (:33) "siehe, die eine (wörtlich: sie) ruft: "Vater, Vater!", und siehe, die andere (wörtlich: sie) ruft: "Mutter, Mutter!" "; vgl. die verwandten Syntagmen ibid.:39-40, :42-43 mit *hm* sowie ibid.:46 mit *hn* (siehe oben); ferner (mit folgendem Nomen als dem Subjekt) 52:41 *h[l]* *'ṣr tḥrr lišt* "sie[he], der Vogel röstet auf dem Feuer"; ebenso ibid.:44, :47-48; 77:7 *hl ǵlmt tld b[n]* "siehe, das Mädchen wird einen So[hn] gebären"[1]. Zum Gebrauch vgl. analog z.B. zu hebräisch *hălō* Dt 3:11 (|| *hinnē*); Jos 1:9; 2K 15:21; Pr 8:1; Hi 22:12 (|| *rĕ'ē*); usw.

Nur einmal zur Hervorhebung eines echten Nominalsatzes (in einem etwas beschädigten Text) dient die erweiterte Form *hlh*: 2Aqht:II:41-42 *hlh*[2] (:41) *ysmsmt 'rš-lln* (:42) "siehe, die Schönheit des Lagers . . . ". Zum Gebrauch vgl. oben zu *hl*.

Mit Sicherheit nur einmal zu belegen ist auch die erweiterte Form *hlk*. Im betreffenden Fall wird letztere zur Hervorhebung eines Verbalsatzes mit *yqtl-* gebraucht: 2Aqht:V:12 *hlk qšt ybln* "siehe, den Bogen bringt er"[3]; vgl. die Parallele ibid.:12-13 mit *hl* (siehe oben). Mehrdeutig sind dagegen Fälle wie Krt:92-95, :180-183[4].

Die erweiterte Form *hlm*, die wie das einfache *hl* (siehe oben) ziemlich häufig auftritt, betont ebenfalls z.T. den Verbalsatz mit *yqtl-*, wie 125:53 *hlm aḫh tph* "siehe, ihren Bruder sie bemerkt"; 607:6 *hlm yṯq nḥš* "siehe, . . . die Schlange"; ebenso ibid. passim; ferner mehrfach den zusammengesetzten Nominalsatz (in allen Fällen mit *yqtl-* vom Verb *ph* (vgl. oben) als Prädikat): 51:IV:27 *hlm il kyphnh* "siehe, Il, fürwahr, sie bemerkt"; 137:21-22 *hlm* (:21) *ilm tphhm* (:22) "siehe, die Götter sie bemerken"; 'nt:III:29 *hlm 'nt tph ilm* "siehe, 'Anat bemerkt die Götter"[5]. Zum Gebrauch vgl. oben zu *hl*.

Die erweiterte Form *hln* tritt vorläufig nur zweimal als hervorhebendes Merkmal des zusammengesetzten Nominalsatzes (mit *yqtl-* als Prädikat) auf: 'nt:II:5-6 *whln 'nt tm* (:5) *tḫṣ* (:6) "und siehe, 'Anat kämpft"; ibid.:17 *whln 'nt lbth tmǵyn* "und siehe, 'Anat gelangt nach ihrem Haus"[6]. Zum Gebrauch vgl. ebenso oben zu *hl*.

---

1 Vgl. Gordon, *Ug.lit.*, S. 60, 64, 89; *Textbook*, S. 110, 390; Largement, *La naissance*, S. 23; Driver, *Myths*, S. 53, 123, 125; Gaster, *Thespis*[1], S. 249, 251; Ginsberg, *ANET*, S. 151; Jirku, *Mythen*, S. 77, 82f.; de Moor, *AOAT* 16, S. 89, 125; usw.; dagegen z.B. Virolleaud, *Syria* XIV (1933), S. 134f.; XVII (1936), S. 213; *Danel*, S. 203, 205; Aistleitner, *Texte*, S. 60f., 63; *Wb*, S. 87 (*hl* = Pronomen; kontextlich sowie syntaktisch unhaltbar).

2 Ebenso Gordon, *Textbook*, S 248 (übereinstimmend mit der Kopie); zu anderen Lesarten vgl. Herdner, *Corpus*, S. 81.

3 Vgl. schon Gordon, *Ug.lit.*, S. 89 (ferner, *Textbook*, S. 109, 390); Driver, *Myths*, S. 53; Ginsberg, *ANET*, S. 151; de Moor, *AOAT* 16, S. 89; usw.; dagegen z.B. Virolleaud, *Danel*, S. 203; Gaster, *Thespis*[1], S. 280; Jirku, *Mythen*, S. 120; Aistleitner, *Texte*, S. 70; *Wb*, S. 87 (vgl. oben). Die hervorhebende Bedeutung von *hlk* ergibt sich eindeutig durch den Zusammenhang.

4 Vgl. Gordon, *Ug.lit.*, S. 69, 71; *Ug. and Min.*, S. 103-104, 106 ("behold!" "lo!"). Die Form *hlk* kann aber hier, wie gewöhnlich angenommen, ebenso gut als Verbalform vom Stamm *hlk* aufgefaßt werden.

5 Vgl. schon Cassuto, *'Anat*, S. 67, 81 (*Goddess*, S. 92, 130); Driver, *Myths*, S. 41, 79, 87, 97, 137; Gray, *Krt*, S. 23; de Moor, *AOAT* 16, S. 124; Sauren und Kestemont, *UF* 3, S. 212 und andere; dagegen z.B. Virolleaud, *Syria* XIII (1932), S. 132; XXII (1941), S. 127; *Déesse*, S. 44; *Ugaritica* V, S. 599; Gordon, *Ug.lit.*, S. 13, 19, 31, 78; Gaster, *Thespis*[1], S. 138, 171, 214; Ginsberg, *ANET*, S. 130, 136; Jirku, *Mythen*, S. 22, 30, 45, 105; Aistleitner, *Texte*, S. 100; *Wb*, S. 89; usw. Kontextlich markiert *hlm* deutlich eine Steigerung der Darstellung.

6 Vgl. schon Gordon, *Ug.lit.*, S. 17; *Textbook*, S. 110, 390; Cassuto, *'Anat*, S. 64, 76f. (*Goddess*, S. 86, 115); Driver, *Myths*, S. 85, 137; Jirku, *Mythen*, S. 27; de Moor, *AOAT* 16, S. 89; usw.; dagegen z.B. Virolleaud, *Déesse*, S. 14, 20; Ginsberg, *ANET*, S. 136; Aistleitner, *Texte*, S. 25; *Wb*, S. 87. Auch die Form *hln* leitet ganz offensichtlich kontextlich eine Steigerung der Darstellung ein.

Zu dieser Gruppe zu rechnen ist ferner 2) vom Stamm *h*: *h.* Zur Etymologie vgl. hebräisch *hă* (*ha*, *hæ*); aramäisch *hă*[1].

Wie die analogen Formen desselben Stammes in den verwandten Sprachen dient auch im Ugaritischen die Partikel *h* – und zwar ebenso syntagmatisch vorangestellt – der nachdrücklichen Hervorhebung des Fragesatzes = der direkten Frage (der Zweifelsfrage). Zu belegen ist nur ein Beispiel aus der Prosa: 20:3 *hšlm* [ ] "(gibt es) Frieden . . .?"[2] Zu den zahlreichen Parallelen (Zweifelsfragen) ohne *h* vgl. Gordon, *Textbook*, S. 127 (§13.76). Zum belegten Gebrauch vgl. u.a. die genauen Analogien aus den verwandten Sprachen bei Brockelmann, *Grundriß* II, S. 192f.

Weiter gehört hierher 3) vom Stamm *l*: *l.* Zur Etymologie vgl. "jaudisch" *l*; altsüdarabisch *l*; arabisch *li*; akkadisch *lV*[3].

Im Ugaritischen dient, ebenso wie die etymologischen Entsprechungen aus den verwandten Sprachen, das in Frage kommende *l* in Verbindung mit folgendem Jussiv der nachdrücklichen Hervorhebung des Befehls, der Aufforderung oder der Bitte. Nur poetische Belege sind vorhanden, wie nach dem Muster: *l* + der dritten Person des Jussivs: 49:VI:27-29 *l ysʿ alt* (:27) *ṯbtk lyhpk ksa mlkk* (:28) *lyṯbr ḥṭ mṯpṭk* (:29) "er soll herausreißen die Pfosten o.ä. deines Sitzes, umstoßen den Thron deiner Herrschaft, zerbrechen das Zepter deiner Macht (wörtlich: deines Gerichtes)"[4]; ebenso 129:17-18; vgl. die Parallelen 49:VI:26-27 und 129:17 mit *al* "nicht" (vgl. oben) + Jussiv; 51:V:74 *lyrgm laliyn bʿl* "man soll melden dem Aliyn Baʿl"; 125:23 *špḥ lṭpn lyḥ* "der Sprosse des Freundlichen soll leben"[5]; ebenso ibid.:105-106; 133 rev.5-6 *lytn lhm tḥt bʿl* (:5) *h* (:6) ". . . soll ihnen gegeben werden an Stelle von Baʿl"[6]; 1001 rev.13 *kʿṣm lttn [ghm] kabnm lth!ggn* "denn die Bäume sollen [ihre Stimme] erheben (wörtlich: geben), und (wörtlich: denn) die Steine sollen murmeln (seufzen)"[7]; vgl. ibid.:7 (zerstört) (vgl. dazu ʿnt:III:19-20); ferner: *l* + der zweiten Person des Jussivs: 128:II:14-16 *ltbrk* (:14) *[krt] ṯʿ ltmr nʿmn* (:15) *[ǵlm] il* (:16) "du sollst segnen [Krt] Ṯʿ, du sollst Stärke verleihen dem Lieblichen, [dem Helden] des Il"; 1Aqht:194 *ltbrkn alk brkt* "du sollst mich segnen, (damit) ich gesegnet gehe"[8]; vgl. die Parallele ibid.:195 ohne *l*; 1Aqht:16-17 *ap qšth lttn* (:16) *ly* (:17) "seinen Bogen sollst du mir geben"[9]; vgl. vielleicht auch 62 rev.41-44 (so Virolleaud, *Syria* XV (1934), S. 237f.; de Moor, *AOAT* 16, S. 240; dagegen z.B. Gordon, *Ug.lit.*, S. 48 (vgl. oben)); ebenso: *l* + der ersten Person des Jussivs: 68:2 *lašṣi hm* "ich soll

[1] Siehe Gesenius-Buhl, *Hw*, S. 172, 903; Koehler, *Lex.*, S. 222, 1067.

[2] Vgl. schon Gordon, *Textbook*, S. 388 u.ö.; Aistleitner, *Wb*, S. 84.

[3] Siehe Friedrich, *Gram.*, S. 157, 162; Donner und Röllig, *Inschriften* II, S. 221; Beeston, *Grammar*, §§ 21:9, 22:2, 43:3; Wright I, S. 291 B-C; II, S. 35 B f.; von Soden, *GAG*, § 81 b-h.

[4] Anders z.B. Gordon, *Ug.lit.*, S. 48 ("not"); Gaster, *Thespis*[1], S. 204 ("surely"); ebenso Driver, *Myths*, S. 115; Aistleitner, *Wb*, S. 163; usw.; dagegen dem Kontext nach Virolleaud, *Syria* XII (1931), S. 221; Ginsberg, *ANET*, S. 141 und andere.

[5] Vgl. schon Virolleaud, *Syria* XXII (1941), S. 115; Gray, *Krt*, S. 59; usw.; dagegen z.B. Gordon, *Ug.lit.*, S. 77 ("nor"); Driver, *Myths*, S. 41 ("surely") (gegen den Kontext).

[6] Anders z.B. Virolleaud, *Syria* XXIV (1944-1945), S. 19 ("certes"); Gordon, *Ug.lit.*, S. 15 ("not"/"verily"). Der Zusammenhang scheint aber auch hier *l* + Befehlsform zu fordern.

[7] Dagegen z.B. Virolleaud, *PU* II, S. 7 ("ne . . . pas"). Dem Kontext nach hat man es aber nach allem in beiden Fällen mit *l* + Jussiv (Aufforderungsformen) zu tun.

[8] Vgl. z.B. Virolleaud, *Syria* XXIII (1942-1943), S. 145; *Danel*, S. 174; Aistleitner, *Wb*, S. 163; Ginsberg, *ANET*, S. 155 (dagegen ibid., S. 146 ("not")); Gordon, *Ug.lit.*, S. 100 (dagegen ibid., S. 74 ("not")); usw.

[9] Vgl. Virolleaud, *Danel*, S. 137; ähnlich Jirku, *Mythen*, S. 129; dagegen z.B. Gordon, *Ug.lit.*, S. 94 ("not"); Gaster, *Thespis*[1], S. 295 ("neither"); Driver, *Myths*, S. 59 ("verily"); usw. Der Zusammenhang beansprucht aber einen positiven Aufforderungssatz.

sie herausführen"[1]. Zum angeführten Gebrauch vgl. analog zu "jaudisch" *l* Had.:23, :30 u.ö.; zu arabisch *li* Qur. 22:15; 43:77; 59:18; usw.; vgl. ferner Brockelmann, *Grundriß* II, S. 28f.

Hierher gehörend ist ferner 4) ebenso vom Stamm *l*: *l* (mit der eben behandelten Form *l* nicht zu verwechseln). Vgl. etymologisch hebräisch und akkadisch *lū*; arabisch *law*; syrisch *lĕway*, jüdisch-aramäisch *lĕway*/*lĕwē*; usw.[2].

Wie die entsprechenden Formtypen im Semitischen dient auch im Ugaritischen die letztgenannte Partikel, ebenso vorangestellt, als hervorhebendes Merkmal des Wunsches. Beizubringen sind bisher folgende Beispiele: *l* + folgendem Verbalsatz mit *qtl* (Afformativform), dichterisch: 67:I:6-7 *lyrt* (:6) *bnpš bn ilm mt* (:7) "möchtest du in den Schlund des Sohnes des Il, Mt, hinabsteigen!"[3]; 129:22 *lmlkt* "mögest du König sein/werden!"[4]; ebenso in einem zusammengesetzten Nominalsatz mit einem Verbalsatz mit *qtl* (Afformativform) als Prädikat: 3Aqht obv. 41 *at lḥ[wt]*[5] "du, [möchtest du le]ben!"; vgl. die Parallele 76:II:20 ohne hervorhebende Partikel; aus der Prosa: 100:3 *lšlmt* "mögest du Frieden haben!"; ibid.:6 *lšlmt lšlm b*[ ] "mögest du Frieden haben, möge Frieden sein in . . .!"[6]; vgl. ibid.:4; 52:7 u.ö. ohne hervorhebendes *l*. Zum belegten Gebrauch vgl. analog z.B. zu hebräisch *lū* Nu 14:2; Dt 32:29 u.ö.; arabisch *law* Qur. 15:2; 29:40; usw.; vgl. ferner Brockelmann, *Grundriß* II, S. 31f.[7].

Zu dieser Kategorie gehört ebenso 5) vom Stamm *n*: *-n*. Vgl. etymologisch hebräisch *-nā*, *-nnā*; phönizisch *-n*; syrisch *-nī*/*-nē*; usw.[8].

Ugaritisch *-n* wird, wie die etymologisch verwandten Formen im Semitischen, zur Verstärkung einer Aufforderung, Bitte oder eines Wunsches gebraucht. Vorläufig nur dichterisch belegt, tritt dieses ugaritisch nur in Verbalsätzen auf, d.h. finiten Verben angehängt, z.B.: Voluntativ + *-n*: 52:23 *iqran ilm* "ich will an die Götter rufen"; vgl. dagegen die Parallele ibid.:1 mit Voluntativ ohne *-n* (*iqra(!)*); 49:III:18 *aṯbn ank wanḫn* "ich will mich setzen und ausruhen"; ebenso 2Aqht:II:12-13; 'nt:IV:75-76 *ap mṯn rgmm* (:75) *argmn lk* (:76) "auch ein zweites Wort will ich dir sagen"[9]; vgl. dagegen die Parallele 2Aqht:VI:39 ohne *-n*; 1Aqht:195 *alkn mrrt* "(du sollst mir Segen spenden,) (daß) ich gehe mit Segen gespendet"; vgl. ebenso die Parallele ibid.:194 ohne *-n*; 'nt :V:41-42 *klnyy qšh* (:41) *nbln* (:42) "alle beide wollen wir seine Trinkschale bringen"[10]; vgl. dagegen die Parallele ibid.:42 ohne *-n*; vgl. auch 51:IV:45-46; 51:VII:48-49 *ystrn ydd* (:48) *bgngnh* (:49) "der Liebling äußere o.ä. in seinem Innern"; vgl. die Parallele ibid.:47 ohne *-n* (*yiqra(!)*); ferner: Jussiv + *-n*: 51:V:115-116 *ḫš bhtm tbn[n]* (:115) *ḫš trmmn hk[lm]* (:116) "beeile dich, den Palast sollst du bauen, beeile dich, hoch machen sollst

[1] Vgl. Virolleaud, *Syria* XVI (1935), S. 32; Gordon, *Ug.lit.*, S. 15; usw.; dagegen z.B. Gaster, *Thespis*[1], S. 153 ("not"); ebenso Driver, *Myths*, S. 81; Aistleitner, *Texte*, S. 50 ("wahrlich"); Jirku, *Mythen*, S. 24 ("daß"); usw. Der Kontext fordert auch hier einen positiven Aufforderungssatz.

[2] Siehe Gesenius-Buhl, *Hw*, S. 380; von Soden, *AHw*, S. 558; Wright II, S. 347 C-D; Nöldeke, *Syr. Gram.*, S. 98; Dalman, *Gram.*, S. 401.

[3] Vgl. schon z.B. Gordon, *Ug.lit.*, S. 38; Driver, *Myths*, S. 103; Gray, *Legacy*[2], S. 30; usw.; dagegen z.B. Gaster, *Thespis*[1], S. 186 (verneinter konstatierender Satz); Jirku, *Mythen*, S. 57 (konstatierender Nebensatz). Dem Zusammenhang nach hat man es unbedingt mit einem Wunsch zu tun.

[4] Vgl. schon z.B. Gordon, *Ug.lit.*, S. 12; anders z.B. Virolleaud, *Syria* XXIV (1944-1945), S. 11 ("certes, je suis le roi" ou "c'est moi qui exerce le pouvoir royal"). Vgl. die unmittelbar vorangehende Anmerkung.

[5] Zur Lesart vgl. Gordon, *Textbook*, S. 249; Herdner, *Cropus*, S. 86.

[6] Vgl. schon Gordon, *Ug.lit.*, S. 56; so auch z.T. schon Virolleaud, *Syria* XIX (1938), S. 342.

[7] Zur Verbalsyntax (*l* + *qtl* (Afformativform)) vgl. besonders Aartun, *Tempora*, S. 74ff.

[8] Siehe Gesenius-Buhl, *Hw*, S. 476; Koehler, *Lex.*, S. 584; Friedrich, *Gram.*, S. 120; Brockelmann, *Lex. syr.*, S. 410; usw.

[9] Vgl. schon Obermann, *Ug. myth.*, S. 67 Anmerkung 78.

[10] Vgl. ebenfalls schon Obermann, *Ug. myth.*, S. 80 Anmerkung 93.

du den Tem[pel]"; 125:25 *bn al tbkn* "mein Sohn, nicht sollst du weinen"; vgl. dagegen die Parallelen ibid.:25-26 ohne *-n*; 125:30 *tbkn* "sie (Ṯtmnt, die Tochter des Krt) soll weinen"; vgl. dagegen die Parallele ibid.:30 ohne *-n*; so auch: Energicus des Imperativs[1] + *-n*: Krt:212-213 *grnn ʿrm* (:212) *š̀r!nn! pdrm* (:213) "greife die Städte an, überfalle die Wohnorte (wörtlich: die Städte)!"; vgl. ferner auch ibid.:110 *gr nn* || *š̀rn* (d.h. Energicus ohne *-n*). Zum genannten Gebrauch vgl. analog z.B. zu hebräisch *-nā̆*, *-nnā̆*[2] 2S 14:15; Nu 20:17 (Voluntativ + *-nnā̆*); Ps 118:2-3 (Jussiv + *-nā̆*); Gn 12:13 (Imperativ + *-nā̆*); usw.; zu syrisch *-nī/-nē* Brockelmann, *Lex.syr.*, S. 410; usw.

Ferner ist hierher zu rechnen 6) vom Stamm *wy*: *y* < **wVy* "weh!" Zur Etymologie vgl. aramäisch *wā̆y*; arabisch, äthiopisch (Gəʿəz), amharisch usw. *way* "weh!"[3]

Wie schon die angeführte Bedeutung verrät, dient die Partikel *y* des Ugaritischen, wie die verwandten Formtypen desselben Stammes in den zu vergleichenden Idiomen, der nachdrücklichen Unterstreichung des Fluches. Auch hier liegen ugaritisch nur poetische Belege vor. Die Form wird allein in Verbindung mit folgender Präposition mit Regiertem gebraucht: 1Aqht:152 *ylkm qr mym* "weh dir, Qr Mym!"; ibid.: 157-158 *ylk mrrt* (:157) *tǵll bnr* (:158) "weh dir, Mrrt Tǵll Bnr!"; ibid.:165 *ylk qrt ablm* "weh dir, Stadt Ablm!"[4]. Zum Gebrauch vgl. analog z.B. zu arabisch *way* 'Aǵ.[2] II 177, 17; Qur. 28:82 u.ö.

Endlich gehört hierher 7) vom Stamm *'y*: *i* < **'Vy* "so wahr!" Zur Etymologie vgl. arabisch *'iy* "so wahr!"[5].

Gleichfalls vorangestellt, hebt — der angegebenen Bedeutung gemäß — ugaritisch *i*, ebenso wie arabisch *'iy*, die eidliche Versicherung hervor. Vorläufig kommt ugaritisch nur ein Beispiel aus dem Epos vor: Krt:201 *iṯt aṯrt ṣrm* "so wahr Aṯrt von Tyrus da ist!"[6]. Zum entsprechenden Gebrauch der verwandten Form im Arabischen siehe Wright I, S. 285 C.

---

1 Zum Vorkommen des Typus sonst im Semitischen siehe die Grammatiken.

2 Zur variierten Form (ohne/mit sekundärer Dehnung des anlautenden *-n*) siehe zuletzt Aartun, *ZDMG* 117,2 (1967), S. 249 (*nā̆ṯánnū* für **nā̆ṯánū*; usw.), 256 (*lámmā* neben *lámā*, *lámæ*).

3 Siehe Brockelmann, *Grundriß* II, S. 9f.; Dalman, *Gram.*, S. 401; Wright I, S. 294 C; usw.

4 Vgl. schon Gordon, *Ug.lit.*, S. 98, 99; *Textbook*, S. 407; Driver, *Myths*, S. 165; Aistleitner, *Wb*, S. 121.

5 Siehe Wright I, S. 285 C.

6 Vgl. schon Gordon, *Ug.lit.*, S. 72; *Textbook*, S. 348; Sauren und Kestemont, *UF* 3, S. 202; anders z.B. Virolleaud, *Keret* S. 89 (Verb); Albright, *BASOR* 94 (1944), S. 31 (Vokativpartikel = akk. *ē*, *yē*); Gray, *Krt*, S. 56f. mit Verweis auf Pedersen (Vokativpartikel).

2) Von Begriffswurzeln abgeleitete Formen

Sämtliche Formen dieser Gruppe dienen der Hervorhebung des ganzen Satzes.

Hierher gehört 1) die Form *aḥl* "ach, daß!" Zur Etymologie vgl. hebräisch *'aḥălay, 'aḥălē* "ach, daß!"[1].

Letztgenannte Partikel des Ugaritischen, die, ebenso satzeinleitend, gleich der verwandten hebräischen Bildung auch der nachdrücklichen Unterstreichung des Wunsches dient, hebt im Material zweimal in der Dichtung nominale Wunschsätze (unerfüllbare Wünsche) hervor: 1Aqht:64 *aḥl an bṣ[ql]* "ach, daß ich der Sten[gel] (wäre)!"; ibid.:71 *aḥl an š[blt]* "ach, daß ich die Äh[re] (wäre)!"[2]. Zum Gebrauch vgl. analog zu hebräisch *'aḥălē* 2K 5:3.

Ferner gehört hierher 2) die Form *mḫ*. Zur Etymologie vgl. wohl zunächst arabisch *mwḫ*: *māḫa* "sich beruhigen, ruhig sein/werden"[3].

Auch die Form *mḫ* dient ugaritisch der Betonung nominaler Wunschsätze (erfüllbare Wünsche). Immer im Satzinnern stehend (nach vorangehendem persönlichem Pronomen als dem Subjekt), findet sich die Form nur dichterisch: 1Aqht:201 *hy mḫ tmḫṣ mḫṣ [iḫh]* "möge sie den Mörder [ihres Bruders] töten!"; 2Aqht:I:39 *hw mḫ l'ršh y'l* "möge er auf sein Bett steigen!"[4]. Zum Gebrauch vgl. oben zu *l*.

Endlich gehört hierher 3) die Form *m'*. Vgl. etymologisch ägyptisch *m'*, *n'*; äthiopisch *nĕ'ā, na'ā* = Partikel zur Hervorhebung der Aufforderung u.dgl.[5].

Die Partikel *m'* wird ugaritisch ausschließlich dichterisch, und zwar dem Imperativ nachgestellt, zur Hervorhebung der Aufforderung oder der Bitte gebraucht: 49:VI:23-24 *šm' m'* (:23) *lbn ilm mt* (:24) "höre, o Sohn des Il, Mt!"; 51:VI:4 *šm' m' la[li]yn b'l* "höre, o A[li]yn Ba'l!"; 127:41-42 *šm' m' lkrt* (:41) *ṯ'* (:42) "höre, o Krt Ṯ'!"; 2Aqht:VI:16-17 *šm' m'* (:16) *[laqht ǵzr]* (:17) "höre, [o Aqht, der Held]!"; ebenso 3Aqht rev.23-24; Krt:229-230 *šm' m'* (:229) [ ] (:230) "höre, . . . !"; 51:I:21-22 *šskn m'* (:21) *mgn rbt aṯrt ym* (:22) "ersuche (wörtlich: beschäftige dich damit, zu ersuchen)[6] die Fürstin, Aṯrt des Meeres!"; 62:12 *'ms m' ly aliyn b'l* "lade mir auf Aliyn Ba'l!"; 128:III:28 *ph m'* "siehe!". Zum Gebrauch vgl. z.B. zu äthiopisch *nĕ'ā, na'ā* Dillmann, *Gram.*, S. 332f.

---

1 Siehe Gesenius-Buhl, *Hw*, S. 25; Koehler, *Lex.*, S. 31.
2 Vgl. schon Gordon, *Ug.lit.*, S. 95; *Textbook*, S. 354 mit Verweis auf Cassuto; ebenso Driver, *Myths*, S. 133 und andere; anders z.B. Virolleaud, *Danel*, S. 153 (Verb); ebenso Aistleitner, *Wb*, S. 103.
3 Vgl. auch schon Aistleitner, *Wb*, S. 181; anders Virolleaud, *Danel*, S. 195; Gordon, *Textbook*, S. 432.
4 Vgl. Gordon, *Ug.lit.*, S. 100 (anders ibid., S. 86); *Textbook*, S. 432; Ginsberg, *ANET*, S. 150 (anders ibid., S. 155); Aistleitner, *Texte*, S. 68, 82; Jirku, *Mythen*, S. 116, 135; usw.
5 Siehe Gordon, *Textbook*, S. 435; Dillmann, *Gram.*, S. 332f. (Zum phonetischen Wechsel zwischen *m* und *n* vgl. analog z.B. zu akkadisch *muk(u)* neben *nuk(u)*; siehe oben).
6 Vgl. hebräisch *hiškīn* "sich mit etwas beschäftigen" + Infinitiv (Verbalnomen) (siehe näher die Lexika).

Aus dem Vorhergehenden ergibt sich, daß das Ugaritische einen außergewöhnlich großen Reichtum an hervorhebenden Partikeln aufweist. Die weit überwiegende Mehrzahl der Bildungen vertritt altsemitisch ererbtes Sprachgut, nur selten sind unter ihnen einzelsprachlich entwickelte Typen vorhanden (*dm*; *mḫ*). Auch ist der Gebrauch der Formen durchaus der altsemitische. Immerhin ist in mehreren Fällen, ebenso wie vielfach in den verwandten Sprachen, schon eine durchgreifende Erstarrung des Gebrauchs erkennbar. Dies ist besonders bei den enklitischen Formen der Fall, aber auch sonst. Dem Ugaritischen besonders charakteristisch ist – verglichen mit den übrigen nordwestsemitischen Sprachen – die noch sehr ausgedehnte Anwendung der hervorhebenden Partikel *-m* (namentlich in der Dichtung).

INDIZES

A *Wortregister*

Ugaritisch

ab 57, 59, 70
aby 34, 67
abk 21
abh 7, 14, 34, 45, 57, 59, 70

yitbd 70

abynt 72

ablm 76

abnm 4, 74

ubnyn 12

ibrm 60

agdn 64, 69

agn 16, 58

ugrt 45, 64, 69

ad 37, 73

id 5, 6, 7, 49
idk 5, 6, 7, 17, 31, 34, 49, 50, 54, 60

adm 59, 70
udm 13, 22, 71
udmm 9

adty 12, 16, 54, 56
adtny 5, 12, 54

udn 16

adr 47, 62, 63, 69

uḏrh 67

u 26, 47, 50, 59
uk 47, 50
uky 47, 50

ulny 16, 45, 46

ar 38, 52, 54, 63, 65
ar 20

iwrkl 64, 69

uzr 70

aḥdy 46
aḥt 20

aḥl 77

uḫy 4, 21, 63, 67, 71
aḫy 21, 42, 49, 67, 71
iḫy 48
aḫh 58, 64, 69, 73
iḫh 77
aḫm 4, 59
aḫy 57
aḫym 53, 56, 69
aḫk 59
aḫh 55, 60
aḫt 60
aḫtk 21

aḫd 44, 48, 59, 62
aḫdhm 22

yiḫd 50, 65
yuḫdm 57
tiḫd 54
maḫdh 42

aḫ 6, 49

aḫr *13*, 53

i 30, *76*

ay *1*, *2*
i *1*, *2*
iy *1*, *2*, 46

ik 7, *8*, 46
iky 7, *8*, 46, 57
ikm 7, *8*, 46, 57, 58

ib 23, 24, 55, 66
ibm 53, 70
iby 70
ibk 39, 67, 71

aylt 40, 71

in *19*, *20*, 48, 58, 60, 63, 64, 65, 67, 71
inm *19*, *20*, 58, 63
inn *19*, *20*, 47, 58, 63

iytlm 60

ikzi 8

tikl 25, 34, 69
aklm 65
akl 20, 32, 46, 47, 63
akln 34
ikl 12

akn *30*, 35

al 6, 8, *20*, *21*, *22*, 38, 39, 41, 42, 49, 54, 56, 58, 74, 76
alm *20*, *22*, 58
al (Bekräftigungspartikel) 6, *31*, 35, 49

il (Appellativum bzw. Nomen proprium) 6, 8, 14, 15, 21, 22, 23, 32, 33, 34, 39, 44, 45, 49, 50, 52, 54, 57, 58, 59, 65, 69, 70, 71, 73, 74

iĺm 39
ilm 6, 21, 22, 34, 38, 39, 49, 51, 52, 54, 68, 75, 77
ilmy 45
ilm 4, 6, 8, 9, 15, 20, 23, 34, 35, 38, 48, 49, 53, 54, 57, 58, 60, 70, 73, 75
ily 45
ilm 55
ilht 20
ilnyn 35

aliyn 2, 7, 8, 13, 33, 39, 46, 48, 54, 74, 77

ulbtyn 65

ilḥu 50, 65

all 55, 60

almnt 24

alp 50, 51, 65, 70
alpm 9, 30, 31, 46, 50, 64, 69, 70

ilš 39

ilštmʿ 12

alt 20, 74

um 30, 41, 73
umy 5, 31, 53, 55, 56
umh 41

imt *14*, 70

imr 21, 48
imrh 60

amrr 39

amt 39, 59

amth 41

an 14,45
any *14*, 15, 17, 34, 45
anm 14, 54

an 48, 55, 62, 77
a-na-ku 48, 62
ank 9, 25, 48, 56, 62, 75
ankn 48, 62

an 2

inbb 35

anḫr 70

anyk 47
anykn 62, 63, 69
anyt 50, 64, 67, 70

tant 64

annḫ 16

aph 60
aplb 59

at 75

unṯ 20, 63

aṯt 11, 34, 37, 65
aṯty 24
aṯth 15, 32, 50, 59, 60, 65
aṯtm 32, 59, 69, 71
aṯt 24, 38, 61, 65
aṯty 44
tinṯt 67, 71

asm 55, 59

yasp 70

asrkm 56

aǵlmn 64

uǵr 35

ap 2, 22, 34, 42, 48, 49, 50, 52, 56, 59, 60, 65, 67, 70, 71, 74, 75
apn 50, 65
apnk 50, 65, 70
apnnk 50, 65

apsh 25

aqht 6, 39, 48, 49, 61, 77

urbt 21, 27

argmn 3

arḫ 38, 60

aryk 59
aryh 55, 60

tirkm 57

arṣ 2, 21, 23, 29, 33, 46, 55, 56, 64, 70
arṣh 41, 60

yarš 59, 70
taršn 39, 42
irš 39
irštk 56

aršḫ 6, 34, 49

išt 16, 54, 69, 72, 73

'tw 57
atwt 8
'ty 57
at 39
atm 57
at 42

iṯ 27, *29*, *30*, 58, 68
iṯm *29*, *30*, 58
iṯt 3, *29*, *30*, 58, 59, 64, 76

iṯl 60

uṯpt 20, 63

aṯr 29, 60
aṯrk 3
aṯrt 7, 8, 13, 15, 24, 30, 32, 38, 39, 54, 59, 67, 71, 76

b 2, 3, 6, 7, 12, 13, 14, 15, 16, 20, 21, 22, 23, 24, 25, 27, 29, 30, 33, 34, 35, 40, 41, 42, 43, 44, 46, 47, 48, 49, 50, 52, 53, 54, 55, 56, 57, 58, 59, 61, 62, 63, 64, 65, 66, 68, 69, 70, 71, 72, 75

bh 43, 47, 59, 64
by 43, 47, 59, 62, 63, 64, 69
bm 4, 30, 43, 47, 59, 64
bn 43, 47, 59, 64
by 15
bh 20, 35, 43, 63
bhm 20, 60

bbth 41

bdl 20, 63

bht̲ 39, 54

bat 3
tbu 11, 55
tbun 60
bu 11, 55

bt̲t 35

bn 52
bnny 64, 69
tbn 23
abn 23
bn 39

bt 8, 11, 12, 19, 20, 23, 24, 25, 33, 48, 55, 56, 58, 59, 60, 65, 68, 70
bty 24
bth 50, 63, 65, 72, 73
bhtm 21, 27, 72, 75
bhth 7, 57, 62, 69
bhtht 66, 69

bky 7
ybky 60
tbkn 22, 76
bkyh 59

bkm *6*, *7*, 57, 66
bkt *6*, *7*, 66

bl *26*, *27*, 29, 66
blt *26*, *27*, 66

bl 41

blt 14, 70

bmt 7, 57

bn 6, 8, 20, 21, 22, 23, 24, 27, 29, 34, 37, 39, 49, 53, 54, 56, 57, 60, 64, 69, 73, 75, 76, 77
bnm 52, 53
bny 5, 46, 47, 50, 59, 64, 67, 70, 71
bnk 3
bnh 26
bnm 37
bn 23, 38, 54, 60, 69, 72
bnm 53
bt 38, 52, 54, 65
bnt 39, 60

bny 23
bny 59, 70
ybn 59.
tbnn 62, 75
abn 23
bnwt 59, 70

bnr 76

bnš 23, 25, 26, 42, 49, 64, 65, 69
bnšm 25, 49

b‘d 11, 24
b‘dn *11*, 63

b‘l (Appellativum bzw. Nomen proprium) 2, 5, 6, 7, 8, 10, 13, 15, 19, 23, 24, 27, 29, 31, 32, 33, 34, 38, 39, 40, 41, 46, 48, 49, 52, 53, 54, 55, 56, 57, 58, 59, 60, 65, 66, 69, 72, 74, 77
b‘lm 39, 67, 71
b‘lh 42, 74
b‘lm 51
b‘ly 9, 12, 16, 24, 46, 48, 61, 62, 64, 69
b‘lk 23, 32, 46, 67, 71
b‘lny 45
b‘ln 25

b‘r 34
yb‘r 60
yb‘rn 21
tb‘rn 9
šb‘r 57

ibǵyh 48

bṣql 77

bqr 68

ybrd 43

brḥ 14, 41

brkt 74
ybrk 55
tbrk 74
tbrkn 74
tbrknn 34
brkm 55
brkh 60

brky 40, 55, 71
brkt 40, 45, 71

brlt 70
brlth 60

brq 23

br 60, 67
brt 60, 67
tbrrt 64, 69
btlt 8, 13, 39, 42
btltm 21, 38, 39

bṯ 39

gm *14*, *15*, 17, 31, 32, 45, 50, 52, 65
gy 14, 67, 71
gh 14
ghm 74

gbʿm 33

gbṯt 60

gd 16

gdlt 15, 58

gzzm 61

ngln 26

tgly 7, 66

ygmḏ 59

gngnh 75

gn 59

gt 12

tgʿrm 57

tgrgr 4

grdš 15

grnn 62, 76

grnm 54
grnt 13, 34

tgrš 52
gršm 53

gšm 47, 62, 63, 69

gṯrm 11, 12, 58

d 5, 6, 10, 19, 25, 46, 49, 50, 55, 56, 64, 65, 69, 70
dm 55,60
dt 55, 69
dtm 55
d (Relativpronomen) 8, 20, 23, 24, 26, 29, 30, 33, 41, 56, 60, 63, 66, 67, 69
dt (Relativpronomen) 12, 20, 30, 62, 63, 69
dm (Hervorhebungspartikel) 51, 55, 58, 62, 67, *68*, 69, 78

diy 60

dbbm 56

ydbḥ 4, 6
dbḥ 61
dbḥ 57, 61
dbḥm 59

mdbr 60

dg 33
dgy 38

dgn 24, 41, 56, 57

dd 26, 61

ddh 52

mdw 60

dr 14, 69

tdḥl 22

tdn 24
dn 24
dnil 39, 50, 65, 70, 72

(*td*'; siehe unten zu *yd*')

dkym 52

dl 47
dll 22, 54

ydlp 24

dm 60
dmm 52
dmh 27

dmgy 39, 45

dml 8

tdm 22

ydm' 60
dm'h 34
udm'th 41, 60

dmrn 9

dnty 50, 65

dǵ( ) 16, 58

dǵll 26

dqnk 35
dqnh 52

dq 54

drkt 59, 70

ḏd 40, 71

h 74

-h 39, *40, 41, 42, 43,* 45, 47, 50, 59, 63, 64, 66, 72, 73
-h- 21, 22, *40, 42,* 45, 49, 56

thggn 74

hg 26
hd 2, 40, 66
hdt 66

hdm 25

hw 77
hwt 16, 20, 24, 58

hy 77

hklm 75
hkly 55

hl 43, 50, 59, 63, *72, 73*
hlh (*hl* + Pronominalsuffix) 35, 43, 72, 73
hlh 43, 50, 59, 63, *72, 73*
hlk 43, 50, 59, 63, *72, 73*
hlm 32, 43, 50, 58, 63, *72, 73*
hln 43, 50, 59, 63, *72, 73*
hlm *3,* 58
hlny *3,* 5, 30, 64

hlk 50, 73
tlk 9, 24, 52
tlkm 57
alk 67, 71, 74
alkn 75
ašhlk 52
hlk 31, 32

hll 39

ylm 52
hlmn 16

hm (Konjunktion) 19, 24, 25, 29, 46, 57, 59, 67, 69, 71

hm (Pronomen) 74
hmt 70

hmlt 23

hmry 72

hn *3*
hnny *3*, 5, 15
hn (Hervorhebungspartikel) 3, 9, 13, 25, 46, 49, 50, 51, 52, 53, 56, 58, 59, 64, 65, 66, 67, *68, 69, 70*, 71, 72, 73
hm 14, 32, 40, 50, 57, 59, 64, 67, *68*, 69, *70, 71*, 73
hn (= *hnnV*) 9, 25, 46, 49, 50, 56, 59, 62, 63, 64, 67, 68, *69, 70, 71*
hnk (= *hnnVk*) 9, 50, 59, 64, 67, *68*, 69, *70*
hnkt (= *hnnVkt*) 50, 59, 64, 67, *68, 70*, 71
ht 19, 23, 39, 50, 59, 64, 67, *68*, 69, *71*, 72

yhpk 74

hr 59
hrh 34

hrnmy 50, 65, 70

yhrrm 57

ht 5, 41, 67

w 2, 4, 5, 8, 9, 11, 12, 13, 15, 16, 19, 20, 21, 22, 23, 24, 25, 26, 29, 31, 32, 33, 34, 41, 42, 46, 47, 48, 49, 50, 51, 52, 53, 54, 55, 56, 57, 58, 59, 60, 61, 62, 63, 64, 65, 66, 67, 68, 69, 70, 71, 72, 73, 75
wn 19, 60, 65

-*w* *43, 44*, 60, 61

ulṯ 48

ywpṯn 54
wpṯm 53

zbl 2, 29, 39, 46

zblkm 64
zbl 52
zbln 53
zblnm 53

tẓǵ 15, 58

ḥbrk 51

ḥbšy 60

yḥdṯ 8, 21

ḥw( ) 61
ḥwt 75
yḥ 74
tḥwy 24
aḥw 24
aḥwy 25, 48
ḥwtk 20, 47, 63
tštḥwy 22, 34

aḥš 48

ḥṭb 54
ḥṭbh 41
ḥẓk 22, 41
ḥẓm 20

ḥẓr 59

ḥym 39

ḥkmt 33, 35

ḥlb 16

ḥlqt 34

yḥmdm 55, 57
ḥmdm 55, 57
ḥmd 33

ḥmt 53

(*ḥmt* von *yḥm*, siehe unten)

ḥmr 14, 70

ḥṭt 59

ḥnth 72

ḥsn 60

yḥpn 4

ḥpšt 41, 54

ḥqkpt 6, 31, 49

ḥrb 27
ḥrbm 4

ḥry 39, 60

ḥrn 37, 44

ḥrnqm 52

tḥrr 73

iḥtrš 48

tḥrṯ 59
ḥrṯm 31

yḥšr 26

ḫbṯm 34
ḫḫm 51, 58, 68

tḫš 9, 66
ḫš 75

ḫṭ 74
ḫṭm 52
ḫṭk 37, 51

ḫmat 16

ḫmr 2

ḫmš 62, 65
mḫmšt 41

yḫssk 59, 71
ḫss 13

ḫsrt 48, 56

ḫpṯ 26

yḫru 24

ḫrṣ 9, 11, 33, 48, 55, 57, 63
ḫrṣm 52

ḫrt 55

nḫtu 67

ḫtnm 38, 52, 54
ḫtny 46, 64

ḫt 58, 68

ḫty 42

ṭbḫ 16
yṭbḫ 50, 65, 70

ṭb 25, 26
ṭbn 27

ṭl 27
ṭly 65

nṭ‘n 70

yṭpn 61

ẓrh 11

yẓḥq 59

ẓlmt 64

y 2, 21, *37*, *38*, 39, 51
-y 1, 2, 7, 8, 14, 15, 17, 20, 31, 32, 34, 42, 43, *44*, *45*, *46*, *47*, 50, 56, 57, 59, 61, 62, 63, 64, 66, 69, 75

yblt 34
ybln 50, 73
yblnn 33
yblhm 11, 63
nbl 45, 62

nbln 45, 62, 75

ybrdmy 45

yd 4, 15, 16, 25, 49, 50, 54, 56, 57, 64, 65, 69
(y)d 20, 25, 30, 49, 56, 59, 63
(y)dm 55
ydh 59, 62
(y)dh 52
ydk 51
ydy 14
ydh 41, 52
ydty 71

yd 59, 70
ydd 75
mdd 33, 54
mddth 60

yd'ṭ 23, 55, 71
yd' 23, 34
yd'nn 24
td' 23
yd' 26
yd' 23, 55
yd'm 23, 55, 71

td' 11, 63

ym 53, 58, 64, 68, 69, 70
ymm 69, 72

ḥmt (von *yḥm*) 2, 70

y 56, 76

yn 2, 25, 26, 29, 53, 54, 57, 69

yldy 46
ylt 42, 44
tld 37, 73
ašld 38

ym (Appellativum bzw. Nomen proprium) 7, 8, 13, 15, 33, 35, 39, 48, 50, 57, 64, 67, 70, 77
ymm 38, 39

ymnh 59

msdt 56

ysmsmt 43, 73
tsm 60
tsmh 60

tsrk 35

m'd 22, 31

yṣa 23, 35
tṣi 60
ašṣi 74
ašṣu 69
ẓi 39

yṣq 69
yṣqm 57

yru 54
yraun 47

yrd 50, 55, 65
yrt 54, 75
ard 61
yrdm 55

yr 41

yrḫ (Appellativum bzw. Nomen proprium) 8, 13, 21, 39, 65

yrḫm 51, 54

yrq 9, 48

arṯm 57

yšn 24, 72

ytm 24

ytn 6, 8, 31, 34, 49, 52, 53, 56, 69
ytn 6, 9, 24, 34, 42, 49, 74
ytnhm 24
ttn 6, 34, 49
ttn 6, 22, 24, 31, 49, 74
ytn 6, 31, 34, 49, 54, 60
ttn 74
ttn 6, 31, 49

atn 24, 48, 52
tn 8

yṯb 61
yṯb 23, 31
yṯb 40
aṯbn 48, 75
ṯbt 40
ṯbty 45
ṯbtk 74
ṯbth 15, 72
mṯbh 60

yṯn 32

k (Adverb) *9*
k (Akkusativpartikel) *40*, 71
k (Bekräftigungspartikel) 15, *31*, *32*, 46, 50, 58, 65, 73
ky *31*, *32*, 46
-*k* (Hervorhebungspartikel) 5, 6, 7, 9, 17, 21, 25, 31, 34, 42, 43, *47*, *48*, *49*, *50*, *51*, 54, 56, 59, 60, 62, 63, 64, 65, 67, 68, 69, 70, 72, 73, 75
-*ku* *47*, *48*, 62
-*k*- 22, 25, 42, *47*, *48*, *49*, *50*, 56, 59, 62, 64, 67, 68, 69, 70, 71

k (Präposition) 4, 10, 15, 21, 41, 44, 48, 54, 57, 59, 60, 61, 67
kw 60, 67
km 34, 41, 44, 55, 59, 60, 67
kmhm 60, 72
kmt 44, 60, 67

k (Konjunktion = "denn") 29, 35, 55, 60, 74
k (Konjunktion = "daß") 20, 47, 48
ky 20, 47, 63
k (Konjunktion = "wenn") 24, 61
km 61

kbd 59
kbdk 29

kbkbm 64

kd (Adverb) *10*
kd (Konjunktion) 24

kd 42

ykhp 15

tknn 70

kḥṯ 64

km 7

klat 14, 52
klatnm 16, 53

klbt 54

klt 33, 52
tkl 22
tkly 34
klyy 53

kll 3, 15, 58, 67, 71
klnyy 45, 62, 75
klnyn 62

kn 8

kn 6, 7, *10*, 30, 57, 58

knkny 6, 31, 49

ks 24, 27, 32, 52, 53, 70
ksh 45, 62

ksu 45, 72
ksa 20, 74
ksi 50, 65
ksan 61
ksank 61

ksl 11, 63
kslk 24

ksmm 59
ks̀m 62
ks̀mn 61

ksp 9, 32, 33, 48, 64
kspm 52
ksphm 34

krmm 52

krpn 24
krpnm 52, 53, 54

krt 4, 8, 15, 34, 37, 39, 42, 45, 50, 52, 57, 60, 61, 65, 69, 74, 77

krtn 61

tkšd 40, 71

ktb 64, 69

ktnt 55

ktp 52
ktp 32

kṯr 13, 15, 31, 53, 57, 58
kṯrm 51
kṯrm 52
kṯrt 39, 50, 65, 69, 70, 72

kṯy 51

l (Verneinungspartikel) 9, *22*, *23*, *24*, *25*, 26, 27, 31, 33, 34, 48, 49, 55, 56, 64, 69, 71, 72

l (Bekräftigungspartikel) 6, 14, 23, 31, *33*, *34*, *35*, 45, 49, 52, 54, 60, 72
l (Vokativpartikel) *38*, *39*, 42, 52, 54, 77
l (Partikel des Befehls u.dgl.) 33, 42, *74*
l (Wunschpartikel) 33, 54, *75*, 77

l (Präposition) 2, 4, 5, 7, 8, 9, 12, 13, 15, 16, 19, 20, 21, 22, 23, 24, 26, 27, 31, 32, 33, 34, 41, 42, 43, 47, 48, 50, 51, 54, 55, 57, 58, 59, 60, 61, 62, 63, 64, 65, 67, 68, 69, 70, 71, 73, 74, 77
ly 20, 22, 30, 31, 39, 48, 54, 58, 68, 70, 74, 77
lk 33, 37, 39, 48, 57, 59, 75, 76
lkm 56, 76
lh 20, 24, 27, 29, 60
ln 22
lhm 20, 30, 42, 48, 63, 74
lm 60, 64
ln 60, 64
lnh 64

la 54
li 58, 68
lan 62, 68
tliyt 43

lik 47
likt 8, 9, 31, 32, 46, 62, 63, 67, 69, 71
luk 34, 67, 71
tlik 9
ylak 64, 69
ilak 22, 54, 55
lakm 55
mlak 13, 48
mlakty 64, 69
mlakth 48

lb 59, 60
lbk 22, 42, 49, 56
lbh 21, 42, 49

tlbn 59
lbnt 59, 70

lbš 55, 60
tlbš 11
(*lpš*; siehe unten)
mlbš 32

lḥt 8, 31, 32, 46, 47

ylḥm 70
ilḥm 14
tlḥm 61, 69
lḥm 2, 57, 59, 71
lḥmm 57
lḥm 61
yšlḥm 69
tšlḥm 24, 50, 65
lḥm 2, 57
mlḥmt 46

ylḥn 8, 26

lṭpn 6, 49, 50, 65, 74

ll 31

lla 53
lli 61

-lln 73

lm 9, 24, 42, 48, 50, 64, 66, 70

lpš 55, 60

yqḥ 25, 42, 49, 56, 64, 69
yqḥnn 25
tqḥ 37, 61
qḥny 22, 58

-*m* (Vokativpartikel) 38, *39*, 52
-*m* (Hervorhebungspartikel allgemeinerer Art) 3, 6, 7, 11, 12, 14, 15, 16, 19, 20, 29, 32, 39, 42, 43, 44, 46, 47, 49, 50, *51*, *52*, *53*, *54*, *55*, *56*, *57*, *58*, *59*, *60*, *61*, 62, 63, 64, 66, 67, 68, 69, 70, 71, 72, 73, 78
-*m*- 44, *51*, *60*, 67

m (Präposition) 12, 16, 54

m (Pronomen) 9, 42, 45
mh 39, 42
mhy 42, 45
mhk 21, 42, 49
mhkm 22, 42, 49, 56
my 45, 53
mnk 48, 49
mnk 25, 49, 56
mnkm 25, 49, 56, 64, 69
mnm 48, 56
mnm 56
mnm 55, 56
mnm 4, 5, 55, 56

mui 58

mit 64
mitm 64

mid 3, 15, 33
midm 15, 58

miyt 42

mgntm 70
tmgnn 7
mgn 8, 77

mdb 40

tmdln 7, 57

mḏrǵlm 20, 63

mhyt 42

mhr 20, 61, 63
mhrm 51
mhrh 25, 48

mḫ *77*, *78*

*m*ʿ 16
*mm*ʿ*m* 52

mt 35
mtt 47, 62, 63, 69
tmt 52
amt 55
amtm 57
mtm 55
mt (Appellativum bzw. Nomen proprium) 6, 21, 22, 26, 34, 39, 49, 54, 57, 58, 63, 68, 75, 77
mtm 4, 15, 51, 52, 54, 68
mtk 26

ymḫṣ 52
tmḫṣ 39, 67, 71, 77
tmḫṣh 24
imḫṣh 10
mḫṣ 59, 77
tmtḫṣ 63, 73
tmtḫṣn 15
tmtḫṣ 7
tmtḫṣh 23

mḫšt 33, 54

(*mṭ* usw.; siehe unten zu *nṭw*, *nṭṭ*)

mṭrh 65

my 52
mym (Appellativum bzw. Nomen proprium) 52, 56, 76
mh 42
mmh 21

mrm 60

mk 13, 45, 60, 68, 69, *71*, *72*

ymk 24

mkrn 61

mla 56
mlun 62
mlit 47
mmlat 41, 68

mlkt 75
ymlk 51
amlk 24
nmlk 26, 27, 66
mlk 3, 6, 9, 11, 12, 15, 23, 24, 25, 26, 30, 33, 46, 49, 56, 58, 59, 60, 61, 64, 67, 69, 70, 71, 72
mlkn 61
mlkt 30, 59, 67, 71
mlkk 74

mm 19, 67, 71

mnḥ 45
mnḥyk 45

mmnnm 51

mnt 45
mnty 45
mnth 34

msgm 20, 63

ymsk 32, 70
msk 16

mslmt 43

mʿ 39, 54, 77

mǵy 8, 13
mǵyt 8, 13
ymǵ 34, 45
ymǵy 13, 25, 65
tmǵy 71
ymǵyn 13
tmǵyy 46, 64, 69
tmǵyn 13, 25, 63, 73
mǵ 39
mǵy 48

mṣrm 24, 62, 63, 69

ymru 34
mria 47

mrḥ 24
mrḥh 50, 65

mrṣ 53

mrrt 75
tmr 74
mrrt 76

mrṯ 69

šmšr 38

mt *32*, 35

mt 37, 39, 50, 51, 65, 70

mtqtm 69

mṯt 39, 50, 65

-n 4, 5, 11, 19, 43, 45, 46, 47, 50, 56, 58, 59, *61*, *62*, *63*, *64*, *65*, 66, 67, 68, 72, 73
-n- 9, 50, 59, *61*, *64*, 65, 67, 68, 69, 70, 71
-n 22, 45, 48, 62, *75*, *76*

tbṭ 35

nbtm 52

ngr 39

ngš 48

ydd 61
tdd 61
td 72

ydy 53
tdy 24

ydr 4
tdr 60, 72
ndr 3, 30, 59, 64

nhr 32, 33, 52, 70

tnḥn 9

nḫt 48
anḫn 75

nḥlh 60

ynḥm 64, 69

nḥš 58, 73

nḥtm 37, 51

nḫlm 52

mṭ 51
mṭm 52
mṭth 41

nr 15
nyr 65
nrt 6, 15, 34, 49

nkl 13, 64

nkr 60

yns 21

ysʿ 74
tsʿn 24

nʿm 45, 59
nʿmm 45
nʿmy 45
nʿmn 38, 54, 74

nʿr 60
nʿry 24

tnǵṣn 24

tǵrk 45
nǵr 38, 50

ipdk 48

npk 68

npl 10, 33
tpl 22, 34
ttpl 70

ypʿ 21, 23, 55

npṣ 11

npr 34

npš 14, 24, 54, 70, 75
npšh 60
npšny 61

nṣrt 66

nqmd 64, 69

nr- 59

nrgn 64, 69

nšm 23, 34

nša 41
yšu 52
tšu 7, 57
šu 38
ytši 69
ytšu 50, 65, 70

nšq 59

nšr 59, 60

ntb 34

ytk 34
tntkn 41, 60

yṯq 58, 73
nṯq 9

sblt 55

sgt (sʿt) 44

syr 67

šskn 77

-sny 67

snnt 39

ssw 24
sswm 66

s‘t 41, 44, 54, 68

sp 65

tspi 27
ispa 13
spu 46
spuy 53, 56, 69

spr 33
tspr 33, 55
spr 8, 23, 25, 26, 46, 49, 56, 64, 69
sprhn 69

ystrn 75

‘bdk 20, 58
‘bd 48
‘bdk 38, 39
‘bdh 9, 50, 64, 69, 70
‘bdmlk 25, 49, 56

‘glh 60

‘d 66
‘d 61
‘dm 61

y‘db 24
y‘dbkm 21
‘db 48
‘dbnn 48

‘dn 65

‘d 16
‘dh 69
‘dt 53

‘p 59, 70

‘wr 5, 41

‘z 15

‘ṭrptm 52

‘ẓm 19, 29
‘ẓmny 16, 45, 46

‘dk 51, 52, 68

y‘n 31, 65
t‘n 24, 32
‘n 40, 71
‘nk 22, 52

‘r 7, 57, 69
‘rm 76

‘ky 47

y‘l 50, 65, 77
t‘l 43
‘l 25
tš‘l 22, 41
‘l (Adverb) *11*, *15*, 58, 63
‘lm *11*, *15*, 55, 58, 63
‘ln *11*, *15*, 58, 63
‘lm 11, *15*, *16*, 55, 58
‘l (Präposition) 7, 10, 16, 24, 57, 58, 64, 67
‘lk 39
‘ln 64, 67
‘lnh 19, 64
‘ltn 64, 67

‘lm 66
‘lmh 5, 14, 41, 66
‘lmt 66

‘m 5, 6, 7, 8, 15, 24, 31, 32, 34, 41, 46, 48, 49, 54, 55, 56, 57, 58, 60, 65, 67, 71
‘my 9, 31, 47, 64, 65, 69
‘mn 3
‘mk 4, 5
‘mny 3, 15, 65, 67, 71
‘mm 6, 34, 49, 60, 65
‘mn 3, 13, 30, 59, 60, 64, 65, 69

ʿmnh 64

ʿmm 64

yʿmsn 4, 63
yʿmsnh 59, 70
yʿmsnnn 62
ʿms 77
mʿmsy 46

tʿmt 52

yʿn 7, 57, 61, 65
yʿny 7
tʿn 52
ʿny 48
ʿnyh 20
ʿn 54, 65
mʿnk 5

ʿnt (Göttin) 8, 13, 32, 39, 42, 58, 60, 61, 63, 73

ʿnt *14*, 41

ʿn 59
ʿnt 37, 54

ʿprm 30

ʿṣm 4, 8, 33, 46, 48, 74
ʿṣm 55

ʿ( )r 50, 65

ʿṣr 73
ʿṣrm 34
ʿṣr 33

ʿrbt 47
ʿrb 12, 33
tʿrb 7, 57
tʿrbm 57
tʿrbn 11, 12, 58
ʿrb 34, 45

ʿrẓ 27, 50, 65, 66

ʿryt 47

ʿrpt 39

ʿrš 43, 60, 73
ʿršm 52
ʿršh 77

ʿšr 65
ʿšrh 62, 64
ʿšrm 26

ʿšt 64

ʿṯtr 27, 50, 65, 66
ʿṯtrt 57, 60

mǵd 54

ǵb 15, 58

ǵr 6, 31, 40, 43, 49
ǵrh 40
ǵrm 33

ǵzr 6, 39, 48, 49, 50, 51, 58, 65, 68, 70, 77
ǵzrm 16

ǵẓtm 59, 70

ǵltm 9
tǵl( ) 22

tǵll 76

ǵlm 74
ǵlmm 59, 71
ǵlmh 15, 31, 32
ǵlmt 73
ǵlmt 64

ǵmit 55, 59, 70
ǵmu 55, 59, 70

p (Adverb) *4*, 15, 54
p (Konjunktion) 14, 24, 41, 48, 53, 56, 69

py 48, 69
ph 21, 35
phm 33

pat 20, 60
pit 11

pid 6, 49, 50, 65, 70

pbl 6, 24, 34, 49, 60, 72

pdy 64, 69

pdry 38, 45, 52, 54, 65
pdrm 76

pḏh 57

pht 39
yphnh 32, 58, 73
tph 58, 73
iphn 48
tphhm 58, 73
tphnh 24
ph 77

ypq 34

pḥl 7, 57

pḫr 22, 31, 47, 49, 54
pḫyr 47

pl 37, 54

pnm 6, 31, 34, 44, 49, 54, 60
pn 15, 24, 47
pnk 6, 24, 31, 43, 49
pnh 11, 61, 63
pnwh 43, 61
pnnh 43, 61

pnth 24

pʿn 12, 16, 22, 34, 54
pʿnh 25

pǵt 52

prt 65

pšʿ 34

ptḥ 38

ypt 32

ṣbia 45, 47

uṣbʿth 59

ṣdqh 34
ṣdqn 64

yṣhl 11

tṣdn 67, 71
ṣd 61

ṣʿ 71

šṣq 53, 70

ṣr 62, 63, 69
ṣrm 13, 30, 76

ṣṭqšlm 25, 49, 56, 60, 64, 67, 69

yṣḥ 14, 15, 32, 34, 45, 50, 52, 65
tṣḥ 15, 31, 63, 73
aṣḥ 58, 68
tṣḥn 59, 69, 71

yṣly 50, 65

tṣmd 7, 57
ṣmdm 52
ṣmd 52

tṣmt 67

ṣǵr 60

ṣpy 23

ṣpn 15, 24, 50, 58, 65

tṣr 22
ṣrtk 67, 77
ṣrrt 24, 50, 65

yqb( ) 50, 65

qdm 59

qdqd 16

qdš 13
qdš 24
qdš 39, 57

ql 27
ql 41

qr 22
qr 56, 76
qrt 76

qṭr 60

qlt 12, 16, 54
qlny 12, 54

qlt 39

yqlṣn 53
qlṣt 20
qlṣk 20

qnyt 8

qṣʿt 72
qṣʿth 24, 59

qṣr 24

tqru 41
yiqra 75
iqra 75
iqran 75

yqrb 72
tqrb 21, 54
qrbm 55, 59

qrym 57
aqry 46
aqryk 34
qryy 46
qrth 22, 41
qrth 6, 31, 49
qrht 41

tqrm 57

qrnm 60

tqrṣn 60

qšh 45, 62, 75

qšt 50, 51, 65, 73
qštm 51
qšth 10, 24, 74
qšthn 59, 62

rumm 40, 71

rišk 37
riših 25
rištkm 9

rbt 39
rb 30, 64
rbm 33, 52
rbt 6, 13, 22, 34, 49, 71
rbt 7, 8, 15, 39, 77
rb 65
rbb 27
rbbt 57

irby 60

yšrbʿ 72
rbʿ 13
rbʿt 34
mrbʿt 52
arbʿ 26

trbṣt 66

rgmt 33, 39, 48, 62
rgmt 31, 42, 45
yrgm 8, 16, 46, 57, 69, 74
trgm 21
argmn 75
rgm 54
rgm 5, 23, 30, 35, 56, 58, 60, 66, 68
rgmhm 60
rgmm 75
rgmy 34

rdmn 43

rḥ 60

yrẓ 24

rm 15
trm 72
trmm 62
trmmn 75
rmt 64

rḥm 45, 54
rḥmy 45, 57

yrḥṣ 41

šrḥq 61
rḥq 12, 35
mrḥqm *12*
rḥqt 12
mrḥqtm *12*, 16, 17, 54

rkb 53
rkb 39
mrkbt 66
mrkbtm 63

rʿy 40

rġbt 70
rġb 70

trġzz 6, 31, 49

trġnw 44

rpi 39, 50, 65, 70
rpum 13, 69

yrp( ) 50, 65

rqdm 59

trtqṣ 59

ršp 15, 41, 58

ššw 15

ššwm 9, 46, 50, 64, 69, 70

š 15, 51, 58
šh 12

šibt 41, 67

šiy 60

yšal 67, 71
šalm 56

širh 27, 34

šblt 77

išbmnh 34
ištbm 34
šbm 23

šbʿ 13, 37, 53, 60, 64, 69, 71, 72
šbʿm 64
šbʿid 12, *16*, 54
šbʿd 12, *16*, 54
šbʿdm *16*, 58
mšbʿt 70

šbʿt 23

šbʿny 45

mšbšt 40, 71

šd 52, 54, 60
šdm 41, 54
šdh 52
šdm 21, 37
šdm 54

šrn 76
šrnn 76
ššrt 49

šḥr 46, 59, 66

šḫṭ 60

šy 22

šbm 52

šbt 35, 52
šbth 52

št 23
yšt 21, 42, 49, 50, 65
yštk 5, 41
tšt 21
tštk 55, 59
tšth 32
tštnn 7, 55, 57
tšt 21, 22, 42, 49, 56
ašt 22, 24, 27
aštm 57
aštk 60
aštn 48

škb 64
yškb 33

škn 9, 50, 64, 70
yškn 50, 64, 67, 70
aškn 8, 46
tškn 60

ašlḥk 26
šlḥ 70

šlyṭ 47

šlm 75
šlmt 75
tššlmn 41
šlm (Appellativ bzw. Nomen proprium) 3, 4, 5, 15, 31, 46, 55, 56, 58, 67, 71, 74

šm 57

šmḫ 54
tšmḫ 22, 67, 71

šmm 23, 33, 54, 64, 65
šmmh 41

šmk 6, 49

šmn 64
šmt 19, 29

yšmʿ 67, 71
yšmʿk 21
tšmʿ 5, 66
šmʿ 39, 54, 77
šmʿk 38

šna 59

šnm 62, 69

šnt 47, 60, 72

šʿrt 65

šʿtqt 58, 62, 68

špḥ 70, 74

špk 60

špl 35, 72

špš (Appellativum bzw. Nomen proprium) 2, 6, 15, 23, 32, 34, 37, 41, 45, 46, 47, 49, 58, 60, 63, 64, 67, 71
špšm 13, 53, 69, 71, 72
špšn 61

špthm 69

tšqy 16

tšrgn 21, 38, 39
šrgk 51, 58, 68

šrʿ 27

šrš 60
šršk 21

štt 69
tšt 25, 27
tšty 53, 61
tštyn 12
šty 54
štym 57, 59, 71
šty 2
štm 57

št 61

-t 4, 5, 6, 7, 19, 23, 26, 27, 39, 44, 46, 50, 56, 58, 59, 60, 62, 63, 64, *65*, *66*, *67*, 68, 69, 70, 71, 72
tbʿ 72
ytbʿ 21
tbʿ 31, 59, 71
tbʿ 48

thmtm 27
thmt 64

tk 6, 31, 34, 40, 49, 54

tḥm 54

tḥt 42, 74

ttkn 9

tlmyn 20, 63

tlš 39

tmnh 24

tnn 23, 34

tʿrty 60

tǵsdb 67, 71

tpnr 65

ytrḫ 13
itrḫ 38
trḫ 38, 52, 54

tt 55

ttlh 41

ṯar 30

ṯat 60

yṯbr 37, 74
ṯṯbr 11, 63

ṯbrnqnh 61

yṯbš 4

ṯd 43

ṯdn 60

ṯdṯ 54

yṯb 7, 57, 69
ṯb 39
ṯṯb 48

ṯr 14, 21, 34, 45, 59, 70
ṯrm 60

ṯy 3, 30, 59, 64
ṯh 24

ṯkmt 52
ṯkm 4, 59
ṯkmm 53
ṯkmn 62, 69

ṯlrbh 41

ṯlṯ 13, 53, 55, 66
ṯlṯh 52
ṯlṯm 61
mṯlṯt 52
ṯlṯid *16*

ṯm 3, *4*, 63, 66
ṯmn *4*, 63, 66
ṯmny 3, *4*, *5*, 56, 63, 66
ṯmt *4*, *5*, 63, 66

tṯmnm 57
ṯmn 57

ṯmq 4

ṯnt 39
ṯn 58, 59, 60, 68, 69, 70
ṯnh 52
ṯnm *16*
ṯt 20, 47, 63
mṯn 75

t̠nid 12, *16*

t̠nn 26

t̠ʿ 39, 50, 65, 74, 77

t̠tpṭ 24
t̠pṭ 24
mt̠pṭk 74
t̠qlm 34, 41, 60

t̠ryl 8, 67, 71

t̠rmnm 32

t̠rt̠y 45

t̠šm 24

yt̠tn 24

Altkanaʿanäisch (EA)

a-nu-ki 48

pu-u 4

Hebräisch

'āz 5, 6
'aḥălay 77
'aḥălē 77

'aḥărē 47

'ē 1, 2
'ayyē 1, 2
'ēk̠ 7, 8
'ēk̠ā 7, 8
'ēk̠āk̠ā 7

'ayin 19, 20
'ēn 19, 20
'ēnǣn- 19, 20, 63
'ēnǣnnī 63
'ēnǣnnū 63
'ēnǣnnā 63

'āk̠ĕn 30

'al 20, 21, 26, 27, 31

'umnām ('åmnām) 54

'ǣmǣt̠ 14

'ămārǣhā 34

'ōn 14, 45

'ān 2
'ānā 2
'ānǣ 2

'ānōk̠ī 48

'ǣnōš 21

'oraḥ 26

'árṣā 40, 41

'īš 29, 30

'āt̠ā 42

bĕ 6, 26
bǣ 14
bā 39
bĕmō 60

bā 63

bĕnē- 47
bĕnēnū 27

bāyt̠ā 41
bēt̠ 12

bĕk̠ēn 6, 7

bōk̠ĕrū 44

bal 26, 27, 66
bĕlī 26, 27
biltī 26, 66

bin 53
bĕnō 44

habbĕʻālīm 51

gæšæm 44
gašmū 44

dōd̠ī 63

dayyækkā 62

dæræk̠ 26

hă (ha, hæ) 74

*-ā < *-a-h(V)* 40, 41, 42

hălō 72, 73

hălō̌m 3

hē̌n 64, 68, 70
hinnē 63, 64, 68, 69, 70, 71, 73
hē̌nnā 3

wĕ 26, 27, 35
wā 2

-w 43
*-ū < *-u-w(V)* 43
*-ō < *-a-w(V)* 43
*-ī < *-i-w(V)* 44, 45

zǣ 67
zǣ̆ 5, 10, 63, 69
zō 10
zōt̠ 10

ḥayt̠ō 44
ḥayyīm 26

hæḥălīqā 34

ḥāmēš 16

ḥinnām 54

ṭal 27

-y 44
*-ē < *-a-y(V)* 1, 44, 47
*-ī < *-u/a/i-y(V)* 44, 45

yād̠ 16
yād̠ōt̠ 16

yahwǣ 21

yōmām 54
yămīmā 41

mōk̠īaḥ 27

yēš 27, 29, 30

yšb 40

kō 9
-k̠ā 7, 47
-k̠ī 47, 48

kĕ 40, 60
kĕmō 60
kā 10
kāmōnī 60
kāmōk̠ā 60

kī 31

nik̠ʼē 35

kāzǣ 10
kāzō 10
kāzōt̠ 10

kilʼayim 53

kēn 6, 10

lō 22, 23, 24, 25, 26, 27

lĕ 33, 35

lū 33
lū 75

lĕ 12, 26, 27, 68
lĕmō 60

lēḇāḇ 35

lāylā 41, 53

lāmā 9, 76
lāmǣ 9, 76
lāmmā 9, 76

-m 51, 54, 55, 58
-mō 51

mē- 12
mibbĕlī 26

mĕ'ŏḏ 15

mĕgiddō 62
mĕgiddōn 62

maḥănāymā 42

mōṯēṯ 35
māwæṯ 26

māṭār 27

mĕlīḵū 44

māṯay 46

-n 61
-nē 61
-nā 75, 76
-nnā 75, 76

nĕṯīḇā 26

nāṯānnū 76

sūsay 60
sūsǣḵā 60

'ōḏ 53

mĕ'ōnī 68

yā'oz 21

ma'yĕnō 44

'ōlā 58
'ălēḵæm 27

'ammī 60
'ammǣḵā 60

'attā 14
'āttā 14

'ărāḇōṯ 39

pō 4

piṯ'ōm 55

ṣĕḏāqā 26

qōl 63

qūmā 21

rĕ'ē 73

rāḥōq 12

rēqām 54

rōḵēḇ 39

śāḇa' 23

hiškīn 77

šām 4
šāmmā 4

šāmáymā 40
haššāmāymā 41

šĕtayim 16

-ṯ 65
-ṯay 65

-tī 26, 65

taḥtē- 47

Gezer-Inschrift

-w 43, 62

Mišnā-hebräisch

-ē < *-a-y(V) 47

kĕmō 60
kĕmōṯ 44, 51, 60, 67

lĕwē 47

-mō 60
-mōṯ 44, 51, 60, 67

-ṯ 44, 51, 60, 67

Moabitisch

’n 19, 20

’nk 48

-k 47, 48

šm 4

“Jaudisch”

hnw 68

l 74, 75

mt 32

Phönizisch

’bnm 62

’l 20, 21, 22

’lt 20

’nk 48
’nky 48

bl 26, 66
blt 26, 66

hlm 3

hn 68

k 31
-k 47, 48
-ky 47, 48

km 60

kn 10

l 38

-m 51, 62

-n 61
-n- 62
-n 75

‘lt 67

šm 4

-t 26, 65, 66, 67

Punisch

’nk 48
’nky 48
anech 48

bl 26

ynny 19

-k 47, 48

-ky 47, 48
-ch 47, 48

chen 10

-m 51, 56

pho 4

Aramäisch

’iḏā 16

’aw 51
’awkēṯ 51

’aḥar 13

’ay 1
’ē 1
’ēḵ 7
’aykan(nā) 7
’ykn 30

’aykmā 60
’aḵwāṯ 44

’al (’l) 20

’ān 2

’īṯ 27, 29, 30
’īṯay 27, 29, 30
’yty 29

bĕ 6

baynay 47
bēnē 47
bēṯ 67

bēṯ 12

bĕḵēn 6

bĕlay 26

bar 53

-ḏā 10
dēn (< **dayn*) 65
dikkē̆n 48, 62

hă 74

hāydīḵ 50
hāydīn 50

hlw 72

-w(-) 43, 44, 72
-wā̆- 43, 44, 47, 67, 75
-ō < **-a-w(V)* 43

wāy (wai) 65, 76

yā 37
-y 27, 29, 30, 44, 47, 51, 62, 75
-yā 44, 45, 62
-ā < **-yā* 44, 45, 62
-ē < **-a-y(V)* 44, 47

yĕḏā 16

yūḏā 62
yūḏān 62
yūḏānā 62
yawmā 53
yawmeh 53
yĕmām 54
īmām 54

-k 47, 50
-kā 47
-kĕn 47, 48, 62
-kēṯ 47, 51

kĕ 10, 14
kĕwāṯ 44, 67
kĕmā 60

kĕḏā 10

kaddū 63
kaddūn 63

kēn 6, 10
kin 10

kĕ‘an 14
kĕ‘æmæṯ 14
kĕ‘æṯ 14

lā 22, 27
layt 27
layiṯ 27
lēṯ 27

lĕway 47, 75
lĕwē 47, 75

lĕ 2
lĕmā 60
lĕwāṯ 67

lĕ’ān 2
lĕhān 2

lēlyā 53
lēlyeh 53

-m 51, 54, 58
-mā 51, 60

mahu 42

malkā 45
malkayyā 45

men 26

-n 4, 5, 7, 47, 48, 50, 61, 62, 63, 65
-nā 7, 61, 62
-n(nā) 7
-n- 61, 62
-nī 75, 76
-nē 75, 76

‘l’ 11
‘ly 11
‘illāwē 47

šā‘ṯeh 53

-ṯ 44, 47, 51, 65, 67

taḥtay 47
tĕḥōṯay 47
tōḥtē 47
tōṯē 47
(a)tutia 47

tam 4
tammā 4, 63
tmh 4
tammān/tammōn 4, 5, 63

Arabisch

'atā 42
'tw 57
'ty 57

'aḫānā 21

'iḏ 5, 6, 49, 61
'iḏā 61, 63
'iḏāmā 61
'iḏan 5, 6, 34, 50, 63
'iḏḏāka 49

*'isa 27, 29
*'isat 29
*'istu 29

al 62

'alā 72

'ilā̆ 20

'anāya 46

'antāya 46

'annā 2

'in(na) 59, 64, 67, 68, 70
'innamā 59, 64, 68

'iy 76

'ayyuhā 43

bi 26, 59
bimā 60

ba'du 11

bal 26

-tu 65
-ti 65, 66
-ta (-tā) 4, 58, 65, 66

ṯamma 4, 66
ṯammata 4, 66
ṯumma 4, 66
ṯummata 4, 66

-l-ḥimāra 39

ḏā 67
ḏā 10
ḏāka 6, 49

'arsil 21

rākiban 39

šabiʿa 23

šana'a 59
šani'a 59

-ṣ-ṣubḥi 20

ṣalāti 20

ʿalu 11, 55

ʿamrū 44
ʿamrī 44
ʿamrā 44
ʿmrw 44

ʿammā 60

ʿawdun 53
ʿawdatun 53

fa 21

fay'un 53
fī'atun 53

-ka 47, 50

ka 10
kamā 60

kaḏā 10

naktal 21

kilā- 53
kiltā- 53

kin 10
kinna 10

lā 10, 22, 24, 25, 26, 27, 29, 58, 66
lāta 58, 66
lam 22, 24, 58
lammā 22, 58

la 6, 33, 34, 35
la (beim Vokativ) 38, 39
li 74, 75
law 75

lākin(na) 10, 30
limă̆ 9

laysa 27, 29
laysat 29, 30
lastu 29, 30

-m (Vokativpartikel) 39
-m-ma 39
-m (Hervorhebungspartikel allgemeinerer Art) 22, 24, 42, 46, 51, 58
-mā 22, 42, 51, 52, 54, 55, 56, 58, 59, 60, 61, 64, 68

mă̆ (Pronomen) 42, 46
mah 42, 46
mahyam 42, 46
mahmā 42
matā (Adverb) 46

maʿanā 21

mimmā 60

māḫa 77

-n 5, 6, 34, 44, 50, 61, 62, 63
-na 10, 30, 59, 61, 64, 67, 68, 70
-h 40, 42, 46
-hā 40, 43
-h- 40, 42, 46

hā 50
hāka 50
hākahā 50

hātī 5
hātā 5
hāḏī 5
hāḏihī 5

halā 72
halumma 3

hunā 3

-w 43, 44, 75

way 76

wayl *(wail)* 65

yā 37, 38, 39
-y 44, 46
-ā < **-a-y(V)* 44, 46
-ya(-) 42, 44, 46

yad- 16

Altsüdarabisch

-ʾ- 47

ʾl 20

b 43, 47
bʾy 47
bhy 43, 47

bhyt 43
bm 60
bmw 60
bn 65

byn 43
bynh 43

bʿm 43
bʿmh 43

-ḏ 47

-h 40, 42, 43, 49
-h- 22, 40, 42, 43, 47, 49

hn 68

-w 43, 44, 60

-y 42, 43, 44, 46, 47
-y- 43

k- 42, 49
-k- 47

kn 10

l 74

lhm (Negation) 22
lm (Negation) 22

ln (Präposition) 65

-m 22, 42, 47, 49, 51, 52, 54, 56, 60
-m- 51, 52, 54, 57, 60

mh 42
mhm 42
mhn 42
mh k- 42, 49
mhm k- 42, 49

-n 42, 61, 65

ʿmn 65

fnwt 44

qdmy 47

śkʾy 47
śkḏ 47
śkm 47

-t 4, 5, 43, 65, 66

tḥty 47

ṯmt 4, 5, 66

Neusüdarabisch

ʾal, ʾul, ʾel 20

bo, bu, bû 4

dōm(e) 56
dīm(e) 56

lā 22, 23
lo, l(e) 22

-m(e) 51, 56

Äthiopisch (Gĕʿĕz)

-hā 40, 41, 42

la 33

-ma 51, 56, 58

mannūma 56

bēta lĕḥēm-hā 41

-ta 65, 66
-tū 65, 66
-tī 65, 66
-tē 65

-na 61
-nē 61

naʿā 77
nĕʿā 77

’ĕskana 65

’ĕnbala 26

’ĕd 16

-ka 47
-k 47

kama 60

kĕl’ē 53

kaḥa 50
kaḥaka 50

kaḥak 50

kīyā 40

-ō < *-ā-w(V) 44

way 76

za’ĕnbala 26

yĕhūdā-hā 41

fĕnā 44
fĕnōt 44

Amharisch

-m 51, 56

-ta 65
-tay 65

-n 61

’al 20

’ĕnta 47

’ĕntay 47

’ĕnka 47
’ĕnkay 47

way 76

-ya 46
-yē < *-ya-y(V) 46

-y 44

Tigrē

ḥar < *’aḫar 13

-mā 51, 56

-tē 65, 66

kĕm 60

-yē < *-ya-y(V) 46
-y 44

Tigriña

-m 51, 56

-tī 65
-tā 65

-n 61, 65

wĕn 65

Hararī

altam 26, 66
malta 26, 66
-ta 65

Akkadisch

-'a- 9, 47, 50

aḫ̮arrum 13

ai = 'ay 1
'ayyaka 7
'ayyum 56

akanna 30

ul, ula 20

allûmV 59, 72

ūmim 69

ammīni 8

anāku 48

enma 59, 68

annî(m) 69

anant- 14
anunt- 14

annaka(m) 50
annikâ 50
annikī'am 50

eqlam 25

išû(m) 27, 29, 58

ištu 69

balu(m) 26
bal(a) 26
balī 26

yē 37, 76
(y)ē̆ 37, 76

yā̆nu 19
yā̆numma 19, 20

-ku 47, 48
-kâ 47, 50
-ka(m) 47, 50
-kī'am 47, 50

kīam 9
kêm 9

kīma (Präposition) 60

kī (Konjunktion) 61
kīma 61

kilallān 53
kilallū(n) 53
kilaltān 53
kilattān 53

lā 22, 25, 27

lū (Bekräftigungspartikel) 33, 35
lV (Partikel des Befehls u. dgl.) 74
lū (Wunschpartikel) 75

lāšu 27
laššu 27, 29

-mā (Vokativpartikel) 39
-mē 39
-m (Hervorhebungspartikel allgemeinerer Art) 9, 13, 26, 27, 29, 47, 50, 51, 52, 54, 55, 56, 58, 59, 69
-m-ma 19, 20, 51, 52, 54, 55
-ma 56, 57, 58, 59, 61, 68
-mā 51, 58

muk(u) 71, 77

mannum 56

-na 61
-ne 61
-ni 8, 61
-(n)nu 61

nuk(u) 71, 77

tanaššar 25

-šu 25

-tta 65
-tti 65
-tī 65
-tē 65

Ägyptisch

ỉ 37

ỉnk 48

-k 48

mk 71

mʿ 77

-ny 3, 4, 17

nʿ 77

Koptisch

anok 48

-k 48

VERZEICHNIS DER ANGEFÜHRTEN LITERATUR

Aartun, K., *Zur Frage des bestimmten Artikels im Aramäischen = Acta Orientalia* XXIV, 1-2, 1959, S. 5-14

Id., *Zur Frage altarabischer Tempora*, Oslo 1963

Id., *Zur Erklärung des aramäischen Adverbs kaddū = Oriens* 18-19, 1967, S. 347-351

Id., *Althebräische Nomina mit konserviertem kurzem Vokal in der Hauptdrucksilbe = Zeitschrift der deutschen morgenländischen Gesellschaft* 117,2, 1967, S. 247-265

Id., *Ugaritisch bkm = Bibliotheca Orientalis* XXIV, 5/6, 1967, S. 288-289

Id., *Beiträge zum ugaritischen Lexikon = Die Welt des Orients* 4,2, 1968, S. 278-299

Id., *Arabisch lāta = Bibliotheca Orientalis* XXVIII, 1/2, 1971, S. 126-127

Id., *Über die Parallelformen des selbständigen Personalpronomens der 1. Person Singular im Semitischen = Ugarit-Forschungen* 3, 1971, S. 1-7

Id., *Neue Beiträge zum ugaritischen Lexikon* (noch nicht erschienen)

Aistleitner, J., *Untersuchungen zur Grammatik des Ugaritischen = Berichte über die Verhandlungen der sächsischen Akademie der Wissenschaften zu Leipzig*, Phil. hist. Klasse, Bd. 100, Heft 6, Berlin 1954

Id., *Die ugaritische Verbalendung -n verglichen mit der assyr. Subjektivendung -ni und der gublischen Verbalendung -una = Acta Orientalia Academiae Scientarum Hungaricae* 7, 1957, S. 283-286

Id., *Wörterbuch der ugaritischen Sprache*, Berlin 1963

Id., *Die mythologischen und kultischen Texte aus Ras Schamra*, Budapest 1964

Albright, W.F., *An Aramaean magical text in Hebrew from the seventh century B.C. = Bulletin of the American Schools of Oriental Research* 76, 1939, S. 5-11

Id., *A vow to Ashera in the Keret epic = Bulletin of the American Schools of Oriental Research* 94, 1944, S. 30-31

Id., Besprechung von *Studia Orientalia Ioanni Pedersen Septuagenario . . . dicata.* Ed. F.F. Hvidberg, Kopenhagen 1953 = *Journal of the American Oriental Society* 76, 1956, S. 233-236

Astour, M.C., *Some new divine names from Ugarit = Journal of the American Oriental Society* 86, 1966, S. 277-284

Barth, J., *Die Pronominalbildung in den semitischen Sprachen*, Hildesheim 1967

Bauer, H. und P. Leander, *Historische Grammatik der hebräischen Sprache des Alten Testaments*, I. Band, Halle 1922

Beer, G. und R. Meyer, *Hebräische Grammatik*, I. Band, Berlin 1952

Beeston, A.F.L., *A descriptive grammar of epigraphic South Arabian*, London 1962

Bergsträsser, G., *Hebräische Grammatik, mit Benutzung der von E. Kautzsch bearbeiteten 28. Auflage von Wilhelm Gesenius' hebräischer Grammatik*, I. und II. Band, Hildesheim 1962

Id., *Einführung in die semitischen Sprachen*, München 1963

Birkeland, H., *Akzent und Vokalismus im Althebräischen = Skrifter utgitt av Det Norske Videnskaps-Akademi i Oslo*, II. Hist.-Filos. Klasse, 1940. No. 3

Id., *Altarabische Pausalformen = Skrifter utgitt av Det Norske Videnskaps-Akademi i Oslo*, II. Hist.-Filos. Klasse. 1940. No. 4

Blau, J. und S.E. Loewenstamm, *Zur Frage der Scriptio plena im Ugaritischen und Verwandtes = Ugarit-Forschungen* 2, 1970, S. 19-33

Böhl, Fr.M.Th., *Die Sprache der Amarnabriefe. Mit besonderer Berücksichtigung der Kanaanismen = Leipziger semitistische Studien* 5,2, 1909

Borger, R., *Weitere ugaritologische Kleinigkeiten = Ugarit-Forschungen* 1, 1969, S. 1-4

Brockelmann, C., *Grundriß der vergleichenden Grammatik der semitischen Sprachen*, I. und II. Band, Hildesheim 1961

Id., *Lexicon syriacum*, Halle 1928

Id., *Zur Syntax der Sprache von Ugarit = Orientalia* 10, 1941, S. 223-240

Id., *Hebräische Syntax*, Neukirchen 1956

Id., *Arabische Grammatik. Paradigmen, Literatur, Übungsstücke und Glossar*. 14. Auflage besorgt von Manfred Fleischhammer, Leipzig 1960

Cantineau, J., *Le nabatéen* I, Paris 1930

Id., *Grammaire du palmyrénien épigraphique = Publ. de l'institut d'études orientales d'Alger*, IV, Le Caire 1935

Caspari, C.P., *Arabische Grammatik, fünfte Auflage bearbeitet von August Müller*, Halle a.S. 1887

Cassuto, U., *The goddess ʿAnath. Canaanite epics of the patriarchial age. Texts, Hebrew translation, commentary and introduction*, Jerusalem 1953

Id., *The goddess Anath, translated from the Hebrew by Israel Abrahams*, Jerusalem 1971

Dahood, M., *Qohelet and Northwest Semitic philology = Biblica* 43, 1962, S. 349-365

Id., *Hebrew-Ugaritic lexicography* I = *Biblica* 44, 1963, S. 289-303

Id., *Hebrew-Ugaritic lexicography* III = *Biblica* 46, 1965, S. 311-332

Id., *Ugaritic-Hebrew philology. Marginal notes on recent publications*, Roms 1965

Id., *Psalms* II, New York 1968

Dalman, G., *Aramäisch-neuhebräisches Handwörterbuch zu Targum, Talmud und Midrasch*, Hildesheim 1967

Id., *Grammatik des jüdisch-palästinischen Aramäisch*, Leipzig 1905 (Darmstadt 1960)

Dhorme, E., *Deux tablettes de Ras-Shamra de la campagne de 1932 = Syria* XIV, 1933, S. 229-237

Dietrich, M. und O. Loretz, *Der Vertrag zwischen Šuppiluliuma und Niqmadu. Eine philologische und kulturhistorische Studie = Die Welt des Orients* 3, 1966, S. 206-245

Dillmann, A., *Grammatik der äthiopischen Sprache, zweite verbesserte und vermehrte Auflage von Dr. Carl Bezold*, Leipzig 1899

Id., *Lexicon linguae aethiopicae, cum indice latino*, Gissae MDCCCLXIV (New York 1955)

Donner, H. und W. Röllig, *Kanaanäische und aramäische Inschriften*, I. und II. Band, Wiesbaden 1962-64

Driver, G.R., *Canaanite myths and legends = Old Testament Studies*, No. 3, Edinburgh 1956

Id., *Ein Wörterbuch der ugaritischen Sprache = Orientalistische Literaturzeitung* 60 1/2, 1965, S. 5-7

Drower, E.S. and R. Macuch, *A Mandaic dictionary*, Oxford 1963

Dussaud, R., *Le mythe de Ba'al et d'Aliyan d'après des documents nouveaux = Revue de l'histoire des religions*, Tome CXI, 1-2, 1935, S. 5-65

Eissfeldt, O., *Neue keilalphabetische Texte aus Ras Schamra-Ugarit*, Berlin 1965

Friedrich, J., *Phönizisch-punische Grammatik = Analecta Orientalia* 32, Roma 1951 (2., *Völlig neu bearbeitete Auflage = Analecta Orientalia* 46, Roma 1970)

Gaster, Th.H., Besprechung von Julian Obermann, *Ugaritic mythology = Journal of Near Eastern Studies* 7, 1948, S. 184-193

Id., *Ugaritic philology = Journal of the American Oriental Society* 70, 1950, S. 8-18

Id., *Thespis. Ritual, myth and drama in the ancient Near East*, New York 1950 (2nd. ed., New York 1966)

Gazelles, H., Besprechung von *Ugaritica* V, Paris 1968 = *Vetus Testamentum* 19, 1969, S. 499-505

Gelb, I.J., B. Landsberger, A.L. Oppenheim, E. Reiner, *The Assyrian dictionary*, Chicago 1964-

Gesenius, W., *Hebräische Grammatik, völlig umgearbeitet von E. Kautzsch*, Hildesheim 1962

Id., *Hebräisches und aramäisches Handwörterbuch über das Alte Testament, bearbeitet von Dr. Frants Buhl*, 17. Auflage, Berlin/Göttingen/Heidelberg 1962

Ginsberg, H.L., *Notes on "The birth of the gracious and beautiful gods" = Journal of the Royal Asiatic Society* 62, 1935, S. 45-72

Id., *The rebellion and death of Ba'lu = Orientalia* 5, 1936, S. 161-198

Ginsberg, H.L., *Ba'l and 'Anat* = *Orientalia* 7, 1938, S. 1-11

Id., *The legend of king Keret. A Canaanite epic of the bronze age* = *Bulletin of the American Schools of Oriental Research. Supplementary studies* Nos.2-3, New Haven 1946

Id., Besprechung von Julian Obermann, *Ugaritic mythology* = *Journal of Cuneiform Studies* 2, 1948, S. 139-144

Id., *Ugaritic myths, epics, and legends* = *Ancient Near Eastern Texts*, Princeton 1955, S. 129-155

Goetze, A., *Ugaritic negations*, in F.F. Hvidberg, edit., *Studia Orientalia Ioanni Pedersen Septuagenario . . . dicata*, Hauniae 1953, S. 115-123

Gordis, R., Notes on *The asseverative kaph in Ugaritic and Hebrew* = *Journal of the American Oriental Society* 63, 1943, S. 176-178

Gordon, C.H., *Ugaritic literature. A comprehensive translation of the poetic and prose texts*, Roma 1949

Id., *Ugaritic manual. Newly revised grammar, texts in translation, cuneiform selections, paradigms – glossary – indices* = *Analecta Orientalia* 35, Roma 1955

Id., *Ugaritic textbook* = *Analecta Orientalia* 38, Roma 1965

Id., *Ugarit and Minoan Crete*, New York 1966

Id., Supplement to *The Ugaritic textbook*, Roma 1967

Gray, J., *The legacy of Canaan. The Ras Shamra texts and their relevance to the Old Testament* = *Supplements to Vetus Testamentum*, Volume 5, Leiden 1957 (2nd ed., Leiden 1965)

Id., *The Krt text in the literature of Ras Shamra. A social myth of ancient Canaan* = *Documenta et monumenta orientis antiqui* V, Leiden 1964

Haldar, A., *The position of Ugaritic among the Semitic languages* = *Bibliotheca Orientalis* XXI, 1964, S. 267-277

Hammershaimb, E., *Das Verbum im Dialekt von Ras Schamra*, Kopenhagen 1941

Herdner, A., *R. De Langhe – L'Enclitique cananéenne -m(a)*. Extrait du *Muséon*, t. LIX, 1-4, p. 89-111 = *Syria* XXVI, 1949, S. 383-384

Id., *Corpus des tablettes en cunéiformes alphabétiques, découvertes à Ras Shamra-Ugarit de 1929 à 1939* = *Mission de Ras Shamra*, Tome X, Paris 1963

Herrmann, W., *Yariḫ und Nikkal und der Preis der Kuṯarāt-Göttinnen. Ein kultisch-magischer Text aus Ras Schamra* = *Beihefte zur Zeitschrift für die alttestamentliche Wissenschaft* 106, Berlin 1968

Höfner, M., *Altsüdarabische Grammatik* = *Porta linguarum orientalium* XXIV, Leipzig 1943

Hoftijzer, J., *A note on 'iky* = *Ugarit-Forschungen* 3, 1971, S. 360

Howell, H.S., *Grammar of the classical Arabic language, translated and compiled from the works of the most approved native or naturalized authorities.* I. Allahabad 1880

Huffmon, H.B. and S.B. Parker, *A further note on the treaty background of Hebrew yāḏa'* = *Bulletin of the American Schools of Oriental Research* 184, 1966, S. 36-38

Hummel, H.D., *"Enclitic -MEM in early Northwest Semitic, especially Hebrew"* = *Journal of Biblical Literature* 76, 1957, S. 85-105

Hvidberg, F.F., *Weeping and laughter in the Old Testament*, Leiden 1962

Jean, C.H. and J. Hoftijzer, *Dictionnaire des inscriptions sémitiques de l'ouest*, Leiden 1965

Jirku, A., *Kanaanäische Mythen und Epen aus Ras Schamra-Ugarit*, Gütersloh 1962

Kazimirski, A. de B., *Dictionnaire arabe-français* I-II, *contenant toutes les racines de la langue arabe*, Paris 1960

Knudtzon, J.A., *Die El-Amarna-Tafeln* I-II, Aalen 1964

Koehler, L., *Lexicon in veteris testamenti libros*, Leiden 1953

König, E., *Hebräisches und aramäisches Wörterbuch zum Alten Testament*, Wiesbaden 1969

Labuschagne, C.J., *Ugaritic blt and biltî in Is. X 4* = *Vetus Testamentum* XIV, 1964, S. 97-99

Id., *The emphasizing particle gam and its connotations* = *Studia Biblica et Semitica*, 1966, S. 193-203

de Langhe, R., *L'enclitique cananéenne -m(a)* = *Muséon* LIX, S. 89-111

Id., *Les textes de Ras Shamra-Ugarit et leurs rapports avec le milieu biblique de l'Ancien Testament* I-II, Gembloux et Paris 1945

Largement, R., *La naissance de l'aurore*, Louvain 1949

Leslau, W., *Observations on Semitic cognates in Ugaritic* = *Orientalia* 37, 1968, S. 347-366

Lidzbarski, M., *Ephemeris für semitische Epigraphik* I-III, Giessen 1902-1915

Lipiński, E., *Épiphanie de Baal-Haddu. RŠ 24.245* = *Ugarit-Forschungen* 3, 1971, 81-92

Liverani, M., *Elementi innovativi nell'ugaritico non letterario* = *Accademia nazionale dei lincei.* Estratto dai rendiconti della Classe di Scienze morali, storiche e filologiche. Serie VIII, vol. XIX, fasc. 5-6. Maggio-Giugno 1964, S. 1-19

Loewenstamm, S.E., *Eine lehrhafte ugaritische Trinkburleske* = *Ugarit-Forschungen* 1, 1969, S. 71-77

Lökkegaard, F., ed. F.F. Hvidberg, *Weeping and laughter in the Old Testament*, Leiden 1962

Macuch, R., *Handbook of classical and modern Mandaic*, Berlin 1965

Margulis, B., *A new Ugaritic farce (RŠ 24.268)* = *Ugarit-Forschungen* 2, 1970, S. 131-138

Montgomery, J.A. and Z.S. Harris, *The Ras Shamra mythological texts* = *Memoirs of the American Philosophical Society*, 4), Philadelphia 1935

de Moor, J.C., *Frustula ugaritica* = *Journal of Near Eastern Studies* 24, 1965, S. 355-364

Id., Besprechung von W.H. Schmidt, *Königtum Gottes in Ugarit und Israel . . .* = *Bibliotheca Orientalis* XXIV, 1967, S. 207-209

Id., *Studies in the new alphabetic texts from Ras Shamra I* = *Ugarit-Forschungen* 1, 1969, S. 167-188

Id., *Ugaritic hm – Never "Behold"* = *Ugarit-Forschungen* 1, 1969, S. 201-202

Id., *The Semitic pantheon of Ugarit* = *Ugarit-Forschungen* 2, 1970, S. 187-228

Id., *Studies in the new alphabetic texts from Ras Shamra* II = *Ugarit-Forschungen* 2, 1970, S. 303-327

Id., *B. Margulis on RŠ 24.258* = *Ugarit-Forschungen* 2, 1970, S. 347-350

Id., *The seasonal pattern in the Ugaritic myth of Ba'lu* = *Alter Orient und Altes Testament* 16, Neukirchen-Vluyn 1971

Id., *The ash in Ugarit* = *Ugarit-Forschungen* 3, 1971, S. 349-350

Muilenburg, J., *The linguistic and rhetorical usages of the particle kî in the Old Testament* = *Hebrew Union College Annual* 32, 1961, S. 135-160

Nöldeke, Th., *Zur Grammatik des classischen Arabisch*, Darmstadt 1963

Id., *Kurzgefaßte syrische Grammatik*, Darmstadt 1966

Obermann, J., *Sentence negation in Ugaritic* = *Journal of Biblical Literature* 65, 1946, S. 233-247

Id., *Ugaritic mythology. A study of its leading motifs*, New Haven 1948

Pope, M.H., *Ugaritic enclitic -m* = *Journal of Cuneiform Studies* 5, 1951, S. 123-128

Id., Besprechung von Umberto Cassuto, *The goddess Anath, Canaanite epics of the patriarchial age. . . .* , Jerusalem 1951 = *Journal of Cuneiform Studies* 6, 1952, S. 133-136

Id. and J.H. Tigay, *A description of Baal* = *Ugarit-Forschungen* 3, 1971, S. 117-130

Rainey, A.F., *Notes on the syllabic Ugaritic vocabularies* = *Israel Exploration Journal* 19, 1969, S. 107-109

Id., *Observations on Ugaritic grammar* = *Ugarit-Forschungen* 3, 1971, S. 151-172

Reckendorf, H., *Die syntaktischen Verhältnisse des Arabischen*, Leiden 1898

Id., *Arabische Syntax*, Heidelberg 1921

Rhodokanakis, N., *Studien zur Lexikographie und Grammatik des Altsüdarabischen*, I. Heft = *Kais. Akademie der Wissenschaften in Wien*, Sitzungsberichte, 178. Band, 4. Abhandlung, Wien 1915

Rosenthal, F., *An Aramaic handbook* I/2 = *Porta liguarum orientalium*, Neue Serie X, Wiesbaden 1967

Rüger, H.P., *Zu RŠ 24.258* = *Ugarit-Forschungen* 1, 1969, S. 203-206

Rundgren, F., *Über Bildungen mit š(y)- und n-t-Demonstrativen im Semitischen*, Uppsala 1955

Sauren, H. und G. Kestemont, *Keret, roi de Ḫubur* = *Ugarit-Forschungen* 3, 1971, S. 181-221

Schmidt, W., *Königtum Gottes in Ugarit und Israel. Zur Herkunft der Königsprädikation Jahwes*, Berlin 1961

Schulthess, F., *Grammatik des christlich-palästinischen Aramäisch*, Tübingen 1924

van Selms, A., *Marriage and family life in Ugaritic literature* = *Pretoria Oriental Series* I, London 1954

Id., *CTA 32: A prophetical liturgy* = *Ugarit-Forschungen* 3, 1971, S. 235-248

Singer, A.D., *The "final -m" (= ma?) in the Ugarit tablets* = *Bulletin of the Jewish Palestine Exploration Society* 10, 1942-1943, S. 54-63

Id., *The vocative in Ugaritic* = *Journal of Cuneiform Studies* 2, 1948, S. 1-10

von Soden, W., *Grundriß der akkadischen Grammatik* = *Analecta Orientalia* 33, Roma 1952

Id., *Akkadisches Handwörterbuch. Unter Benutzung des lexikalischen Nachlasses von Bruno Meissner (1868-1947)*, I, Wiesbaden 1965

Speiser, E.A., *The terminative-adverbial in Canaanite-Ugaritic and Akkadian* = *Israel Exploration Journal* 4, 1954, S. 108-115 (auf hebräisch in *Eretz-Israel* 3, 1953, (*Cassuto Memorial Volume*), S. 63-66)

Virolleaud, Ch., *Un poème phénicien de Ras-Schamra* = *Syria* XII, 1931, S. 193-224

Id., *Un nouveau chant du poème d'Aleïn-Baal* = *Syria* XIII, 1932, S. 113-163

Id., *La naissance des dieux gracieux et beaux* = *Syria* XIV, 1933, S. 128-151

Id., *La mort de Baal. Poème de Ras-Shamra (I* AB)* = *Syria* XV, 1934, S. 305-336

Id., *La révolte de Košer contre Baal. Poème de Ras-Shamra (III AB, A)* = *Syria* XVI, 1935, S. 29-45

Id., *Hymne phénicien au dieu Nikal et aux déesses Košarôt* = *Syria* XVII, 1936, S. 209-228

Id., *La légende phénicienne de Danel* = *Mission de Ras-Shamra*, Tome I, Paris 1936

Id., *La légende de Keret, roi des sidoniens, publiée d'après une tablette de Ras-Shamra* = *Mission de Ras-Shamra*, Tome II, Paris 1936

Id., *Fragments alphabétiques divers de Ras Shamra* = *Syria* XIX, 1938, S. 335-344

Id., *La déesse 'Anat* = *Mission de Ras Shamra*, Tome IV, Paris 1938

Id., *Lettres et documents administratifs provenant des archives d'Ugarit* = *Syria* XXI, 1940, S. 247-276

Id., *Les rephaïm. Fragments de poèmes de Ras-Shamra* = *Syria* XXII, 1941, S. 1-30

Id., *Le roi Kéret et son fils (II K), 1re partie. Poème de Ras-Shamra* = *Syria* XXII, 1941, S. 105-136

Id., *Le roi Kéret et son fils (II K)* = *Syria* XXIII, 1942-1943, S. 1-20

Id., *Le mariage du roi Kéret (III K). Poème de Ras-Shamra* = *Syria* XXIII, 1942-1943, S. 137-172

Virolleaud, Ch., *Fragments mythologiques de Ras-Shamra* = *Syria* XXIV, 1944-1945, S. 1-23

Id., *Les nouvelles tablettes alphabétiques de Ras-Shamra* = *Comtes Rendus de l'Académie des Inscriptions et Belles-Lettres*, 1952, S. 229-234

Id., *Textes en cunéiformes alphabétiques des archives est, ouest et centrales* = *Mission de Ras Shamra*, Tome VII/*Le palais royal d'Ugarit* II, Paris 1957

Id., *Un nouvel épisode du mythe ugaritique de Baal* = *Comtes Rendus de l'Académie des Inscriptions et Belles-Lettres*, 1960, S. 180-186

Id., *Textes en cunéiformes alphabétiques des archives sud, sud-ouest et du petit palais* = *Mission de Ras Shamra*, Tome XI/*Le palais royal d'Ugarit* V, Paris 1965

Id., *Les nouveaux textes mythologiques et liturgiques de Ras Shamra (XXIVe campagne, 1961)* = *Ugaritica* V, Paris 1968, S. 545-606

Wagner, E., *Syntax der Mehri-Sprache. Unter Berücksichtigung auch der anderen neusüdarabischen Sprachen*, Berlin 1953

Wehr, H., *Arabisches Wörterbuch für die Schriftsprache der Gegenwart*, Erlangen 1949

Wright, W., *A grammar of the Arabic language, translated from the German of Caspari, and edited, with numerous additions and corrections.* I-II. 3. ed., revised by W. Robertson Smith and M.J. de Goeje, Cambridge 1962-1964

al-Yasin, Izz-al-Din, *The lexical relation between Ugaritic and Arabic* = *Shelton Semitic Monograph Series* 1, New York 1952

van Zijl, P.J., *Baal. A study of texts in connexion with Baal in the Ugaritic epics* = *Alter Orient und Altes Testament* 10, Neukirchen-Vluyn 1972

ABKÜRZUNGEN

A.a.O.	am angeführten Orte
Aartun, Neue Beiträge	Aartun, Neue Beiträge zum ugaritischen Lexikon
Aartun, Tempora	Aartun, Zur Frage altarabischer Tempora
Act. Or.	Acta Orientalia
ägypt.-aram.	ägyptisch-aramäisch
'Aġ.	Kitāb al-'aġānī
Aistleitner, Untersuchungen	Aistleitner, Untersuchungen zur Grammatik des Ugaritischen
Aistleitner, Wb	Aistleitner, Wörterbuch der ugaritischen Sprache
Aistleitner, Texte	Aistleitner, Die mythologischen und kultischen Texte aus Ras Schamra
AOAT	Alter Orient und Altes Testament
Barth, Pronominalbildung	Barth, Die Pronominalbildung in den semitischen Sprachen
BASOR	Bulletin of the American Schools of Oriental Research
BASOR, Suppl. stud.	Bulletin of the American Schools of Oriental Research. Supplementary studies
Bauer-Leander, Hist. Gram. I	Bauer und Leander, Historische Grammatik der hebräischen Sprache des Alten Testamentes, Erster Band
Beer-Meyer, Gram. I	Beer und Meyer, Hebräische Grammatik, Erster Band
Beeston, Grammar	Beeston, A descriptive grammar of epigraphic South Arabian
Bergsträsser, Einführung	Bergsträsser, Einführung in die semitischen Sprachen
Bergsträsser, Gram. (I-II)	Bergsträsser, Hebräische Grammatik. (Erster und zweiter Teil)
bibl.-aram.	biblisch-aramäisch
BiO	Bibliotheca Orientalis
Birkeland, Akzent und Vokalismus	Birkeland, Akzent und Vokalismus im Althebräischen
Birkeland, Pausalformen	Birkeland, Altarabische Pausalformen
BJPES	Bulletin of the Jewish Palestine Exploration Society
Brockelmann, Grundriß I-II	Brockelmann, Grundriß der vergleichenden Grammatik der semitischen Sprachen I-II
Brockelmann, Lex.syr.	Brockelmann, Lexicon syriacum
Brockelmann, Arab. Gram.	Brockelmann, Arabische Grammatik
Brockelmann, Syntax	Brockelmann, Hebräische Syntax
CAD	The Assyrian Dictionary of the University of Chicago
Cantineau, Le nabatéen/Nabatéen (I)	Cantineau, Le nabatéen I.
Cantineau, Gram. du palm. épigr.	Cantineau, Grammaire du palmyrénien épigraphique

Caspari-Müller, Gram.	Caspari, Arabische Grammatik, fünfte Auflage bearbeitet von August Müller
Cassuto, 'Anat	Cassuto, The goddess 'Anath. Canaanite epics of the patriarchial age. Texts, Hebrew translation, commentary and introduction
Cassuto, Goddess	Cassuto, The goddess 'Anath, translated from the Hebrew by Israel Abrahams
1/2 Ch	1./2. Chronik
christl-pal.	christlich-palästinisch
CRAIBL	Comtes rendus de l'Académie des Inscriptions et Belles-Lettres
Ct	Canticum canticorum
Dahood, Ug.-Heb. phil.	Dahood, Ugaritic-Hebrew philology
Dalman, Hw	Dalman, Aramäisch-neuhebräisches Handwörterbuch zu Targum, Talmud und Midrasch
Dalman, Gram.	Dalman, Grammatik des jüdisch-palästinischen Aramäisch
Dan	Daniel
Dillmann, Lex.	Dillmann, Lexicon linguae aethiopicae
Dillmann, Gram.	Dillmann, Grammatik der äthiopischen Sprache
Donner und Röllig, Inschriften I-II	Donner und Röllig, Kanaanäische und aramäische Inschriften I-II
Driver, Myths	Driver, Canaanite myths and legends
Drower-Macuch, Dictionary	Drower and Macuch, A Mandaic dictionary
Dt	Deuteronomium
Dussaud, Mythe	Dussaud, Le mythe de Ba'al et d'Aliyan d'après des documents nouveaux
EA	Die El-Amarna-Tafeln
Eissfeldt, Neue keilschriftalphabetische Texte	Eissfeldt, Neue keilschriftalphabetische Texte aus Ras Schamra-Ugarit
Esth	Esther
Ex	Exodus
Ez	Ezechiel
Friedrich, Gram.	Friedrich, Phönizisch-punische Grammatik
Gen	Genesis
Gesenius-Buhl, Hw	Gesenius, Hebräisches und aramäisches Handwörterbuch über das Alte Testament, bearbeitet von Frants Buhl
Gesenius-Kautzsch, Gram.	Gesenius, Hebräische Grammatik, völlig umgearbeitet von E. Kautzsch
Ginsberg, Keret	Ginsberg, The legend of king Keret. A Canaanite epic of the bronze age.
Ginsberg, ANET	Ginsberg, Ugaritic myths, epics, and legends = Ancient Near Eastern Texts (S. 129-155)
Gordon, Ug. lit.	Gordon, Ugaritic literature. A comprehensive translation of the poetic and prose texts.
Gordon, Manual	Gordon, Ugaritic manual
Gordon, Textbook	Gordon, Ugaritic textbook
Gordon, Ug. and Min.	Gordon, Ugarit and Minoan Crete
Gordon, Supplement/Suppl.	Gordon, Supplement to *The Ugaritic textbook*
Gray, Lagacy/Legacy^1	Gray, The legacy of Canaan^1
Gray, Legacy^2	Gray, The legacy of Canaan^2

Gray, Krt	Gray, The Krt text in the literature of Ras Shamra. A social myth of ancient Canaan
Had.	Die Hadad-Inschrift
Hammershaimb, Verb	Hammershaimb, Das Verbum im Dialekt von Ras Schamra
Herdner, Corpus	Herdner, Corpus des tablettes en cunéiformes alphabétiques
Herrmann, Yariḫ	Herrmann, Yariḫ und Nikkal und der Preis der Kuṯarat-Göttinnen. Ein kultisch-magischer Text aus Ras Schamra
Hi	Hiob
Höfner, Gram.	Höfner, Altsüdarabische Grammatik
Howell, Grammar I	Howell, Grammar of the classical Arabic language I
Hos	Hosea
HUCA	Hebrew Union College Annual
Ibid.	ibidem
Id.	idem
IEJ	Israel Exploration Journal
JAOS	Journal of the American Oriental Society
JBL	Journal of Biblical Literature
JCS	Journal of Cuneiform Studies
Jean und Hoftijzer, Dictionnaire	Jean und Hoftijzer, Dictionnaire des inscriptions sémitiques de l'ouest
Jer	Jeremia
Jes	Jesaja
Jirku, Mythen	Jirku, Kanaanäische Mythen und Epen aus Ras Schamra-Ugarit
JNES	Journal of Near Eastern Studies
Jon	Jona
Jos	Josua
JRAS	Journal of the Royal Asiatic Society
jüd.-aram.	jüdisch-aramäisch
Kazimirski, Dictionnaire I-II	Kazimirski, Dictionnaire Arabe – Français I-II
Knudtzon, EA	Knudtzon, Die El-Amarna-Tafeln
Koehler, Lexicon/Lex.	Koehler, Lexicon in veteris testamenti libros
Koh	Koheleth
König, Wb	König, Hebräisches und aramäisches Wörterbuch zum Alten Testament
1/2 K	1./2. Könige
de Langhe, Textes I-II	de Langhe, Les textes de Ras Shamra-Ugarit et leurs rapports avec le milieu biblique de l'Ancien Testament I-II
Largement, La naissance	Largement, La naissance de l'aurore
Lev	Leviticus
Lidzbarski, Ephemeris III	Lidzbarski, Ephemeris für semitische Epigraphik III
Liverani, Elementi	Liverani, Elementi innovativi nell'ugaritico non letterario
LSS	Leipziger Semitistische Studien
Macuch, Handbook	Macuch, Handbook of classical and modern Mandaic

Mal	Maleachi
mand.	mandäisch
Matth	Matthäus
Mi	Micha
nab.	nabatäisch
Neh	Nehemia
Nöldeke, ZGr	Nöldeke, Zur Grammatik des classischen Arabisch
Nöldeke, Syr. Gram.	Nöldeke, Kurzgefaßte syrische Grammatik
Nu	Numeri
Obermann, Ug.myth.	Obermann, Ugaritic mythology. A study of its leading motifs
OLZ	Orientalistische Literaturzeitung
Op. cit.	Opus citatum
palm.	palmyrenisch
Pr	Proverbia
Ps	Psalmi
Qr.	Qĕrē
Qur.	al-Qur'ān
Reckendorf, Synt. Verh.	Reckendorf, Die syntaktischen Verhältnisse des Arabischen
Reckendorf, Syntax	Reckendorf, Arabische Syntax
Rhodokanakis, Studien I	Rhodokanakis, Studien zur Lexikographie und Grammatik des Altsüdarabischen. I. Heft
Ri	Richter
Rosenthal, Handbook I/2	Rosenthal, An Aramaic handbook I/2
RSMT	The Ras Shamra mythological texts
Rundgren, Bildungen	Rundgren, Über Bildung mit *(š)s*- und *n-t*-Demonstrativen im Semitischen
Sach	Sacharja
1/2 S	1./2. Samuel
Schmidt, Königtum	Schmidt, Königtum Gottes in Ugarit und Israel. Zur Herkunft der Königsprädikation Jahwes
Schulthess, Gram.	Schulthess, Grammatik des christlich-palästinischen Aramäisch
van Selms, Marriage	van Selms, Marriage and family life in Ugaritic literature
von Soden, AHw	von Soden, Akkadisches Handwörterbuch
von Soden, GAG	von Soden, Grundriß der akkadischen Grammatik
Stat./St. abs.	Status absolutus
Stat./St. cstr.	Status constructus
Stat. emph.	Status emphaticus
Stud. Bibl. et Sem.	Studia Biblica et Semitica
syr.	syrisch
Thr	Threni
UF	Ugarit-Forschungen
Ug.	Ugaritica

Virolleaud, Danel	Virolleaud, La légende phénicienne de Danel
Virolleaud, La déesse/Déesse	Virolleaud, La déesse ʿAnat
Virolleaud, Keret	Virolleaud, La légende de Keret, roi des sidoniens
Virolleaud, PU II	Virolleaud, Textes en cunéiformes alphabétiques des archives est, ouest et centrales = Le Palais Royal d'Ugarit II.
Virolleaud, PU V	Virolleaud, Textes en cunéiformes alphabétiques des archives sud, sud-ouest et du petit palais = Le Palais Royal d'Ugarit V.
VT	Vetus Testamentum
Wagner, Syntax	Wagner, Syntax der Mehri-Sprache
WdO	Die Welt des Orients
Wehr, Wb	Wehr, Arabisches Wörterbuch
Wright I-II	Wright, Arabic grammar I-II
al-Yasin, Lex.rel.	al Yasin, The lexical relation between Ugaritic and Arabic
ZDMG	Zeitschrift der deutschen morgenländischen Gesellschaft